李春元　著

霾来了

战霾三部曲之一

作家出版社

图书在版编目（CIP）数据

霾来了：新版/李春元著. - 北京：作家出版社,2015.4
(2017.12 重印)
　ISBN 978 - 7 - 5063 - 7879 - 6

Ⅰ.①霾… Ⅱ.①李… Ⅲ.①长篇小说 - 中国 - 当代
Ⅳ.①I247.5

中国版本图书馆 CIP 数据核字（2015）第 049948 号

霾来了：新版

作　　者：李春元
责任编辑：省登宇
装帧设计：张亚群
出版发行：作家出版社
社　　址：北京农展馆南里 10 号　　邮编：100125
电话传真：86 - 10 - 65930756（出版发行部）
　　　　　86 - 10 - 65004079（总编室）
　　　　　86 - 10 - 65015116（邮购部）
E - mail：zuojia@ zuojia. net. cn
http://www. haozuojia. com（作家在线）
印　　刷：中煤（北京）印务有限公司
成品尺寸：152×230
字　　数：310 千
印　　张：20
版　　次：2015 年 4 月第 1 版
　　　　　2016 年 3 月第 2 版
印　　次：2017 年 12 月第 9 次印刷
ISBN 978 - 7 - 5063 - 7879 - 6
定　　价：36.00 元

目录

序

生态文学领域的勇气之为

文/孟繁彪

　　认识李春元先生多年了，我知道他的工作经历是由两个阶段构成的：先是军人，后来转业成为环保干部。看见眼前摆着的他的厚厚一摞书稿，马上我就对他的两种工作经历与书稿有了紧密的对接——军人经历赋予了他敢闯敢干的勇气；环保工作使他具有强烈责任意识的担当。自打他提到要以小说的形式写关于环境保护方面的长篇新作，到不长时间里二十多万字的小说出来，我便由当初的那种将信将疑变成如今由衷的赞叹了。

　　承蒙春元的信赖，在这部小说出版之际，让我为他的作品写点感受，我只好恭敬不如从命了。

　　我知道他的作品成篇速度快，而且敏锐地紧扣着当今的时代主题——环境保护、大气污染防治、追求美好生活等群众关心的热点问题。这样的近距离艺术贴近，是需要勇气和能力的，纵观春元的小说《霾来了》里边的四个组成部分《盼姐与老猫》《的哥有梦》《敲钟的老康》和《辐射风波》，可以知道他达到了预期的效果，作品反映生活、反映时代及时迅速，因其快，传播效果就好。其中一些也曾在报纸副刊上进行刊载。我想，报纸的功能是宣传，文学的功能是审美。他的作品正好以文学审美的形式反映主题、反映生活、反映思想，把环保知识传播给读者。如果说报纸是一座城市文化高地的重要支点，那报纸就需要更多这样的优秀文学作品的支撑。

　　春元是位坚守在一线的环保工作者，他根据工作中的所见所闻，通过猫事与人事的梳理叙述，通过的哥的所见所闻，通过敲钟人老康的感悟，通过吕副县长等诸多人物的故事得到了艺术的展现，对于污染的危害以及对于环境保护的重要性进行了全面细致的展开，入情入理，引人深思。尤其对于刚刚被人们关注的"雾霾"危害，他融进小说元素之中，很是难能可贵。十八届三中全会《中共中央关于全面深化改革若干重大问题的决定》明确提出："建设生态文明，必须建立系统完整的生态文明制度体系，实行最严格的源头保护制度、损害赔偿制度、责任追究制度，完善环境治理和生态修复制度，用制度保护生态环境。"这既是刚性要求，也要有道德层面的教育引导，更要有一批优秀文学作品的艺术营造。他在每日的呼吸时，想到了我们赖以生存的环境，可以说这正是经济发展与群众生活矛盾的辩证思考与艺术再现。

如何艺术地再现生态之忧，我也思考了许多。面对着环境污染、资源短缺、生态失衡，强烈的忧患意识和使命感促使作家借助文学创作表达对生态危机的真诚愤慨和深重忧虑，但仅有这些还远远不够。单纯的义愤填膺之辞和人道主义呼吁，并不能给人以更多更深的启示。生态文学的优势在于它为作家提供了更广阔的艺术空间，以进一步反思人类文明的弊端，但前提是作家必须克服盲目趋同的心态，尽快从一味的情感宣泄和浮躁的攻击咒骂中摆脱出来，对伴随人类社会发展出现的生态问题进行更为理性、全面的剖析与反思，并努力为人类走出生态困境寻求可能的出路。从这一意义上来说，生态文学作家们做到"心中有数"比"胸中有情"更具建设意义。显然，春元在小说中的拓展能力是很强的，他在作品里穿插了很多环保知识，又让人物在诙谐的对话和情节中消融知识的单调，做到了亦庄亦谐、寓庄于谐。让读者在感受阅读的快乐时，也得到了教育和启发，这就是一部作品的成功。

艺术表现不同于行政执法，艺术的优势使他在社会发展中有很强的预感性，还能触及人们的心灵深处。由快速发展的工业文明所引发的生态危机，是生态文学产生的现实背景，春元先生的小说正好切中了这个背景，所以说他是有胆识与慧眼的。生态危机大致包括自然生态危机和精神生态危机两方面：一方面，对自然资源竭泽而渔式的开发利用，使人类正在失去可以安顿肉身的物质家园；另一方面，自我意识极度膨胀所导致的精神危机，又使人的精神家园离人类生活越来越远了。生态文学的目的就是要通过揭示根深蒂固的人类中心主义，以及展现人与自然、人与人、人与社会和谐共生的理想境界这正反两方面的努力，最终养成大众的生态意识和科学的发展观。

说到这里，我又想起那个"杞人忧天"的老故事。从前在杞国，有个人常会想到一些奇怪的问题。有一天，他吃过晚饭以后，拿了一把大蒲扇，坐在门前乘凉，自言自语地说："假如有一天，天塌了下来，那该怎么办呢？"从此，他几乎每天为这个问题发愁、烦恼，朋友见他终日精神恍惚，脸色憔悴，都很替他担心，但是，当大家知道原因后，都跑来劝他说："老兄啊！你何必为这件事自寻烦恼呢？天怎么会塌下来呢？再说即使真的塌下来，那也不是你一个人忧虑发愁就可以解决的啊，想开点儿吧。"无论人家怎么说，他仍然时常为这个问题担忧。

以前，我们总是嘲笑那个忧天的杞人，现在看来我们都应该敬佩他呢，他有忧患意识，有前瞻意识，这不是一般人所能做到的。如今，土地、空气、水源，这些我们曾认为取之不尽用之不竭的资源，正在人类的挥霍中发出警报，这需要我们每个人都认真思考。

很高兴，春元先生涉足文学不久，就以强烈的责任意识，以及灵动多变的艺术手法，为我们呈现了这样的生态大餐。祝他不断进步。

（孟繁彪，廊坊日报社总编辑）

新版自序

用良心尽责

"环保局长写小说，你是吃饱了撑的吗？"

"有人叫你是'拌菜局长'，你愿意背着这个'怪'名吗？"

"你小说中讲的县长与环保局长的环境博弈与冲突，在现实中是真实的吗？"

面对中央电视台新闻部女编导童盈和中国"名嘴"崔永元犀利并暗含敏锐的追问，我的胸口一时发憋，头皮发涨，嗓子眼里也好像是站了个门卫一样，一时语憋。

"我不是撑的，是在尽责！"

"我不是在造新闻，是读者和网友看了我的小说后真的在感悟治霾、真的在行动！"

"环保执法困惑与艰难的现实，在很多地方，要比小说里写得更糟糕！"

我突然的爆发，让崔永元的两只眼睛突然惊得圆圆的，他直勾勾地盯着我的脸，过了好大一会儿他才从"抑郁"中解脱出来，继续他对我的访谈："看出来了，你是一个愿意让环境好的人。"

到2015年立春那一天，我创作的环保小说《霾来了》已出版发行整整九个月了。也是这一天，省登宇先生通知我，作家出版社决定出版新版《霾来了》。

由于长期素材积累的原因，我的小说《霾来了》从谋笔到结稿，仅有百日。发行九个月的日日夜夜，我始终被纸媒、音媒、像媒、网媒和众多读者、网民乃至全国各个地方的官员和环保人关注着。众人的关注点，不仅仅有污霾对人的危害、环保法规落实的艰难，还有环保局长为什么"不务正业"、环保局长用小说讽刺官员会不会遭受责难与攻击……

"春元啊，你的小说火了，给廊坊争了不少的光啊。问题抓得很准啊，善意的批评也是对政府和官员的帮助啊！"环保问题是普遍的，表扬是地方官员给的。廊坊一把市长先生的鼓励，发自内心，且是当众畅言，令我像省环保厅一次购书千册一样备受鼓舞与感激。由此，《廊坊日报》和《廊坊都市报》把《霾来了》作为当地创建生态文明城市、开展新《环保法》宣传和动员公众向污染宣战的一把利器，数十篇评论、报道、专访，持续见诸报端；数月中《人民日报》、中央电台、中央电视台、新华每日电讯、《中国日报》(英文版)《中国青年报》《中国环境报》、东方卫视、香港凤凰卫视、河北电台、廊坊电视台、《解放日报》、人民网、新浪网、新华网……把《霾来了》和我的名字一起"炒"成了"汉英一体"的"全球通"。万余本小说有赠有销，在读者手中传阅。百余家网站网民点击、阅读量迅速升至六千多万人次，数万条网民留言、评论、点赞，有褒有贬，有感受有同情，有鼓励有鞭策，让我真的一时不知所措，也让我体验了客观报道的力量。

我晕了，但我很有自知之明。

人世间没有任何人能教会我们该如何尽责。家庭的责任、社会的责任、职业的责任……世上之人都是这样，尽责中有数不清的追求与梦想、困惑与彷徨、痛苦与幸福、义务与责任、选择与拒绝，就看你是否能够在新事物到来时凡事都能辩证地问一问为什么、是什么，看一看结果怎样；能否抓住了那稍纵即逝的成功机会；能否有一个明智、睿智的选择。此时此刻，当众多的媒体记者来访，问及我当初写小说为什么？面对突来的"火爆"想什么？下一步创作写什么的时候，在我脑海中浮现最多的"答复"却往往是众多领导、同仁、朋友的关爱与支持，读者、网友和媒体的关注、鼓励与推介。《霾来了》作为长篇小说是我的处女拙作，她为何能受到众人的广泛关注？其正如《人民日报》武卫政先生《〈霾来了〉为何受关注》评论所言："环保宣教是在人的头脑中搞建设，要紧扣社会热点，不断回应群众关切。只有早说，敢说，会说，才能凝聚共识，促使社会各界形成向污染宣战的强大合力。"媒体的舆论支持是无私的，这期间，有十几位媒体才女记者的客观力作让我对她们的长篇专访和求实品格实在难忘：中央电视台新闻节目记者童盈、中央电台中国之声记者刘飞、《中国日报》（英文版）记者刘志华、《中国青年报》冰点特稿记者陈璇、《北京晚报》记者魏婧、《中国环境报》观点版记者李莹、《解放日报》专刊记者陈俊珺、《南方人物周刊》记者李珊珊、《廊坊日报》记者张萌萌、刘元琨、吴立业等。此外，廊坊新华书店常立发先生和众多环保志愿者的支持也是无私的。我要用敬业和担当感谢他们和她们！

此次出版新版，充实了环保知识、法规百题，意在助力新《环保法》实施。霾来了，政府在思考、公众在行动、法规在发力、媒体在疾呼。穿透雾霾，崔永元先生虽然在过去的关注中发出过"炒作"网料，我也"恨"过他，但我也深知，他与她们关注的不仅是小说本身，而是人类生存。对此，我坚信当初的创作选择没有错，我就是想用良心、用尽责去对得起我的工资！因为我知道，那些给我发工资的百姓，每天都在期盼着霾能早一天离去，无序的污染能早一天停止，蓝天和白云能早一天永在。因此，过去、现在、将来，摆在我面前的路只有一条：用良心去尽责。哪怕有时会面对"赎罪"。否则，我会不会在沉默中变得"圆滑"了，甚至，会不会连那些倾心关注环保事业的记者们也对不住了呢！

《霾来了》出版后，不断有人问我："霾何时去？"我无言以对。但看过众多媒体的客观报道与读过"治国理政"方略后，我突然眼前一亮：这些高声疾呼，这些实话实说，这些科学道理，才是支助这个时代孕育社会德行的输卵管，是上苍孕育人间正道使用过的脉管。这个脉管，能助力上苍传输防霾治污风暴，更会让旷世一切害世伤人之霾，在法制与监督面前，闻风而散。"治霾不能等靠来东风"，这该是我用下部小说，用心深究的吗？

李春元

2015年3月6日节逢惊蛰

社会需要规则、需要制度，更需要尊重规则和制度的人。为了生存，每个人不得不推崇规则与制度至上，不得不屈服于规则和制度。没有人顾及共同的空间，共同的规则，共同的制度，清水会变成污水，空气会变成毒气，秩序会变成乱序，甚至，有一天，地球真的会因此惨遭毁灭，人类的梦想，真的会变成善愿无果的空想与梦想。

——题记

盼姐与老猫

上下五千年科学研究已经证明，地球是迄今为止唯一发现适合人类生存的星球，人类生存暂时没有其他退路。所以，地球上的所有争端，无论是陆海空地域之争，还是数不清的资源之争，目的都是在寻觅一个方位：今世和后世的活路。但面对现有的生路，你会不给自己子孙留下活路吗？假设，真的有一天人类有了新生之地，试问，你的工资，够搬上新星球的费用吗？生存在地球上的每一个人啊、动物啊，都不该只是生存环境的盘剥者，在责任面前，人类应更有尊严于任何畜类。

社会工作者的一项调查表明，目前C市基本不缺少规则与制度，缺少的是守则与尽责的行动者。依我看，调查结果不一定准确。

一

小的时候，我很羡慕邻居家的小伙伴，他有爷爷。而我自己的爷爷，我却未曾见过。他走得早。

一天，邻居家的爷爷问他的孙子："我老了，如果把家交给你管，猪因饲料不好暴跳如雷，狗因看家太累半夜睡觉，牛因耕地太辛苦无精打采，你怎么办？"孙子想了想说："我要每天给猪加一勺好饲料，尽量少安排小狗白天和我一起出去玩，多替牛干点儿体力活，优待它们，关爱它们。"邻居爷爷听后叹道："后生有情，我院危矣！你应该告诉它们，狼要来了。"孙子问："那不是您吓唬我在家睡午觉的招吗？"邻居爷爷道："不是吓唬，狼真的是会来吃人的。而且连猫呀狗呀牛呀的会一块吃掉。"

一晃几十年过去了，现实的生态环境告诉我们，狼来不了了，霾来了。

"霾来了——"

听到这消息，很多老人都胆小，他们听错了，他们误以为是自己小的时候，最害怕的那句话又轮回了："狼来了——"

春来了，雾没散，霾也没散。霾留雾，雾浮霾，"污霾"三日不退，天空像盖上了一个大锅盖，让C市的人和他们的宠物们一起，持续笼罩在"霾毒"的伤痛与郁闷之中。

雾霾之下，我所住的C市探春花园小区，新搬来一户人家。据说是从E县县城中心地带一个有背景的大院里搬来的。

女主人姓甄，叫会盼。男主人姓啥叫啥长个啥模样，小区里的人都说不知道、没见过。据同住四楼的东门街坊，老黄那个三十出头的独生子黄彪讲，甄家搬来那天夜里，男主人用围巾把脸包得严严实实，外加戴个大墨镜，还是悄悄上的楼，连电梯都没坐，看背影，个头有一米七八。快入夏了，还捂得那么严实，尤其是搬来快俩月了，就没见那男人走出过防盗门，这不禁让很多人心生疑窦。黄彪放风说："市区内近期连续发生数起蒙面人借雾霾深夜入室盗窃案，公安正在严打。大家记好喽，哪天小区里要是出点儿什么事，快点儿报案，别含糊。"

男主人从不出门，但截然相反的是，女主人搬来俩月，几乎全小区大大小小、老老少少的人就都知道了，小区里新来了一位长相和性格，都与《朝阳沟》里那个与银环妈斗嘴的二大娘特别相似的盼姨、盼嫂、盼姐、盼妹子。叫法不同，是年龄上有差别和有代沟造成的，多数人叫盼姐叫得很亲切，但也有人对盼姐有些非议，甚至有人对盼姐家怀有疑惑。

　　盐咸醋酸都是有缘故的。小区里的很多人之所以这么快认识并给这个叫会盼的女人送去高规格的尊敬，是因她办事深得人心。对她有非议，是因为她太爱管一些所谓的闲事。对她和她家的疑惑与防备，当然是黄彪不断施放烟幕、持续煽呼的结果。

二

　　自从盼姐——就随着同辈的年轻人叫她盼姐吧——搬来小区的第二天起，人们就发现，她每天起床比晨练的人还早。不同的是，她不是去伸胳膊扭腿地练什么功，而是先走到小区外的大街上，东张西望一番后，回院、回家，一会儿又下楼，左手拿个带把儿的簸箕，右手抓把扫帚，在小区里一圈一圈转。转的过程中，她也好像是心事重重地一边东张西望，一边忙忙乎乎。但凡她转过的地方，地上扔的各种垃圾、小狗们拉的屎、树上掉的黄叶，也就跟着她前行的步伐进了垃圾箱。日复一日，几个月中，除去暮春的那几天严重雾霾的日子，她几乎没有间断过。

　　对盼姐有非议的人，多是那些家里养着小狗，或在小区里开车等人车不熄火、在小区草坪上开荒种私家菜和乱扔烟头、垃圾的业主们。盼姐爱管这些闲事，当着人家的面，张嘴就批评、就劝导，有时还拦着人家，递上卫生纸，让人家把小狗拉的屎收拾干净。

　　"你算老几呀？"

　　"你想当小区区长啊？"

　　"你想当模范别把我当地托儿呀。"

　　……

　　总之，谁爱表扬就表扬两句，谁爱数落就数落两句，盼姐都是乐呵呵地听、乐呵呵地干、乐呵呵地劝、乐呵呵地制止，不烦不厌不悔。几个月下来，盼姐光给养狗的主儿们现场免费发放的卫生纸，就有百余卷。

小区里有人悄悄告诉黄彪："据我观察，那女人不太像坏人，挺热心、挺勤快的。"黄彪压低声音提醒说："我爸说，越是坏人越会装。你看她，每天心事重重，四处张望，很可能是一个侦察踩点，假装做好事掩人耳目，另一个寻机作案，千万不要放松警惕呀。"

盼姐每天在小区里巡视，每天在收拾垃圾，她隐隐约约也有这样的感觉，她和她的家，始终在对门和一些人的监视中。

在盼姐搬来探春花园第六十五天的一大早，盼姐本来想像往日一样出门，但当她拉开阳台上的窗帘，往楼下观望时，一个特殊的场面，牢牢地吸引了她。

盼姐看到，在自家楼下的花坛石阶上，聚集了十多只小狗。在小狗群中，有一只浑身沾满泥巴、闹不清本是什么颜色的老猫，特别引人注目。盼姐亲眼看见，那只老猫面对众狗不但无所畏惧，而且很是耀武扬威。当它发现一只小京巴把屎拉在了花坛石阶上后，便立即冲到小狗面前，伸出右前爪，先是试探性地在空中挥舞，见小狗反应不大，继而猛冲上去，对着京巴，"啪啪"就是俩嘴巴。京巴被打后气得跳起来，要对老猫施威，此刻，却见老猫腾空跃起，"噢"地怒叫一声，跳入花坛之中。瞬间，众狗纷纷跃下，把老猫紧紧围在当中。盼姐开始还以为会出现众狗咬猫之乱。但她惊奇地看到，老猫这时却不慌不忙地伸出前边两只利爪，坐地在空中一一指点众狗一圈，然后低下头来，在大柿子树下那块无花又无草的空地上，刨出了一个小坑。老猫把腚眼对准小坑，悬空摆出坐姿，一缩脖、一使劲儿，拉了一堆猫粪。随即起身，又小心翼翼地先伸出左爪，后又伸出右爪，把刚才刨开的土，用利爪拢回，把粪便盖了个严严实实。

更精彩的一幕出现了：十几只小狗不约而同地学着猫的样子，有屎没屎的，也都各自挖个坑，并照着猫刚才做的动作，学着做了一遍。有一只小黄狗没有把自己拉的屎盖严实，老猫过去，"啪啪"又是两个耳光，并单个给小黄狗做了遮盖示范。

盼姐乐了，这可真是太有趣了。活了48岁零6个月，别说看到，过去连听也没听谁说过，猫会做出这么蹊跷、有趣的事。

盼姐入神地看着。突然，她好像如梦方醒般地激灵了一下，双眼立时闪耀出异常的光芒与激动。她像加大了油门的摩托车，从四楼快步冲到楼下。狗还在，猫好像不愿见她一样，早已没了踪影。

"您见到刚才在这儿刨地的那只老猫跑哪儿去了吗？"

"你说谁是老猫呀？我在这里刨地呢！"

一位胖丑婆模样的老妇人听到盼姐的问话，很是不高兴。她想在花坛里种菜，正用铁锹费尽力气，把花坛里的月季花刨掉，种上韭菜、小葱。

"您误会了，我是说刚才有一只猫在这儿教小狗刨土埋粪来着，不是说您刨花种菜的事儿。"

胖丑婆脸上加上凶气后，更显丑陋。盼姐看她很难沟通，就想扭头走开。但盼姐突然发现，在胖丑婆和她说矫情话的这个空当，几只小狗在胖丑婆种小葱、韭菜的地方，拉了好几堆臭狗屎。胖丑婆见状，脸色气得比雾霾都黄了。她气呼呼抄起铁锹，朝小狗们拍去。

自打盼姐那天看过小狗们学猫埋粪的情景后，小区内弯弯曲曲的小路上，狗粪明显少了许多，而其他垃圾，却依旧如故。

这天傍晚，盼姐正要点火做饭，突然听楼下一个孩子大喊："大音箱爷爷，老黄猫打你家皮皮嘴巴啦。"

盼姐听到猫字，又一次风风火火地冲到楼下。狗在，人在，猫不在了。多天里，这样的事儿，连续发生十余次。一个不足十岁的男娃也多次向一个老头儿告猫状："皮皮在地上拉屎，那只猫就打它！"

这只猫太神奇了。盼姐恨不得马上找到这只老猫。但自打入夏后，好长时间，盼姐再也没有听到老猫的任何消息。老猫打小狗嘴巴，并教会一群小狗文明如厕的场面，经常在她眼前闪现。

三

夫妻虽是人世间最亲近的人，彼此的了解，应该是最清楚的，但有时有些情况下有些事，也可能违反常规、出乎预料。甚至，天天和你在一起生活的那个人的很多事，你可能还不如外人更清楚底细。

与家庭一样，同住一个小区的人，你也不一定都知道人家肚皮里的活动是个啥样。就说盼姐那天看到的猫打狗的场面吧，小区里很多人早就看到过多次了，但他们看后为什么不像盼姐那样心急如焚呢？以对门老黄爷儿俩为主的一些人，关心关注更多的，可能并不是老猫，而是借助门孔和窗户，更加关注盼姐和她的家。因此，每当盼姐急匆匆夺门而出，他们都警惕地跟踪，并观察盼姐跑到楼下后到底干了些什么，她家那个蒙面男人出门了没有。

这是一个晴朗的日子，天空中不仅没有一点雾霾，甚至连能刮起PM2.5的西北风也微不足道。这样的好天气，近些年，在四面浮霾的C市，早已成了奢侈日，太值得让人珍惜了。

时近中午，盼姐照例像往常一样在小区沿路转圈捡垃圾，并东张西望，不厌其烦地和来来往往的邻居们打着招呼。时不时的，还提醒着一些人：

"今儿个天好，别开车了，步行上班吧。"

"老弟，我听说你那车贴黄标上报纸公布了，该换了吧。"

"马大嫂，可别再烧垃圾了，快把火灭了，我来收拾。"

"好心人呀。"

"真烦人。"

"您家里大哥怎么不出来帮帮您哪？"

......

虽说人言可畏，可你不提大哥，盼姐一点不进心，提到这个，盼姐再乐呵，她的脸色，也会立马比雾霾都阴沉。

小区西南角，是一片广场，两棵大杨树下，五个老头围坐在大理石圆桌周围，正海阔天空，聊得津津有味。盼姐装作捡拾垃圾，凑上去听。五个老头都是警惕性很高的人，他们听信黄彪爷儿俩的提醒，暗中观察盼姐多日，见她凑近，五双异样的目光，齐刷刷暗中操作起来。

"现如今日子是好了，不缺吃不缺穿，就是吃的喝的都造假，让人觉着比防火防盗都糟心啊。"秃顶老头虽在说话，眼睛却偷偷窥视着盼姐。

穿西服的大圆脸开腔了，"要说比防火防盗更糟心的，就是这空气了。电视里说，这雾霾天的空气里，全是有毒的重金属、酸性氧化物和细菌、病毒，很容易让老人和小孩遭病，气管炎、哮喘病、心脑血管病，还致癌呢。"

"是呗，因为这空气污染的事儿，听说E县把环保局吕局长都给撤了。"

说者无意，听者有心。秃头看到，盼姐听到这个"撤"字时，好像激灵了一下子，表情很不自然，并把脸扭向了一旁。

"撤环保局长，不是因为吕局长犯了什么错误，听说是在县里开什么会，吕局长冒犯了县长。县长把一笔年初预算给环保上治理污染用的钱，硬要挪到安全生产管理局盖办公楼。环保局长说预算不能变，建污水处理厂更需要钱。管安全生产的霍副局长说，空气不好死不了人，死不了人就不是大事。环保局长指着霍副局长说他见识太短，环境搞不好，一时死不了人，但长远看，遭祸害的人会更多。县长说，你有话直接对着我说，别指霍骂胡。我干不了几年，管不了那么多。

"环保局长说：'安全生产是很重要。GDP不能带血，但也不能带污吧？污染这么大，霾这么重，咱不能光要政绩不要命了。'

"胡县长急了，'吕正天，你快当两年局长啦，雾霾你也没治好，

倒是让中央电视台把该你管好的小电镀、小炼油曝光了，这对全县招商引资的形象造成多大的负面影响啊？'

"'十五小、新六小，国家早明令取缔了，您当五年县长啦，县里怎么落得个十五小久打不绝的结果。您查一查，到底是谁在当托儿，该由谁负责。'

"'我看就该你吕正天负责！'

"'那你撤了我吧。'

"'那你写辞职报告吧！'"

"就这样？"

"就这样！"

"要这么说，环保局长的眼光看得更远嘿？"

"环保工作就是这样，上压下顶，吕局长有口难辩、有苦难言。"

"他也是没事找事儿，不会当太平官。"五位老头你言我语，像开讨论会。

听到这里，盼姐手中的簸箕说不清是有意还是无意，啪地摔到了地上。但马上，她又弯腰捡起来，默默地走开了。

五个老头，五双怀疑的目光，又齐刷刷盯上了盼姐的背影。

"唉，是活人就不想死呀，'嫌疑人'家属准是受霾刺激了！"

第二天，晴间多云。还是那两棵大杨树下，五个老头如约而来，如约而坐，盼姐也如期而至。不同的是，盼姐悄悄到来时，五个老头先是停下话茬，五双半疑半惑的眼，盯了盼姐好一会儿后，才言归正传，接上昨天的话茬，唠起了新情节。

"这个吕局长呀，他和县里管安全生产的霍副局长住邻居。一年前，霍副局长和吕局长公开竞争环保一把手，没想到，吕局长业务太强了，就地提拔了。为这，霍副局长还挺记恨吕局长的。对门住着，出门绕着走。"大圆脸扎领带的老头曾在E县政府办公室工作过，刚内退没几天，他知道E县政府很多的内幕。他侃侃而谈，"吕局长辞职后手机也关了。半个月后，他打开手机想和女儿通个话。谁知，手机打开没几秒，一条故意恶心他的短信飞了进来。短信说：有个仗义执言、业务精通的环保干部死后被玉帝打入了地狱。刚过一个星期，阎王就满头大汗找上门来说：'赶紧把他弄走吧。'玉帝问：'怎么回事？'阎王说：'地狱的小鬼反映，这家伙天天全是限期治理，目标考核，排污收费，清洁生产，大气PM2.5治理，总量控制，执法监察，污染减排，我说要把GDP搞上去，都没人听了。'玉帝大怒，'让他上天庭来，看我怎么收拾他！'一个月后，阎王遇到玉帝，问：'那个环保干部被您收拾得怎么样了？'玉帝答：'不服，还吊着呢！'发信息的人是谁，吕局长没心思猜他。"

大圆脸接着说："其实，霍副局长每天也很是辛苦，早出晚归的，就怕生产上出事。结果呢？雾里来，霾里去，一年前得了肺病。后来一查，是肺癌晚期。两个月前，带着对幸福人世的留恋，永远失去了对雾霾的愤怒，走了。"

老人怕说谁死，何况是熟人。话到此处，五个老头，三位像哑巴，另两个年纪小一点的，也陪着没了音儿。盼姐慢步走过去，把五个老头丢在桌上的一堆果皮、烟头清了，转身离去。

盼姐这一举动，把五个愣神的老头感动得呆住了。好半天，直到盼姐的身影消失了，他们才你看看我，我看看你，嗓子眼里像是堵了什么东西，再也没吭声。

整个一天，盼姐也没上楼回家。她仍是默默地在小区的院里一圈圈地转，捡拾垃圾。所不同的是，即使她看到有人在草地上践踏、有人在小区燃烧垃圾，她也不再言语，她只是默默地、呆呆地站在那里看着，等人走了，她再过去收拾。

第三天，天气预报说是有零星小雨。但探春花园小区这儿，一个雨点也没下。此时，若说盼姐是照例又来干她自己志愿者的事儿来了，倒不如说是她照例又来听五个老头续讲她所关心的故事来了。

"大妹子，别忙了，坐下歇会儿吧！"五个老头对盼姐解除了大半的警惕与疑惑，用半同情、半猜测的目光，给盼姐送去了温暖与热情。

"您快说吧，我听着。"这倒真是盼姐的心里话。

"官场就是这样，要想压死谁，不用官大太多，高一级切你块肉，让你难受，高两级管你够。假设有人告你黑状，也不用远找，就是你身边接触的人。吕局长就是典型案例。E县胡县长在大会上讲，为了GDP，你们执法审批部门，对客商要做到来者不拒。凡是县里定的、客商提的，都要先批、快批、速批；凡是纳税大户，一律不得进厂检查，更不允许以任何理由罚款。县直执法部门大都听话，唯独吕局长给县长下不来台，硬是拿什么环评和什么'三同时'，把上亿元的高污染项目拒之门外。有一次，他还不让没建污水处理厂的化工厂开工。就和谁谁谁，在他辞职之后给他发的那条戏弄人的短信说的一模一样。"大圆脸真是摸底。

"光有责任感不行，那不叫会当官。你比领导决策水平、思想觉悟还高，能耐还大，不等死等啥？"

"吕家住顶楼，胡县长住他楼下。头天局长顶了县长，加上平时就不大着调，第二天早上，胡县长夫人就在楼下和吴副局长夫人故意大声说闲话，说楼上住户骄傲自满，走道儿动静太大，吵得别人没法生活。当天中午，霍副局长又找县长说了一会儿悄悄话，当天下午，胡县长就真的接受了吕局长的辞呈。临了，胡县长还放了一句狠话：下一步咋安排，家待着听信儿去吧。

"吕局长一气之下，闭门谢客。几个月后，霍副局长因病去了，吕局长一赌气，把家搬到C市哪个小区里去了。"

"其实，吕局长说的、办的都是对的，只是方法有点犟。"

天哪，群众的眼睛可真亮，他们怎么这么清楚领导之间的事、别人家的事？此时，盼姐的表情，似乎是痛中含有安慰。

天渐渐暗了下来。雾慢慢充满了空间，并很快与各种飘浮在空中的污染物凝结为霾。

小区里许多人家的灯光都亮了起来，但亮光是那么的黯淡无力。是霾让光明无法穿透黑暗。

盼姐不想上楼，她今天也不想早回家，她要去找那只时刻让她牵肠挂肚的老猫。她要兑现她的承诺。她还思虑着，回家后见到丈夫，该向他提问些什么事情。

四

盼姐出生在河北大平原上的一个普通小村庄。那还是上世纪六十年代，她小时候，家里穷，老少三代，七口之家，每年只分得五口人能吃饱的口粮，能吃饱饭是一家老少最大的奢盼。盼姐是老大，下有一妹一弟。是奶奶给她起的小名，叫盼盼。爷爷说，盼也要会盼，于是，加上姓，甄会盼成了她的全名。再下来，会梦、会民就排着叫上了。不幸的是，妹妹会梦才三岁时，在一天傍晚忽然失踪了。

在盼姐十多岁的时候，国家改革开放了，日子也好过起来。奶奶问她："盼盼，你现在盼什么呀？"

盼姐答："我盼着找回妹妹，盼着考上大学！我长大了还盼着能找个不过年也能吃上饺子的婆家。"

一句话，让奶奶又是心酸又是笑，笑得双眼只剩下了一条缝。

后来，盼姐真的考上了大学。但她万万没想到，她上大学的第二年，爷爷和奶奶相继去世。怕耽误她学习，爸妈就没告诉她。但后来在盼姐的梦中，奶奶还不止一次地、分阶段地问过她：上完学你盼啥呀？上班了你盼啥呀？你一生最大的梦想是啥呀？

盼姐毕业后分配到县民政局做赈灾募捐工作，后来当上了优抚科长，要不是县里瞎出土政策，她也不至于48岁就从民政局工会主席的位置上提前离岗"待退"。

她借助工作上的条件，始终在寻找着妹妹。有一次，她的一位女同事下乡，回来对盼姐说，上午在一个集市边上，我们的汽车与一位骑自行车的女人擦肩而过，我看到那个女人，和你长得极其相似，我们还以为是你到乡下串亲戚去了呢，掉转车头追上去，怎么喊你名字她也不答应，追上了一看，太像你了。说者无意，听者有心，盼姐按照女同事介绍的地点线路，连续半年多的时间，每到双休日没事，她就去那个市场上转一转，结果，次次都是无果而归。

十年前，E县公安局和A市公安局联手破获了一桩倒卖儿童案。盼姐异常兴奋，她马上去公安局找线索。案件中，有一杨姓人犯，据说是E县高各庄村人。据他交代，早年，他曾在甄庄村偷走过两个3岁左右的孩子，倒卖到了A市，其中一个是男孩，一个是女孩，但他记不清孩子姓啥叫啥了，他也忘了是哪一天偷的哪一个孩子具体都卖到了哪一家哪一户了。盼姐深感遗憾与痛心。再后来，案情又有了重大进展，公安局找到了A市收养会梦的那个家庭，但还没等盼姐去找公安局，公安局的办案人员就打电话告诉她，你妹被人收养后，天天大哭大闹，主人看收养难成，心生同情，便借助人贩子的简单介绍，把孩子从A市送回到了C市E县。到C市正赶上严打倒卖儿童犯罪，收养孩子的主人吓得不敢在C市多待，把会梦丢给一个赶集的庄户人，然后就跑回了A市。

刚牵紧的线索，一下子又断了，盼姐和她全家人的心绪又重新回到了冰点。后来，类似这样的回乡找、县城找、案后找，又反反复复，闹了有百余次之多。盼姐始终在不断变换着地界地寻找着那位长相与她相似的女人。后来父亲去世时，说的那句话，与她母亲去世时讲的遗言，让盼姐至今不忘。

那是个雾霾袭城的日子，父亲在来C市看望新婚的儿子、儿媳途中，突然病倒，在即将离开这个世界的时候，他对盼姐和他弟弟的最后嘱托，还充满着对二女儿的企盼与遗憾，"找到你妹妹，带她到我和你妈的坟上烧个纸，告诉我们一声。"盼姐点点头，她弟弟会民也点点头。

盼姐文才很好，口齿伶俐，当科长时，她参加全县以"奉献一片爱心、履行社会责任"为主题的演讲比赛，还得了第一名。

盼姐与丈夫的结合，也挺有戏剧性。二十世纪八十年代，她父亲与她大姨父一块儿，合办了一个小作坊式的电镀厂。后来，大姨父挣了钱，便回自己家里，单办了另一个电镀厂。再后来，国家明令取缔小电镀、小炼油等"十五小"高污染行业，她父亲的厂和她大姨父的厂，同时上了环保黑名单。县环保局执法监察大队，派来一名姓吕的小伙子来执法查封，小伙子先后来三次，盼姐的父亲不但不听劝说，还骂骂咧咧，抗拒执法。小伙子甩了一句话——"你就是我亲爹也得关。你就等着公安局来人拘留你吧。"话毕人走。她父亲害怕了，打电话让女儿去托关系找环保局说情。谁知，两个年轻人经人撮合见面后，立马擦出了爱的火花。最后，盼姐反父顺吕，劝父遵规守法，把小电镀厂废了。盼姐后来听说，她大姨父的电镀厂像打游击一样，始终没真的关闭，而且因此连续受到系列的伤害。"污"为媒，两个年轻人当年年底就喜结良缘。为此，有人和她父亲开玩笑，"厂子没保住，还搭了个闺女。"她父亲回道："这小后生挺犟，我喜欢。"

这个姓吕的小伙子，后来竟当上了县里的副县长。

五

待退居家，盼姐主要任务就是做饭收拾家务。有时对门邻居家三缺一，她也过去凑个手，打几圈麻将。

对门邻居家的女主人，对盼姐很热情，常常让盼姐感到心里异常温暖。盼姐还曾多次在邻居家里见过一只不同寻常、善解人意的老猫。盼姐早就发现，每次提起对门家那只猫，女儿海雯都显得异常兴奋。从女儿上初中时开始，盼姐就发现了这样一个秘密：海雯与对门的男生克克来往十分密切。因为两家是多年的老邻居，两个孩子又是从几岁相识，一起长大，还是同校同届同班的同学。开始时盼姐也没太往心里去，但后来，盼姐听人说，独生子女早恋变多，他们需要并希望从早恋中寻找精神的港湾。自从听了这句话后，慢慢的，盼姐才发现，两个孩子的来往密度，好像不同于一般的同学关系。每天上学时，明明海雯自己有一辆电动车，但她偏偏要坐克克的车一起走，放学时，俩人当然也不是分别回。海雯有时连家门也不入，就径直进了对门的家门，在那边做作业。有一段时间，明显有那么几次，海雯每天都是以找同学一起做作业的名义，和克克傍晚一起出、深夜一块儿归。盼姐猜，他俩肯定是一块出去上网去了。

"雯雯，对门的那……"

"妈，你要说对门那只老猫是吧？可有意思了，太可爱了。"

"我是说克克。"

"克克是大班长，老师同学都夸他学习好人品好有抱负有前途。"

"我是说，别太早了，影响学习。"

"妈，不早了，都十点多了，明天还上学呢，快睡觉吧！"

"不说清楚，这觉我可睡不着。"

"那您打个电话，问我爸又查什么去了，怎么还不回来，让他说清楚。"

"我是说你和克克的事儿。"

"哈哈哈，妈呀，我和克克是同班同学，同去同回，志同道合，不是说远亲不如近邻吗？克哥还真够大哥哥的味儿，您别惦记我们了。"

说完，雯雯乘机而退，关门躲进了自己的小单间。

后来，有一天夜里，盼姐的丈夫夜里都快零点了才醉醺醺地回家来。他前脚进屋，女儿雯雯后脚也回来了。

"爸，您又加班开会了？"

"你别管我开不开会，我提醒你好好学习，不要做认贼作父的事儿。"

话至此处，夜静声高，"嘭——"对门关门的声音好大好响，时机又是好巧合。

盼姐听后心里明白了，别看孩子他爸天天从早忙到晚，经常不回家，和孩子经常不见面，但他对雯雯的秘密，也是有察觉的。但盼姐不明白，丈夫讲的"认贼作父"到底有什么内涵。

盼姐不想让闺女早恋，也不想因为闺女的事儿让丈夫不顺心，她还担心丈夫说的"认贼作父"这句话中的这个"贼"字会事出有因，怕闺女将来上当受骗受委屈。盼姐的一切想法都是对的，也是为人之母应尽的责任，但她真的失算了一点，她低估了海雯与克克的两情魔力。

"雯雯，听你爸讲，克克好像有小偷小摸的毛病，和这样的孩子亲近，妈可不放心。"

"妈，你说什么呀。我爸说的根本不是那个意思。"

"别管啥意思，反正眼前最重要的应该是学习、学好。别让你爸生气。"

"瞧您说的，怎么不学好了？你和我爸不也是'自恋'的吗？"

娘儿俩逗嘴生气的这个时节，正是乍暖还寒的初春。事后几天，雯雯就住校上学去了。上学走时，她违反常规，没有让爸妈送，是自己打的去的学校；到校后又违反常规，没有打电话向爸妈报平安，只是给盼姐发了一条八个字的信息：平安到校。放心。谢谢！

盼姐把这事儿和丈夫说了，丈夫说："她不打电话，我给她打一个。"

盼姐气呼呼地说："不给她打，看她闹得过二十五，还能堵得过二十六吗？"

丈夫说："对孩子该说的说，该教的教，你和她逗哪家子气呀？什么二十五、二十六的？"丈夫话刚出口，又急着收回去了，"对，她肯定堵不过二十六，那是你生日。她肯定得回心转意，祝你生日快乐。"

盼姐和丈夫这回是一起失算了。

正月二十六那天，丈夫下班回来，一进门就问盼姐："雯雯给你来电话祝贺生日了吗？"

盼姐摇摇头。

丈夫说："这闺女，我还是给她打个电话吧！"

"别，我看她还能顶过今儿晚上？"

整整一晚上，盼姐嘴上说着"别理她"，但丈夫看到，盼姐心烦意乱地总是不停地摸手机。拿起来，看看，又放下，放下了，又拿起来，看了一遍又一遍，拿手机的频率随着时间走进深夜，越来越勤，越来密度越大。

"睡觉吧。"那个夜晚，家里的气氛格外异常，沉闷是主旋律。夜深到了新的一天，盼姐和丈夫破例一夜没关机，她和他都在期待着夜空的沉静尽快被手机铃声打破。

凌晨两点时，丈夫刚听过盼姐难眠的长叹，他的手机就突然大叫起来。盼姐手机放在枕边，丈夫的手机却始终抓在手上。

"我说什么来着。快接、快接！"

"雯雯，是祝你妈生日快乐吧？"丈夫打开手机按下接听键，连号码都没看一眼，就急切地说上了话。

"你别高兴太早了，有人出高价委托我，要买你的一条腿。请你识点趣，三天内备好十万元，按我给你发的信息，汇款到银行账号上来。记住，三天，否则我可要动手了。"话毕，手机断了。

"雯雯说什么。你怎么不让我说两句话就挂了？"

"不是雯雯，是打错电话了。"

"真是讨厌，黑灯半夜打什么电话？"话毕，盼姐又躺下翻来覆去了。丈夫一气之下，把手机关了。这种事，他经见得太多了。前些日子他还收到过一封信，信里，除了刚才那些威胁他的语言外，还加上了一些什么你贪污受贿的事我知道啦、你有小蜜我认识啦、你汇来多少多少钱，保你官升一级啦，最让人恶心的是，信里还夹着一张用他的头像、其他男人的光身，与一女郎席床而拥的电脑合成照片，他气得当场就给撕了。

早晨起床，丈夫见盼姐脸色不好，眼圈黑着。其实，盼姐看着丈夫的样子，也同样如此，只是二人心照不宣地对视一笑，各自上班去了。

当天上午十点来钟，盼姐给丈夫打来电话，兴奋异常地对丈夫说："刚才雯雯给我打电话，哭着祝贺我生日快乐了。还一个劲儿地说，妈妈，对不起，学校昨天突击检查，把手机全都没收了，今天刚退还给她。你说咱闺女怎么这么懂事，一边说还一边哭，好像真的有什么事对不起妈似的。她学习那么紧张，打不打电话还怎么着，就你事儿多，你要不是总提我生日我生日的，年年过，我还计较她这一回吗？全怪你、全怪你。你说孩子多懂事呀，她说她给我买好了生日礼物，双休日回来再给我。你猜猜她给我买的什么礼物……"

盼姐一口气一个人絮絮叨叨连续讲了五分钟，中间丈夫只是随声附和着"嗯""啊""好""对"这几个字，别的话，什么都没插进去。但盼姐最后这一问，丈夫回答得倒很快，"给你买的围巾，红围巾。是吧？"

"呦，你是怎么知道的？"

"当年我不就是一条红围巾把你的心揽过来的吗？"

"多大人了？没正行。怎么和孩子学？"

"还是听你的对。随他们去吧。"丈夫嘴上这么说着，却把手机挂了。那边，盼姐的手机还在耳边贴着。她猜测着丈夫的心思：难道他回心转意了？还是他适应得快。说不定，这红围巾也是他一手导演的。

几年后，雯雯和克克都考上了大学。雯雯去了上海，克克却出国留学了。去年暑假，雯雯和克克一个在日本，一个在上海，但他们俩却是同一天乘同一航班同时从上海回到C市的。

是对门家的人安排到机场接的站，丈夫听说后对盼姐说："巧合的事儿不一定都是小说。"

盼姐对丈夫说："你不是说过吗，孩子大了，自己的事儿让他们自己去决定吧！"

丈夫气哼哼地回道："真是太不争气了，我是为了你开心才让了一步。结果怎么会是这样？"

"克克这孩子倒真是棵好苗。两家大人关系也都不错，又住在一块儿，将来来往还方便呢！"

"大人……快散了吧！"

"散不散孩子听咱俩的吗？"

"我说的意思不是你说的那个意思。那就顺其自然，由他们去吧！"

盼姐蒙在鼓里，雯雯和克克却对两家父亲的关系状况有所了解，但雯雯始终没向父母提起过，因为他们在意的，只是默默地坚守着他们自己所选择的爱。

霍副局长去世那天，盼姐和丈夫看到，雯雯头上戴了个白纸圈。在当地戴这种孝的，只有儿媳妇才可以。盼姐对雯雯说："多安慰一下那娘儿俩。"丈夫也说："戴什么不重要，重要的是心。"

雯雯点头。哭了。

六

入夏了，盼姐依旧是天天在小区内外满怀心事地东张西望、忙忙碌碌、偷听故事。她和她的家，还是涛声依旧地被邻居和小区的人监视着，但好像是，参与监视的人，越来越少了。

街坊邻居对盼姐家的疑团始终不能全散，原因不仅仅在于蒙面人几个月不出门，而是小区里的人慢慢地发现，那蒙面男人到底有什么秘密，很难从盼姐嘴中套出话来。不论是谁问到这个话题，盼姐都是找话茬避开。尽管大家慢慢地，早已百分百地打消了对盼姐本人的防备与戒心，公认她是一名敢纠会劝做实事的环保志愿者，但蒙面人的阴影难散。

时间长了，小区里的人还发现，盼姐有两个很特别的癖好：一是她特别爱听五个老头讲故事，外人讲的，她都没兴趣；二是她特别爱追猫、爱关注与猫有关的话题。这不禁又给大家心头添上一份新的疑惑。

每逢晴天，五个老头还是如期而至，盼姐也是肯定还来，听他们天高海阔地高谈大论。每逢见到院里有猫，或听谁说哪里哪里有猫，盼姐准会迫不及待地追上去看、追上去问："是黄毛的老猫吗？它胸前有一块红毛吗？"

好多人放松了对盼姐的警惕，这让黄彪很着急，他始终提醒着大家，"我爸可说了，千万别松懈，细心点儿，是狐狸总会有露出尾巴的时候。"

耐不住左邻右舍的压力，在一起住的时间也长了，盼姐也有选择地和个别姐们儿道明了她爱追猫、爱问猫的缘由。但对她爱听五个老头讲故事的事儿，她坚决不予承认。原来，盼姐寻猫、追猫、问猫、找猫，是因为她看丢过一只老猫。她因此有很大的自疚与不安。

盼姐没有养猫的癖好，自己家里也从没养过猫狗等宠物。她看丢的猫，是替老邻居家寄养的。老邻居是谁，她也是很不愿说。在别人反复追问之下，她没办法了，最多也就是绘声绘色地给人讲猫的传说、猫的本性、猫的故事。

七

猫自古就是对人类怀有强烈戒心，且时顺时防时亲时急的益友。但是，猫永远不会驯服，与人亲近但不会信任你。猫的视力昼夜都很好，所不同的是猫白天无论看什么物体都只是蓝色与绿色。猫的夜视能力比白天还强，比人类强六倍多，所以，它夜间捕鼠得心应手。猫除去捉鼠的本事之外，在很多影视剧中，也不一定都像动画片《黑猫警长》里那样趾高气扬。时常的，也有猫能帮"侦查员"和"特务"们，充当险境还安的替罪者或救场者，甚至当成道具被摔伤或被车轧死。世上有馋猫懒猫，更有昼伏夜出、勤奋尽责的好猫。其实猫懒不懒，也不全怪猫自个儿，许多被主人天天大鱼大肉喂饱了，宠着玩的猫，会因此变得吃饱只会睡觉，睡醒了陪着主人，随心所欲地玩耍。食宿无忧的日子，才会让猫变得忘记责任。

世界上，猫的种类很多。有苏格兰折耳猫，有挪威森林猫，有喜马拉雅猫，有长毛猫，有英国短毛猫，有加拿大无毛猫，有索马里猫，有缅因猫，有长毛反耳猫金吉拉，有布偶猫，有山东狮子猫，有土耳其梵猫，有孟加拉猫，有埃及猫，有新加坡猫，有俄罗斯蓝猫，有加州闪亮猫，有美国卷耳猫，还有日本短尾猫……

其实，盼姐原来替老邻居家代养过几天的那只老猫，属于哪一类，谁也说不清楚，主人说属于长毛短尾杂种猫。其实这是实话，现在很多猫，根本无法分辨出它是什么品种，说是什么就像什么。这是由于家庭饲养和民间杂品交流，还有流浪猫的介入，因此产生了杂种猫。杂种长毛猫一般体型粗壮，模样各异，毛的长短和颜色也不大相同，纯色的很少，性格也各异，但总的来说很聪明，谨慎但不愿让人支配，虽爱闹出乱子，但它聪明的优点往往让主人忘记它特有的凶险——它的爪子抓人伤人也很厉害。它的屠性难改，使人类和其他宠物不得不对它时刻提防。

这只猫出生不足两月，就幸运地从国外来到了盼姐至今不说的老邻居家。一晃十年，由小变大，由大变老，体胖腰圆，走路左右晃悠。邻居的家人，对它喜爱得不得了，尽情地由着它好吃好喝，浑身的黄毛都是亮晶晶的，闪着油光。在主人的驯导下，这猫不仅学会了单腿站立、连续在床上地下翻跟头等很多游戏，还会帮主人叼鞋、找袜、关阳台门。更可爱的是，它还很会观察主人的喜怒哀乐，并适时地回避或爬到主人的腿上撒娇，讨主人对它的宠爱。夏天主人睡着了，它竟然趴在主人的枕头边上，双爪轻轻地轰赶趁机偷袭主人的蚊子，俨然成了让主人安睡的保镖。在这只让主人、让街坊邻居都爱释不舍的老猫的胸部，长着一片红红的毛，有核桃般大小，这是它独有的标记。平时它四腿着地时，谁也看不到，只有它坐姿而立，或兴奋时后腿站立、前腿扬起显摆时，才能让人清晰看见。金黄之中一片红，让人过目难忘。

世有悲欢离合。不幸的事情降临在了盼姐的老邻居家。

其实，即使盼姐本人不说，五个老头前边讲的故事和盼姐不想透底的事儿是一模一样的。兔年夏天单位体检，盼姐家对门的老邻居——霍副局长，被确诊为肺癌晚期，而且已向全身转移，专家断言：准备后事吧。

霍副局长的儿子在国外留学，妻陪读已去两年多。平日里他一个人生活，二十四小时全身心投入的，就是工作一件事。风里行、雾里去，骑着自行车到各厂区检查工作。其实，霍副局长早就发觉自己胸部时常疼痛，但他总认为是经常喝酒、吃冷饭的缘故，从没用心到医院检查过，谁知这一确诊就判了。手术吧，晚了，化疗吧，也刹不住车了。

没出蛇年正月，邻居家的男主人霍副局长就去了。处理完后事，霍夫人照例又要陪儿子匆匆返校。霍夫人一走，宠猫变成了寄宿猫，委托盼姐代养。

平日里，盼姐的丈夫和霍副局长同县为官，各自为政，不在一局，住上了邻居，两家孩子的关系很密切，两家女主人的关系很热乎。但男主人们的私人关系怎么样，盼姐说不清。倒是霍夫人临行前夜，专门买了水果来吕家找盼姐送猫时说的话，让盼姐心生了疑团，"妹子呀，男人们的事不关咱。看咱姐俩，看俩孩子，拜托了。"

"看姐儿俩看孩子"，盼姐明白，"男人们的事不关咱"，让盼姐一头雾水。盼姐答："你放心，我吃啥不会亏了它。"

盼姐对老猫自然照顾得不会有错。但猫和狗的习性不一样，认生不认吃。无论盼姐怎么向老猫献殷勤，老猫硬是不领这份情，不吃不喝也不睡，躲到床下，一动不动。盼姐用手电照过去时，看见两只反光的大黄眼珠子满含泪光。

"你对这没良心的老猫，都快比待我好啦。"丈夫抱怨盼姐。

终于，在三天后，丈夫忍不住向老猫发火了。这是一个雾霾遮日的白天。她丈夫本来看着这样的天气就闷闷不乐，又见盼姐求猫吃食心切，他就拿来拖把，想把猫从床底下赶出来，让它吃点儿东西，免得盼姐着急。猫被赶出来，她丈夫问道："你吃不吃？"猫不动。此时手机里传来短信的蜂鸣声。"又发什么让人恶心的短信！"丈夫像受了条件反射一样，抬腿就向老猫屁股踢去。谁知他这一踢，老猫却趁盼姐开门，夺门而逃。从此，借宿的老猫变成了流浪猫。

猫夺路外逃时，盼姐既惊讶，又生气。她想问一问丈夫为啥这样对待老猫，但话到嘴边，又咽了回去。她意味深长地给丈夫丢下了一句："你别拿猫出气，你没有它可怜，它比你难受。"然后，她就像看丢了孩子的妈妈一样，疯了似的跑出去，找猫去了。盼姐在大街小巷呼喊着："田田，田田，你在哪里？你快回来吧。"

田田是盼姐情急之下喊出来的。其实老猫主人给它起的名字叫龟田。

霍副局长恨日本鬼子，他的爷爷就是被日本兵用战刀砍了头死的。所以，他给猫起这么个名，目的是不忘民族仇恨。他对猫好得像对自己的儿子，他说这是珍惜生灵，对畜生也要施人道。他给猫立了个规矩，吃啥喂啥都行，不怕花费，但不许猫上桌，更不许猫爬上院内的假山。他说，饭桌是人用的，假山形似钓鱼岛，都不许畜生上。猫不懂这些，小时候因破坏规矩挨了不少打，所以，它后天学会了伸爪打小狗嘴巴子。

霍副局长生前对猫事有些研究。他对朋友说，猫与人类做友已有万余年历史。猫还是除人类之外，唯一一种把杀戮作为游戏行为的动物。你无论怎么驯化它，它杀戮的本性都不会完全改变。它不仅喜食鼠类，有时也捕食青蛙和蛇类。家猫主要起源于非洲。亚洲的家猫一般说法是起源于印度的沙漠猫。所以，有些杂种猫，在和主人闹情绪时，有的也梦想着到有沙土堆的地方去叫唤两声，以求在猫家祖坟上讨点自我安慰。

有人听霍副局长讲猫头头是道，便给他出难题，问："猫走路为什么没声呀？"

"猫趾底有脂肪质肉垫，因而走路声音很轻。不是没声，是人的耳朵听不到。"

"猫科动物都有啥呀？"

"那可太多了。别说老虎狮子猞猁豹子了，带猫字的猫科动物还有不少。如猫猴、渔猫，还有猫熊。猫熊其实就是咱们常说的大熊猫，它是猫科里最珍贵稀有的，仅产于四川西部和北部、甘肃南部、西藏东部及陕西南部，是我国独有的珍贵动物。"

"猫跳河是怎么回事儿？"

"你想难为我呀？猫跳河和猫儿峡都是地名，前者在贵州，后者在四川。还有猫耳务，也是古国地名，在菲律宾群岛。"

"猫鼠同眼是什么意思？"

"那是成语。《新唐书·五行志》有载：龙朔元年十一月，洛州猫鼠同处，猫隐伏，像盗贼。猫职捕啮，而反与鼠同处，像司盗者，废职容奸。后比喻上官糊涂，任凭下属为奸。猫与鼠同流合污，习与性成，其实是猫哭老鼠——假慈悲，鼠目寸光之思、鼠窃猫盗之行。结果肯定是常害霜露之病，早晚引大祸缠身呀！"

"听说钓鱼岛上有不少猫眼石是吗？"

"这个我没听说过。但猫眼石是石墨的隐晶质，是名贵的工艺雕刻品材料，可作宝石用，很珍贵。但你可别见石心喜，思窃可是要惹祸的。"

"那是猫偷狗窃、狼狈为奸之事，你可别往我身上推。"

"猫头鹰属猫科吗？"

"夜猫子进宅，无利不来。它属鸟科。"

"听说您家养的那只猫是进口的杂种猫，很懂事是吗？"

朋友的这句问话，着实让霍副局长又打开了新话匣子。生前，霍副局长反反复复，对经常夸他家老猫懂事、仁义的人，不无幽默地说过上百遍这句话："国外有位著名的哲人说过，猫就是猫，永远也不会成人。"他告诉人们，你来我家只待这一会儿，看到的，全是老猫的优点，其实，它很贼性、很馋嘴，有时也很不是个东西。这只老猫不同于其他，别的猫一般都是爱吃各种各样的杂鱼，它不是，它专爱吃三文鱼，而且要生吃，还要切片蘸料吃，蘸料里边还得放芥末。尤其较劲的是，你若三天不满足它吃三文鱼的愿望，你看吧，家里不是有一堆盘子碗的被不明不白地摔在了地上，就是你越是着急上班走，你的手机就突然被藏在床单下边了。有时，两只鞋垫，突然就变成一只了，另一只被它藏起来了。还有时，老猫竟故意气急败坏地破坏家庭财产。家里的沙发，十年里换了两套。第一套是布面的，老猫心有不快，就趁主人不在家，故意用两只爪子像鸡刨食一样，有节奏地抓来挠去，把沙发面上挠得布满了线头，时间久了，挠得多了，根本没法再用。后来又换了一套皮面沙发。家里人都认为这次老猫会有所收敛。谁知，花上万元买的皮沙发，还不到半年工夫，竟又被老猫抓挠成了"花"沙发，皮面上全是小伤口、小裂痕，跟牛皮癣似的。

对老猫的小把戏，开始时都以为是主人上班上学去了，它自己在家闷得慌，慢慢才发现，原来它有爱发泄的毛病。你养了它让它吃你喝你，占着你的便宜，花着你的钱，它还摆起了谱，这明摆着是没有摆正自己的位置嘛！惯来惯去，结果呢，它的小脾气越来越大，再后来，它竟蹬鼻子上脸，还搞起了恶作剧。霍副局长说，有两次更为严重的事件发生在两年前的一个雾霾之冬夜。霍副局长因工作忙，一连七天没顾上给猫三文鱼吃，结果，那天霍副局长深夜下班回来后，看到了一幕让他肺都气炸了的场景。那只老猫竟公然违背猫类良知，蔑视主人，挑战家规，毫无顾忌地登上了院内的假山，而且面对霍副局长的训斥，两眼还冒出了挑战的凶光。霍副局长指着它的鼻子让它下来，它却抬起前爪，漫不经心地用嘴舔来舔去，做起了自己的卫生。这下可真把霍副局长气着了，他返身回屋，到卫生间用脸盆接了一盆热水，直奔老猫泼去。大冬天的，这盆热水太管用了，老猫立刻连滚带爬地下山来。

"不教训你一下，你还真不知道老子的厉害。"说着话，霍副局长又拿来一个面板，把厨房窗户上专门给老猫留的进出口堵了个严严实实。一会儿，就见老猫被冻得哆嗦着跳上窗台，在往日出入的窗口外，不停地哀叫起来。起初霍副局长把门一关，假装没听见，任凭老猫哀号。但又过了一会儿，霍副局长借助玻璃往外悄悄一看，只见老猫两只前爪抱拢，对着窗内又是作揖、又是求饶，那份可怜相，不由得又让人看着增添几分同情与怜悯。

霍副局长心软了。他把堵窗的面板拿开，但可怜的老猫看着霍副局长手里还拿着一根擀面杖，仍是死活不敢进来，直到霍副局长把擀面杖放下了，老猫才两眼直直勾勾、哆哆嗦嗦、试试探探、轻脚轻步地钻进屋内。老猫太狡猾了，它已经冻成冰疙瘩了，但它进屋后，仍没有忘记拍主人马屁的事儿。它没敢回屋，而是先站在主人的脚下，作揖鞠躬，尔后，又用两只前爪拍打主人裤腿上沾的泥土，继而轻声咪咪叫着，两眼中还噙着几丝泪花。

霍副局长真的是心软了。他把老猫抱进屋，给老猫洗了个热水澡，擦干净后，又用一条毛巾给它围上取暖，而后，他像是什么也没发生一样，还从冰箱中取出一块冷冻着的三文鱼，用微波炉快速解冻，切成便于老猫食用的丁字块儿，勾兑好芥末，递到老猫身边，看着它一口一口地吃光了，这才安心。霍副局长心想，有了这次教训，老猫以后肯定不会再犯这么大的错误了吧？

他失算了。事过数日的一天傍晚，霍副局长下班回家，老远就看到自家的老猫蹲坐在厨房阳台外边的窗口上。见霍副局长回来了，老猫一边嗷、嗷、嗷地怪叫，一边用右爪向屋内指指点点，好像屋内正发生着什么大事儿怪事儿。

霍副局长快步上楼，打开房门一看，眼前的一幕把他气得差点当场背过气去。三只和他家老猫品种类似的杂种猫，在客厅中间用主人的枕头、椅凳，搭摆出了一个形似院内假山一样的模型，三只盛有三文鱼、芥末蘸料的盘碗，整齐地摆放在假山上。见到主人回来了，三只大猫飞一样向厨房方向夺路而逃。此时，霍副局长看到，他家的老猫，不但没有阻拦，还伸出两只前爪，帮助那只特别肥壮、钻窗口有困难的大猫的头，使劲儿地往外推。霍副局长看清了，那只猫是邻居家的，叫菲菲，是只公猫，与他家的老猫早有勾搭。见主人过来了，老猫又假装怒气地伸出右前爪，朝菲菲的大肥屁股上，啪啪抽打起来。霍副局长明白了，自家的老猫是勾结菲菲和野猫，明目张胆地和主人公开叫板闹事来啦。这次霍副局长没有手软，他真的抄起了擀面杖，向老猫的腰上重重地打了过去……

这两场风波，很快就在老猫的戏剧性表演下哄骗过去了。但自打那次之后，一连两年多，老猫再也没吃上主人精心给它安排的红烧鱼翅，更别说吃上三文鱼片了。老猫心里是什么滋味，直到后来，也没人能准确表达清楚。因为，当时霍大人和儿子都不在场，老猫自导悲剧，也就这样自食其果了吧。

八

老猫成了盼姐的一块心病。"你跑了,你让我怎么向你的主人交代呀?"一天又一天,盼姐喊哑了嗓子,喊出了哭腔,她的诚心,让街坊四邻的人都深受感动,大家同情地加入到了帮她寻猫的行列。老猫跑了,海雯放暑假回家听说后,当场就哭了。"爸,您怎么也小心眼了?"她爸一声没吭。其实,海雯根本不知道她爸爸的官场遭遇。否则,她也不会这么对爸爸表达自己的不满情绪。

见雯雯和她爸爸闹小脾气,盼姐对雯雯说:"你怎么这样说你爸?你爸可不是小心眼的人,他是心情不太好。"

雯雯说:"心情不好,心态不好,说穿了,就是心太小了。心态的'态'字,拆解开来,就是心大加一点。心若每天大一点,心态还怎会不好?"

"雯雯,你说这话会惹你爸生气的。"

雯雯抢过话茬说:"生气,是因为自己不够大度。人生的每个抉择都像是一个赌局,输赢都是自己的。输不起的人,往往也赢不了。"

"行了,你的小嘴别那么得理不饶人了,快忙你自己的事儿去吧。"盼姐下命令似的又一次提醒雯雯。

海雯放暑假几十天,几乎是天天和妈妈一起,院里院外、城里城外,东寻西找。但丢猫的事儿,她始终没和克克提起过,尽管俩人天天在短信微博视频中零距离无话不说,丢猫的秘密,却是她和克克间红线级的秘密。

一天,海雯正在家中与克克在网上视频时,克克突然提出要让海雯把老猫抱来,让他看一看。这个要求让海雯顿时大吃一惊。

"改天再看吧,老猫出去'教学'去了。"

"教什么学？"

"教小狗文明如厕。"

"哈哈，你又教它新活了？"

"是你丈母娘教的。"

"你大胆。我回家向岳母大人告你状。"

"别自作多情了，谁答应嫁你了？"

"算卦的康大仙不是说了吗？咱俩是天公作美，五星级相配指数。"

"呸，那是你给了他两千块钱，一块骗我吧？"

"网上说的和康大仙说的都一致，两个鉴定不能都是骗人吧？"

"还说呢。要不是那几天你天天带我去算卦、去上网，还不至于让你老丈人训我呢！"

"谢谢岳父老泰山帮我教育你。"

"呸呸呸，呸你一脸灰。"

"在福岛这儿没有一脸灰，主要是防辐射！"

"跟辐射比，雾霾是小巫见大巫，自愧不如了。毕业快回来吧，是求学还是玩命呀？相信迷信，不相信科学，小糊涂虫。"

"向咱爸咱妈问好。国庆见！"

……

自打这天后，海雯故意和克克减少视频，而且尽量在网聊时避开与猫有关的话题。

"你们那儿校园风气好吗？"海雯问克克。

"这里的空气还不错，但辐射很吓人。"

"看好喽，我问的是风气，不是空气。"

"日本和中国差不多，不同的是日本的老师收了你的礼、吃了你的请，他一定会帮你干成事儿，干不成事，他会退还你的礼物。如果你不给他送礼，他也不会向你索礼或给你穿小鞋。否则，他会担心收到诅咒卡。"

"你说什么？哈哈哈哈，校园诅咒卡在日本也有啊！昨晚上我在《焦点访谈》上还看到一个报道，说社会上有一些缺乏责任感的人，专门印一些内容低俗的校园诅咒卡，在校园周边的书店、文具店贩卖。卡通人物做得很精致，但一看内容就完了，有的诅咒考试得零蛋、有的诅咒老师下雪天摔跟头、有的诅咒雾霾天撞车、有的诅咒上厕所解大手没带卫生纸、有的诅咒一上网就掉线、有的诅咒脸上长痘痘。同学之间、师生之间，一旦发生矛盾、产生怨气、心理失衡，就对号入座地给人家书包里放一张、作业本里夹一张。年龄大一点的学生，相互间是偷偷'咒'，低年级的小学生，相互间，像做游戏一样，把互发诅咒卡，当成了乐趣，真是危害多多呀！从培养青少年社会主义核心价值观角度讲，这应该算是教唆犯罪；从社会环境、大气环境治理角度讲，这就是违法排污，可以直接拘捕判刑。"

"听网闻说，国家要废除劳动教养制度，你抓捕的人多了，又够不上个罪名怎么办？"

"法规制度都可以适时完善，与时俱进，是罪是祸早晚躲不过。"

"你懂什么叫祸从天降、病从口入吗？"

"不懂。你说。"

"我这儿有两名日本同学，是一对双胞胎亲兄弟。前天哥儿俩还叽里呱啦地用日语讽刺我们中国的生态环境太差了，劝我毕业后留居日本，陪他们吃鱼翅呢，昨天，哥儿俩因突然发现已是癌症晚期，同时住院了。一个肝癌，一个肺癌。他们的家长得到消息后，好像天塌了一样，妈妈立马哭得晕了过去，爸爸突然患了脑溢血，瘫了。"

"哥儿俩的病怎么那么巧呢？查清原因了吗？"

"查清了，据说病源是从他家吃饭用的筷子上来的。"

"什么，筷子能致人得癌症啊？"

"他家用的筷子两年都没换过。今天学校专门请本地医院的专家讲了卫生课。专家说，木筷、竹筷最多用半年就得换，一旦筷子上的食用漆剥落，各种细菌就会趁机而生，这种病菌很容易使人得肝癌、肺癌。在显微镜下，专家拿一双用过一年的木筷子让我们察看，好家伙，筷子头上都是些小孔和凹槽，细菌正在孔中、槽中蠕动呢。"

"太可怕了。那就用塑料筷子吧。"

"塑料的毒害更利害，比霾还霾呢！"

"那怎么办，只能用勺子了吗？"

"勺子多孤独啊。还是用双不锈钢筷子成双成对好！"

"你坏小子天天不是想成双，就是想成对。你就说用不锈钢筷子最好不就得了。"

"听说从明年起像咱们这样的情况可以生二胎了？"

"别拉近乎。什么生二胎，那叫生二孩。你一胎生仨俩的，还让你生二胎？瞎扯！"

"怕你没那个'节能减排'的能耐！"

"呸呸，再呸呸，嫁鸡也不会嫁你。"

"我就是属鸡。你要不提嫁，我还忘了说。"

"说什么？"

"我见别人家结婚接媳妇，都是大排车队，招摇过市，接亲来回的路线，据说还不能走一条重复的路，还要新郎抱着新娘子上车、下车，挺有趣。前几年，我一直为这事儿忐忑着，走不出纠结的怪圈。"

"什么怪圈？"

"住一栋楼、一个单元、一层、对门，等咱俩搬一个屋住时，用不上车队，抱你上车下车的任务怎么完成啊？如果动用车队到县城转两圈再回来，不走重复路的问题怎么解决呀？"

"你想好怎么解决了？"

"想好了，用吊车把你举起来，送到窗口，然后我在洞房里把你抱下来。现在不用了，你们这一搬家，问题全都解决了，我积在心头多年的老思想疙瘩也迎刃而解了。"

"你小毛孩子不好好上学，天天净想些什么呀？"

"提前把梦做好喽，免得事到临头不知所措。"

"车到山前必有路。"

"不一定。雾霾已经把我们逼到崖边上了，你不觉得手忙脚乱吗？倒退三十年，如果把今天的噩梦提前预见到，见微施策，恐怕会很好！"

"就你聪明。你将来把我骗到手，不出我小舅那样的情况就算你有良心。"

"听说你小舅又结婚了？"

"是，全是网恋惹的祸，又是网恋帮的忙。"

"这个舅妈好吗？"

"好。她比我小舅小一轮，证婚人是他们捡来的一个女儿。"

"小舅是太痴网了，不然也不会闹成今天这样！"

"是。几年前，他痴迷上了网上婚外恋，天天在电脑上、手机上与恋人没昼没夜地谈情说爱，但恋了两年多，把我原来那个舅妈都给恋离婚了，他也没自拔出来。咱们出来上大学那年，我听我妈电话告诉我，我小舅没死没活在网上苦恋了两年多的情人，竟然是一个大男人，那人自己先被女朋友甩了，失恋后又心理变态，在网上实施网恋报复，天天谈、天天聊、天天恋，搞的是恶作剧。他不见面，也不视频，还发了个照片，后来证明，那是异地电视台一名播音员的照片。"

"怎么露馅的？"

"离婚了，我小舅急着要见面谈婚论嫁，对方就是一推二推三还是推。我小舅没办法，最后查电话、查网站、查住址，冒充查水表的才与'恋人'见了面，差点没气死。最后我小舅找了几个人把那个人狠打了一顿，还差点闹出人命，官司打到了法院，因法规条文对不上判刑的号，最后庭外调解，我小舅用家破妻散数百万家产全'光身'的代价，换回了两万元的精神损失费。但又给人家对方掏了七千五百元钱的医疗费，又请帮忙打架的朋友吃饭花了两千多，最后剩了不足一万元。拿着剩下的钱，又进了网吧，从恋到婚，不足一个月。"

"小舅当医生，见过世面，按说他不该上这个当，也不该婚外恋。"

"他是幼儿科医生，所以，大人办点孩子的事儿，也可以理解。"

"别瞎说，那是你亲舅。"

"我这亲舅还有笑话呢。他和我这个舅妈结婚才几天，就闹出了个办公室午睡的大误会。"

"办公室午睡有啥误会？"

"我舅平日里上班中午都不回家。那天，他午间出去办事，把手机忘在了办公桌上，结果，与他同室的一位女医生，中午趴在办公桌上睡着了，正赶上我舅妈不停地打电话。午睡的女医生被吵烦了，拿过我舅手机训斥道，我们在午睡，你烦不烦？这下可把我舅妈气坏了，她知道我小舅过去有过婚外恋的毛病，放下电话就风风火火找医院来了。进了大楼，她就开始了破口大骂，然后又破门而入，进屋一看才发现，我舅根本没在。"

"哈哈哈，太有戏剧性了。得了，咱俩还是说说老猫吧。"克克刚一提猫，视频立刻没了。几秒钟后，又掉线了。几分钟后，海雯的电话打到了海外："不是掉线了，是欠费了。真想猫，快回来吧！"

"快回来还能有多快，比4G网络还快吗？"

"没4G快。听说4G能让你一夜变穷。"

"倒霉人，变啥穷呀？"

"你没听说吗？如果你睡觉时忘记关流量，第二天起来房子就归移动了！"

"呸，快想你的猫去吧。"

"不仅仅是想猫……"

"讨厌。"

九

老猫跑了，找不到老猫成了盼姐的一块心病。她怕猫在外面受什么委屈，她更担心霍夫人突然回来了，会责怪她不诚信、不尽心。

只为了那份邻里诚信，盼姐时常半夜起床，到大街上东走西转、东张西望地去找那只老猫。一天夜里，她在街头寻猫，一辆快老掉牙的拉土大卡车，呼啸驶来突然刹车，连石头带土甩得满路上都是。有一块石头还砸到了盼姐的肩上，好痛啊。但司机下来，一句客气话都没说，买根冰棍，扭头走了。一辆出租车的好心司机见状，热情地劝盼姐上车，拉她去医院检查一下。盼姐说："也无大事。谢谢啦。"

后来，盼姐又听一个算卦的康大仙说，流浪的猫狗爱去有烧烤的地方捡剩肉吃。于是，她把城区的十多个烧烤点全都转到了，烧烤场地的浓烟，时常呛得她又咳又喘，眼泪汪汪。再后来，盼姐又听说，城市与农村接壤处，经常聚集一群群野猫野狗。当天夜里，盼姐就拿着手电跑到郊外野地去找猫，正赶上一个农民放火烧满耕地的玉米秸秆，看到盼姐，老农一边用铁锨扑打玉米秸相互连火，一边骂骂咧咧："全是他妈黑心假种子，秆都长不旺，一年没收成，还不让我烧荒，我雇人干活，工钱谁出啊？烧、烧、烧，把造假坑人的全他妈烧死。"火光把野外照得很亮堂，手电没用上，猫也没见着，但更增添了盼姐对老猫的忧虑，她怕老猫被火烧死，被烟雾呛死。盼姐对老农说："你气归气，可烧荒的烟呀灰呀，对空气的污染太厉害了，咱自己不是也受害了吗？"

老农说："我放这点儿烟算得了什么呀，前儿个，县城里那片古城，一把火烧了整整一夜，整个县城都被烟灰罩上了，二百多间二百多年的老房子，现在只剩了废砖黑灰了。"

盼姐说："听电视里说了，太可惜了。"

前天发生在古城区的那场大火，不仅是让人有些心疼，还让人心酸，古城毁于一把火，但它对霾的贡献率瞬时上升百倍。古城老街，街连街，房连房，古色古香，极具传统文化底蕴，那是清朝传下来的。只因一家商铺的女老板用电不当，引燃了自家的窗帘，最终竟导致连城大火，一夜间烧掉了古城的中心，除去两头，烧掉了一半。当时，消防车去了不少，但由于街道狭窄，车进不去，只能靠人工端水提水灭火。但由于街面上备有的消火栓，有的被个人家的货物压着，有的在井盖下埋伏着，有的日久失修被锈蚀着，人们在恐慌中头脑又被迷昏着，最后，终于失去了宝贵的灭火时机。直到天亮，大火从城中间烧到了古城东西街的两头，消防车才发挥上作用，差一点古城就全城覆灭了。囤积城区上空的烟雾，直到三天后，才借助一场迟到的大风飘然而去。大火过后，有人传说，大火中烧死了很多的宠猫宠狗，也呛跑了许多宠猫宠狗。盼姐听后，十分心惊，她默默祈盼着她要找的那只老猫是在避灾逃难的队伍中。

为了找猫，盼姐风里来雨里去，把整个E县县城的里里外外、犄角旮旯，转了一遍又一遍。她像是失去了阿毛的祥林嫂一样，逢人便问。逢上热心的人，她还会驻足，把那只老猫是多么的通人性、有灵性，有鼻子有眼地絮叨一番："我真傻，我怎么忘了猫是爱认生的动物。那天，我怎么就没想到，猫受了气，会趁机跑掉。我真傻……"

一天，在一个小区门口，盼姐碰上一帮刚放学的孩子。她刚要开口问孩子们是否见过一只黄毛红胸的猫，孩子们却大声叫起来："我真傻……"盼姐立时变得哑巴了。还是一个懂事的女孩子走近她，真情地劝道："阿姨，大雾天别老在街上转，雾霾会害人得大病的。"

又一天，盼姐听人说，C市北外环西口，有一个宠物猫狗交易市场，那里边家猫野猫黑猫白猫黄猫绿猫国内国外各种猫一应俱全，特别是各种各样的杂种猫，特别多。盼姐闻声而行，当天就来到了猫狗宠物市场。此时，她心里真的怀着一线希望，因为她是有备而来的，她怕如果真的有谁把老猫抓住了，抱到市场上来卖，她一定会掏出钱来给人家，要多少给多少，只要能把老猫还给她，多高的价钱都好说。

"快来看快来看，咱这猫可是正儿八经的世界第一猫。是世界上最强壮的挪威森林猫。"顺着叫喊者的手势看过去，盼姐看到一只杂花大猫正在笼中坐卧不宁地打转转儿。卖猫人还在大声介绍着他的洋货，"森林猫生长的环境非常寒冷和恶劣，因此呀，它长有比其他猫更厚密的毛和强壮的体格。你别看它体大肢壮，奔跑速度极快，不怕日晒雨淋，行走时颈毛和尾毛飘逸。但它性格内向，独立性强，机灵警觉，喜欢冒险和活动，不适宜长期饲养在室内，您家要是有个小院什么的，养它是太合适了。"盼姐看到，那只猫确实非常美丽。但盼姐一点儿也不感兴趣。因为，那不是她要找的那只猫。

"家里头养猫最重要的是要听话、顺心。进院不进屋，那叫什么宠物猫啊？白天要让它做游戏，晚上要让它给咱热被窝，那才叫舒坦呢！"

盼姐看到，这个贬他人吹自己的卖猫人，双手轻松地抱着两只大猫，贴在胸前。一只是银色，另一只是金黄色。两只猫两对大圆眼珠子特别显眼，一只是一对蓝绿眼，另一只是一对纯绿眼。太迷人了。

"这可是金吉拉猫啊。原产地在英国，属于新品种的猫，是由波斯猫经过人为刻意培育而成，养猫界都称它为'人造猫'，是一种非常可爱的猫种。你别看它四肢短，但体态比波斯猫娇小，显得更灵巧。看这全身浓密的毛，多么光泽多么亮净呀。你抱抱试试，它性格温顺，特别听话，懂得认人，善解人意，自尊心还特别强。哈哈哈，它还特爱听好听的话。"

"多少钱一只呀？"一少妇领着个男孩过来问价。

"不论只。问价野生动物的量词应该是碗、盘、锅。"人群中一黑脸男子皮笑肉没笑，抢在卖猫人之前搭讪，"一盘狗肉一百八，一盘梅花鹿二百五,一锅穿山甲两个二百五。"

卖猫人瞥了一眼那男子,笑嘻嘻对少妇说不贵,五千一只,八千两只。"

"你这是哪来的价呀?五千一只的猫,养着根本不提气。"

"这是最贵的外国猫了。"

"妈妈,我要那只猫咪。"男孩拉着少妇喊道。

"唉,小朋友很有眼力呀。你摸摸,这叫布偶猫,是美国的,毛松弛柔软,像个软绵绵的大布偶。特温顺特听话,它还不怕痛不怕孩子玩弄。"

大家看到,高鼻梁卖的这只猫体型很大,猫头更大,深蓝色的眼睛,十分有神。最具特色的,是这只大猫的前脚掌上好像是戴了两只白手套,后腿上的长毛好像是穿了两只白色大靴子,向上延伸至后脚踝关节处,白黄交织,该白该黄都恰到火候,实属一只精品猫。

"这才是世界上最昂贵的家宠,他对主人绝对信任,哪个品种也比不上它。"

"看你,小见识了不是。别以为外国才有名猫,其实中国也有很多种名猫。云猫、狸猫、四川简州猫。特别是山东狮子猫,哪个不值个一万两万的?"侃大山的老头手里果真抱着一只白色的长毛猫,看上去,猫的颈、背部的毛长足有四五厘米,托站在主人手上,犹如白狮一般。长相也特讨人喜爱,一黄一蓝的鸳鸯眼,很具神秘感。主人介绍说:"这猫越白越珍贵啊,它不仅身体强壮,抗病力强,还耐寒冷、会捕鼠。家里若是养了这样的好猫,既能辟邪旺家,还能给家里人带来好运气,必定是多子多福多平安啊。"

盼姐在宠物市场上整整看了大半天,她不断地向旁人介绍着她要找的那只猫的各种特色特点,但得到的答复大多都是一句话:"龟田这类杂种,是不值钱的猫。别找了,浪费时间,没多大利。有利也不养那玩意儿。"

他们不理解盼姐，是因为他们不了解盼姐的心事。

一晃两个月过去了。盼姐搬家来到了探春花园小区。

盼姐值得就为丢猫这点儿事搬家吗？

其实，盼姐搬家的具体原因、具体情节，前边几个老头早就当故事陆陆续续说得清清楚楚了，是气与躲交织的产物，也是她与他求清静的聪明决策，与老猫跑不跑、丢没丢，没有直接关系。

盼姐搬到C市市区后，还数次打的返回县城去找过老猫。有一次，她在小区门口等车，一辆出租车从院内开出来，盼姐上车后发现，开车的的哥很是眼熟，但她和他，却都没有深谈。坐车拉近乎，盼姐怕让人家司机说她想要少付钱、讨便宜。但出乎盼姐意料之外的是，的哥把她拉到县城，只说了句："再见。"没收钱，开车就走了。类似这样的情况，在后来盼姐出去找猫回家途中，或是他们宣传队到小区外组织宣传活动时，又发生多次。的哥不收盼姐钱，这让她很是疑惑。但她越是疑惑，的哥越是像事先有约而来一样，经常在盼姐需要用车时如期而至。

一个半晴半阴半霾半雾半晌不到的上午，盼姐正在小区外的大街上转弯寻猫，的哥开车而至，惊喜地对盼姐说："快上车，快上车，老猫找到了。"

"在哪儿呢？"

"在小区操场上呢！"

"是谁找着的？"

"是五个老头设套把老猫抓着的。"

"他们是不是疯了，怎么能设套呢？可别伤害了老猫。"

"快上车，我拉您去看看。"的哥真是既热情客气又服务到家。他下车帮盼姐开车门、关车门还觉着不够，盼姐上车坐在后排后，他还把盼姐前边副驾驶位置的座椅往前做了移动，让盼姐能在后边坐着伸开腿更舒坦一些。

"快走吧，别耽误了。"盼姐心急。

"好，好，马上走。"的哥乐应。

此时，小区广场上聚集了足有五六十人，把五个爱讲故事的老头儿紧紧围在中间。

"来了，来了。猫主来了。"

盼姐没等的哥去开门，车还没停稳，她已经把后车门打开，一条腿已早早悬到车外。

"盼姐呀，这回你可该请客了，我们几个把猫给你抓住了。"

"你别抓那么紧，它受得了吗？"

"我怕它又跑掉喽。"

"快给我吧、快给我吧。"盼姐急不可待地从大圆脸手中把猫接过来。猫找到了，盼姐这个高兴呀。她把大黄猫抱在胸前，一边抚摸，一边抠扒猫身上粘结的泥巴、草叶。

"盼姐，你什么时候请客呀？"

"请，请，过晌就请，我先回去给猫洗个澡。"

盼姐说着话，抱着大黄猫就要往家里走。

"盼姐，你可别食言呀，我们在这儿等你！"

"没问题，没问题，感谢你们是应该的。"

盼姐抱猫刚走出几步，忽听背后有人大声喊道："大音响爷爷，打你家皮皮嘴巴的那只老猫，又在那边打皮皮了。"伴随话语声，盼姐和众人一同向小男孩手指的方向看去。只见一只老黄猫，正在操场东南角方向的路边上，一步几跳地抽打一只随地拉屎的小狗。大家都看得出神了，此时，谁也没有注意，盼姐手中抱的那只大黄猫，已经被盼姐悄悄放到了地上，放跑了。

"盼姐，我们费劲儿巴拉帮你找猫，你怎么又给放跑了？"

"是怕花钱请客吧？"

"我看也不一定。闹不好还是老黄说得对，找猫是假，踩点是真，否则，能故意让自家的猫变成野猫吗？"

盼姐说："刚才我看了，那只猫不是我要找的那只，它身上没有那个记号。"

"行了行了，刚才亲热半天了，说不是就不是了。客不用请了，这回你放心了吧！"

"不是这个意思。"

"啥意思咱也别问听了，快回家防火防盗去吧。"众人说罢，一哄而散，把盼姐一个人丢在了操场上。

晚上，盼姐直到天黑得连月亮都被霾遮得严严实实的时候，才很不情愿地起步回家。到自家门口开门时，盼姐忽见门上贴了张纸条。楼道里黑，看不清字，她开门拿进屋一看，只见上面写了一句话：

兔子别吃窝边草，拿猫说事儿不新鲜。花招使尽终无用，伸出贼手必被捉。

盼姐一赌气，把纸条扔到厕所里了。扔完了，她又想开了。她想，大家可能误会了，误会了也不怪别人，全怪自己当时找猫心切，见了猫全当是自己要找的那只老猫了，那明明是一只大猫而不是老猫嘛！再说，早一会儿看看猫胸脯上是不是有猫记，不早认定是不是自己要找的那只老猫了吗？要不是那个孩子眼尖，看到老猫打小狗，误会一定会闹得更大、更多。如果离开了现场，以后怎么解释也不会有人理解了。

盼姐这样自责了一会儿，心里就平和了。她没向丈夫和闺女说这事儿。在盼姐看来，这次误会就应该这样过去了，但她万万没有想到，当天深夜里，有人急促地敲门，盼姐借门孔看到，是两男一女三名穿警服的。

"我们是派出所查户口的。"警察说着话，三人同时举起工作证在门孔前晃动。

民警进屋后很是客气，但言里言外却有一种不见家里男人不罢休的态势。盼姐无奈，只得把丈夫叫醒起床，并来到客厅。见过男主人，民警客气地留下三张名片和一张优质服务承诺卡，告诉盼姐夫妇，有事请联系，我们会及时为您服务。盼姐把三名民警送出门刚要关门，就隐约听见对门老黄家的门开了，并传来噔噔噔，有人快步下楼的声音。

"蒙面男人在家吗？"夜深人静，盼姐听得一清二楚。

"人家男人在家睡觉呢，大伙回去休息吧！"

"看来是我那个纸条起作用了，他怕有人蹲坑，把他吓住了。"盼姐听出来了，这是谁的声音，但她始终没有闹明白，为什么对门的人对她家总是如此的关注与警惕。

十

时近深秋，在盼姐搬来探春花园小区第六个月的时候，盼姐的新邻居家有喜事了，黄彪今天结婚。黄彪是典型的恐婚男，三十二岁了，才在网上捡了个按摩剩女。

那天正巧是国庆放假的第四天。满天空的雾霾。盼姐心想，搬来时间还短，两家虽对门住着，平时却互无往来，人家自然不会请咱去随礼喝喜酒。

其实不是那么回事。盼姐家搬来后，她确实没见过对门家住的人，可对门的老黄，每天都在借助门孔，观察着盼姐家的风吹草动，时刻等待着蒙面男人的出现。老黄每天负责观察，小黄每天不定时地用短信向小区里的邻居们发布着侦察动态。

黄家的喜事办得很张扬。一大清早，盼姐就听满楼道乱哄哄的。盼姐站在北阳台上往下看，院里站满了黄家头戴布花、胸戴鲜花的老少亲戚、朋友。盼姐还看到，经常停放在小区院内那几栋号称是安居房、经济适用房和限价房楼下的两台外观美、排气量大、好多人叫不上名字的高档进口小轿车，也加入到了接新亲的车队。

在小区过道、路边上，摆满了各种冲天炮、双响炮和一挂不下万头的大地红。

一会儿，楼房南边首先响起了噼里啪啦的鞭炮声。盼姐赶忙冲过客厅跑到南阳台去。天哪，一排披红挂花的车队已经淹没在了浓烈的黑烟之中。南熄北响，盼姐赶忙又返回到北阳台，浓烟已经伴随着冲天炮的剧烈爆炸撒满天空，直奔盼姐而来。盼姐正要关闭窗户，楼下突然传来"快抓猫、快抓猫"的喊声。

听到有猫，盼姐夺门而出，绕过电梯，一溜小跑下楼。让盼姐万万不会想到的事情，在盼姐还在楼道上奔跑的时候，就已经在门外发生了。

盼姐跑到楼下的时候，没有再听到大小炮竹的响声，而是听到了女人一声声的尖叫，男人一声声撕心裂肺的"哎呦""哎呦"的声音。

真是三里地不通风，喜事也是一个地方一个习俗。接新娘子有鼓掌贺喜的，有唱歌助兴的，怪声怪气大叫的习俗，还是头一次碰上。盼姐心里这么疑惑地嘀咕着，但眼前看到的一幕，却让她不得不目瞪口呆了。

一只脏兮兮的老黄猫，带着一黄一白的两只大猫，像疯了一样在路边奔腾穿梭。先是撞倒了一排排没有点燃的烟花，继而用利爪举起一挂挂鞭炮，撕得七零八落。正从车内抱起新娘的新郎官，看到老猫驰骋般冲他而来，吓得"哎呀"一声，手一松，新娘子重重地摔在了地上。

就在新郎仰头大叫的一瞬间，盼姐立时认出来，新郎黄彪正是那天她找猫时，开黄标车一路掉撒泥土石块，并砸伤了她的那个司机；那个身穿T恤，正要点炮，却一头被老猫撞翻在地的男青年，正是那天在新华市场烤羊肉串，并一脚踢飞偷食他肉串老猫的小老板；还有，那个戴着新亲胸花、纯农民模样、正捂着被鞭炮炸伤的左脸颊，"哎呦""哎呦"喊叫的壮年男子，正是那天夜里，盼姐见到的那位放火烧玉米秸秆的男人，他变成了黄家的亲家；那边，还有一对壮年夫妇，双双被天上掉下来的焰火烧着了衣服，小区里的人都认识，他们正是那对天天用地沟油，在小区内炸油条油饼的夫妻。

在众人一片惊诧声中，三只猫乱中取胜，早已钻进树丛，跑得无影无踪了。

大黄猫，盼姐这次看得清清楚楚，它太像那只她欲寻难见的老猫啦。

老猫成了小区人三天没变的话题。有人都把这只老猫说神了。什么老猫训狗的故事；老猫追忆亡去的主人，深夜里模拟陪主人在公园遛弯的动作，在广场转圈的故事；老猫昨天晚上趁新郎没关车窗，钻进车里，放净了黄彪喜车电瓶里的电，耽误新郎早上接媳妇的故事……还有一个更离奇的说套，说这只老猫通人性，知道了死去的主人是因雾霾致癌而死的，便拉猫结伙为主人报仇，专和破坏空气的人过不去。盼姐正听得带劲、有味的时候，一个快嘴老太太讲起了E县县城里，前一时期，有一个半疯半傻的女人，因为丢猫寻短见的故事。

盼姐听个半截，扭头上楼去了。

在她的背后，她听到对门的老黄大声提醒众人："防火防盗还不够，以后办喜事还要注意防猫添腻啊——"众人大笑。

"伯伯，您怎么把老猫得罪了？"

"不是我得罪了它，是它想得罪我，我没上它的当。"

"黄伯伯，您警惕性那么高，怎么没防住老猫给你家添乱子呢？"

"智者千虑，还必有一失呢嘛！如果什么事都万无一失，那今天的空气也就不会这么差了，这霾字到底是啥意思，你小子都不会闹懂了。"老黄趾高气扬地和表侄对着话。

"黄伯呀，我记得您可不只'失'一次了。去年，您炒股炒跑那二十万块钱的事儿就不算失手了吗？"

"那根本就不算我失手。"老黄道，"孔子说：三人行，必有股民；曹植说：本是一个庄，杀跌何太急；苏轼说：不识庐山真面目，只缘身在股市中；陆游说：买入股票解套日，家祭无忘告乃翁；文天祥说：人生自古谁无股，留取资金等底部；徐志摩说：轻轻的我走了，正如我轻轻的来，我挥一挥衣袖，本金立马就变成大风，把霾刮得永远也回不来了。"众人听后又是一阵哄堂大笑。

"伯呀，我见到的是本利全没，可这雾霾并没断根呀。那您说说什么是雾？什么是霾？"

"今儿个你表弟结婚，你别给我添乱，我这好多事儿呢，哪有工夫给你讲这东西。你要想知道，问你亲老，他清楚。"老黄说着话，把他儿女亲家，就是那位火烧玉米地的男人，介绍给了他表侄。

"这位是你亲老，问他。"

"亲老呀，您知道什么是雾霾吗？"黄彪的老丈人正捂着脸难受着，但他听到问话仍显示出了他的爽快，因为，他今天是新亲，不能在闺女婆家人面前说出"不"字，那怎么给闺女、姑爷做脸呢。他心想，反正你问我，你就是不懂、不知道，我说上来了，对不对也不犯法。

"好啊，亲儿呀。我这样给你说吧。这空气中雾气潮潮的，其实都是小水珠珠，水珠珠要占九成以上，那肯定是雾大霾小，水珠珠少了，各种脏东西占上八九成了，那肯定就叫霾了。雾霾加一块儿说，我琢磨着，就是说两样东西差不了多少，半对半了。"

"亲老呀，雾与霾哪个多哪个少咱们平时怎么分得开呢？"

"凭我多年的观看，如果在地头路上往前能看得出二里地去，而且是乳白色雾体，一般是雾；如果雾状是黄色、橙灰色，那肯定是霾的时候多。空气中脏东西越多，人眼就越看不远。有空你看看书、看看电视、听听广播，别拿亲老打哈哈，我也是听电台说的，就是这么个意思。"

"亲老，您讲得真好，比我伯伯强多了！"

"你小子说什么？"老黄听后不干了，他伸出左手扭着他表侄的左耳朵，大声问道，"你说老子到底能不能？"

"能，能，能。"听到大表侄夸他能，老黄的手立马松开了，"不服老子扭掉你耳朵喂他妈老猫。"

"能能能，您那么能干吗让猫给你添彩呀？拿我耳朵给猫送礼也晚了。有能耐，平时少排放点儿污染，多做些保护环境的事儿多好。"

"你个小猫崽子，你是故意气我呀？"老黄正要再次伸手抓表侄的耳朵，不知谁在门口喊了一声："对门的人下楼了。"听到喊声，老黄二话没说，扭头向门外跑去……

过了不足半小时，盼姐从后阳台看见，老黄气喘吁吁从院外赶了回来。走到楼下，老黄故意冲着楼上大声叫嚷道："老猫遭报应了，老黄猫被出租车轧死了。"

盼姐听到老猫被轧死了，心里不由得猛然一惊。她快步冲下楼去，老黄好像是故意要让盼姐心急一样，对着楼门口有声有色地描述着："刚才有个痞子把一只老黄猫抓了，装到一个黑塑料袋子里，抱到大街上当'碰瓷'的道具。有一辆出租车开过来，痞子把猫扔了过去，车没刹住，把猫卷入车下当场就轧死了。这回浑身都是红的了。痞子说，他的老猫是花两万块钱买来的国际洋宠，非要人家赔两万八，正在门口街上打官司呢。"

盼姐听罢疾步跑向院外。在她身后，盼姐听到，老黄一边尖声大笑着一边大声说道："装得就是像啊。明摆着给她抓住了，她硬是偷偷把猫放了，结果你见了没有，她的道具让痞子给用上了。"

盼姐跑到小区门外看到，确有一名的哥在和一个头发带卷的男青年，在人群中讨价还价。不是盼姐认识的那位的哥。

"什么猫值两万八，不可能啊！"

"不死是不值，猫死了，我还怎么活呀。买猫的本钱，加上我的精神损失费，再加上老猫正身怀一肚子小猫，开春就是一笔可观的收入，要你八万二都不多，别说我仁慈到两万八了。"

男青年正气宇轩昂地和的哥压价，突然听到人群中有个大妈高声喊道："老猫没轧死，跑出来了。"

随喊声众人朝车下望去，只见一只老猫从黑塑料袋子钻出头来，就地打了三个转转，然后，扭头从众人脚下的空缝中，飞一样朝探春花园小区门口冲去。

"老猫刚才是不是又被人打了麻药针变成'碰瓷'道具了？"

"说什么呢，说什么呢？"诈钱的小伙子见老猫跑了，又有人识破了他的诡计，气得扭头跑出人群钻进了附近的猫狗宠物市场。

盼姐看清了，刚才那只老猫，毛是黑的，与老黄说的根本对不上号。

盼姐回家上楼，从黄家半开半掩的门缝又传出老黄的笑声，"哈哈哈哈。给我添腻，老猫就是罪不能赦呀。这回道具没了，我看下边的戏还怎么往下唱。哈哈哈……"

十一

国内外大仙们预言的2012年地球将会毁灭的惊世谣言，随着2013年的到来，已经不攻自灭。但C城的居民们大都感慨，2013年地球的转速有点慢。这全是从年初至年末，那持续反复的雾霾天气，给人们制造的揪心的幻觉。没有人愿意在这四面浮霾的空间生活。

初冬到了，盼姐尽管一直对找到那只老猫无能为力，但她的心情却一天比一天好起来。

想想当初，丈夫刚刚遭受郁闷之事的那阵子，为了安慰丈夫，也为了圆上自己增添幸福指数的新梦想，盼姐毅然支持搬家，并主动做起了环保志愿者，她要把丈夫钟爱的事业接下来、做下去。她尽管艰难地坚持下来了，但回想她开始做志愿者时的时光，她还是感觉很孤单、很郁闷。她的郁闷，有替丈夫分担的，更有对现实的许多不解、疑惑与埋怨。现今，在盼姐的影响带动下，小区里上百名离退休的姐妹们，已经自发地组织起了探春环保志愿者服务队、纠察队和宣传队，立足生活居地，影响四邻社会，担当责任义务，深得公众美誉。社区对以盼姐为总队长的环保志愿者"三队"的工作很是支持，还拨了几万元经费，支持他们大展才能。

在大家推举盼姐担当总队长那天，盼姐的脸上始终挂着抑制不住的兴奋与秘密。她即兴演讲，语惊众人："承担社会责任，是不是我们的义务？我认为最大的不幸是患上漠不关心的冷漠症。那些对社会问题视而不见、无动于衷、甚至为私欲而找借口放任责任、延续恶习的人，一定会被社会唾弃和淘汰。有能力的人要为人类谋幸福，这是任务。在这充满机会的大地上，我深信未来的人比我们的成就会更多、更好，但我们有责任把我们所追求的梦想，放回到现实里边，用我们此生的立德、立言、立行，成为后人踏着我们足迹，走向幸福的航标。"

盼姐就是盼姐，她就是有才，若不是土政策让她早离岗、若不是她摊上丈夫的郁闷，若是再给她一片施展才华的天地，她肯定能在岗位上释放出更多的正能量。

"害人的雾霾，虽然不像'非典'和海啸来得那样凶猛，也不像H7N9那样对人明杀暗害……同在一个城市，同住一个小区，有一个月能挣几十万的老板，有一个月只挣几百元的小时工，但绝对不会有能让老天爷给他特批一块没有雾霾污染的空间、专门供他呼吸新鲜空气的人。既然同呼吸，就该怎么样？"

"团结起来，保护环境。"

"圆梦幸福！谁也别当打酱油的！"

……

众声空前的一致。

盼姐听出来了，那个喊声最高的，正是人称"网络大V"的栾大宝。也有人管他叫"乱大宝"。半年前，他在网站上开辟了"环保讲坛"，访问他网站、微博的网友不下万人。其间，他不仅按黄彪的嘱托，用短信、彩信、微信和飞信，提醒过大家预防蒙面人外应里合实施入室盗窃，而且，后来他还赞扬过盼姐是小区里的追梦好人。有一段时间，他还传播过不经证实的帖子，误导公众，为此差点让公安局把他的账号取缔掉。后来，他又改邪归正，积极在网上宣传环保知识，并发起了《城区污染哪里来》的大讨论。给人留下印象最深的，是他走访专家学者，弄清城区污染诱因是工地扬尘、道路扬尘、燃煤废气、汽车尾气、饭店油烟、鞭炮烟雾，使公众和政府双受益。前几天，有人说黄彪开车满地洒土也是祸手。栾大V便发帖为黄彪鸣不平说，黄彪开黄标车是真事，但个人买个车不容易，要淘汰黄标车，政府也应该给予适当的补偿。同时，市区里的尘土飞扬，也不光是拉土车造成的，城中的露天地、马路两边比路基还高的黄土地，一下雨，水冲沙子流向路面，一晴天，必然尘土飞扬。为此，黄彪直夸栾大V够哥们儿。

十二

环境是人类生存和发展的物质基础和必要条件，科学利用和保护环境是人类可持续发展的重要保障，是重要的发展资源。环境保护既要靠政府主导又要靠群众参与。必须创造良好的环境，让群众积极参与环境保护，体现公民环保权益，使环保与政府、公众形成一个有机的关系体。

2013年，是C市环保工作开天辟地的一年。年初到年末，环保工作出现了由冷热不均，到翻天覆地、史无前例的空前变化。盼姐居住的探春花园小区，随着从政府到公众的蜂拥而起，掀起了极端的"环保热",人们自发地开展了"呼吸保卫战"。小区环保标语不仅日渐增多，而且创意既温馨又诱人。盼姐让大家自己出词自己设计，在小区内用灯箱、悬挂、粘贴等形式，一夜之间让小区变成了环保宣传阵地。

"邵大姐，你快过来，这儿有一段讲述乱烧秸秆和垃圾危害空气的知识。你在家烧秸秆，上班烧树叶，过来学一学。"

伴随一中年男子的喊声，负责在小区清扫卫生的邵姐似有不愿地走过来，中年男子指着橱窗，摇头晃脑地大声念起来："秸秆及落叶焚烧的危害——生物质燃烧源，是指各种农作物和植物燃烧产生的污染物排放源，主要包括农田秸秆焚烧、森林大火和各种落叶。由于我国是农业大国，农田秸秆是我国PM2.5的重要来源之一。秸秆是指玉米、谷子、小麦、稻子等农作物收割完之后留在田地里的茎秆。农作物秸秆中含有氮、磷、钾、碳、氢、硫等多种元素，这些元素在焚烧时能够释放出大量的二氧化硫、氮氧化物、PM2.5等污染物，造成严重的大气污染，对人的眼睛、鼻子和咽喉含有黏膜的部分刺激较大，轻则造成咳嗽、胸闷、流泪，严重时可能导致支气管炎发生。尤其是刚收割的秸秆尚未干透，经不完全燃烧产生的污染物量更多。此外，秸秆焚烧形成大量的烟雾，导致能见度大大降低，严重干扰正常的交通运输，容易引发交通事故，还会影响飞机的正常起飞和降落。类似于农田秸秆焚烧，在城市地区，焚烧植物落叶也是导致局部大气污染的原因之一。"

"你别光挤对别人，这儿也有教育你的。"

一中年妇女把中年男人喊了过去。男人为了讨好那妇女，故意大声搭讪道："你的头发好漂亮啊，是在哪里剪的？"妇女听了一把脱下假发，怒道："你别没话找话，你的头发才是捡的！我的是买的，买的！"话毕，又学着他的样子，一边摇头晃脑，一边说道："该买暖不买暖，非要自己烧煤炉，你看看，你是不是省钱不要命啦？"众人看到这样一个标题：《燃煤燃烧对PM2.5的贡献主要有哪些？》

我国煤炭消费量持续增加，2010年达33.86亿吨，超过全球煤炭消费总量的一半。煤炭是我国最主要的能源，火电厂、工业锅炉、居民烤火炉等均主要以煤炭作为燃料。煤炭在燃烧过程中会直接或间接地向大气排放PM2.5。燃煤直接排放的颗粒物通常称为烟尘。与其他燃烧过程排放的颗粒物相比，烟尘中富集着重金属和氟，另外，还有大量分散的民用燃煤散烧产生的烟气未经任何处理，直接向大气排放污染物。

"老黄，你家婆儿媳妇，老猫为什么给你出丑，快来看看。"盼姐看到，对门老黄此时很是镇定，他推开喊他的老刘，自己大声朗读道："花炮和烟花的化学成分很复杂，主要是硝酸钾、木炭和硫黄。鞭炮和烟花里的火药被引燃后，这些物质便会发生一系列复杂的化学反应，产生二氧化碳、一氧化碳、二氧化硫、一氧化氮、二氧化氮等气体以及PM2.5等污染物，A市环保局的监测数据显示，燃放烟花爆竹对PM2.5的影响非常大。PM2.5浓度会急剧上升，造成局部重度污染。"

念完了，老黄叹道："婆媳妇放鞭炮，可不是咱家独创的啊。"

"听说您自己还创了人生'武功'理论，有这事儿吗？"

老黄天生就是性情中人，怕谁夸他，一夸他就来劲。他面对众人，像小兵张嘎子给一群孩子作报告一样，故意站到路边的马路沿子上，神采飞扬地说道："来，我给你们讲一讲这'武功'。少年要练'五毒神功'，否则吃各种带毒的食物是活不到成年的。青年要练'太极拳'，不会点儿推拿之术，怎么去挤公交地铁？中年要练'六脉神剑'，要不再好的酒量也应付不了上顿下顿的猛喝。老年嘛，要练'沾衣十八跌'，被撞了，要会演假摔，否则鼻青脸肿都拿不到赔偿。全民要练'斗霾术'，否则，锦绣山河霾如画，京津冀沪无朝阳，鲁豫浙皖没朝霞，你就只能戴个口罩闷在自家屋里了。"

"老黄你别那么消极好不好。把心思用到正处不比什么都强？"

"好了，好了，谁都得对号入座，展板和橱窗是办给大家看的，大家谁也不许当面揭丑。"居委会的刘大妈、马大婶，怕大家相互挤兑闹出矛盾，一个劲儿地招呼众人，看完一块再看一块。刘大妈还带来了孙女蓓蓓，让她给众人当解说。

"有刮风与雾霾和防范雾霾方面的知识吗？"

"有，我给您念两段。为什么刮风、雨雪天气过后，雾霾天气很快好转呢？因为，雾霾天气形成的直接原因是空气中的污染物附着在雾气上无法扩散，聚集在一个很小的范围内。而'无法扩散'则会直接使空气对流较弱。在刮风时，大气对流运动增强，空气中的污染物和雾气很快就被吹散，雾霾天气就会好转。特别是雨雪过后的晴天，空气比较湿润时，刮风可以明显起到清洁空气的作用。"

蓓蓓讲完一段又加一段。她慢声轻语地对众人说："其实呀，公众生活方式，对改变大气污染的影响很是重要。包括衣、食、住、行、劳动工作、休息娱乐、社会交往、待人接物等。随着社会经济的发展，人们的生活方式和消费方式也在发生着变化，对住房、家用电器、交通、日常消费品等的需求量不断增大，这不但造成直接能耗的升高，还会造成生产这些商品过程中的能耗升高，能源消耗量的增大必然导致更多的气态、颗粒态的污染物排放，从而造成大气污染。所以呢，我们要注意从少开车、少放鞭炮、少吸烟、少燃煤、不乱烧垃圾这些小事做起，为大气污染治理作贡献。不然的话，像我们这样的少年、婴儿和老人，可就真的受不了啦。"

众人止围着橱窗说逗侃笑之时，几名老人成双结对地提着、背着、抱着几大塑料袋子物品从院外赶了回来。老远盼姐就听邻居大铃铛喊起来："你们在这儿瞎逗什么呢？没听说呀，医保卡要换社保卡了，医保卡里的钱年底前不花完就要充公清零了。雾霾这么重，快买些药品备着吧。这是药店服务员刚说的。"

盼姐看到，大铃铛和另外几位老年人，有的买了几百元的空气清洁剂，有的买了几千元的西洋参含片。大铃铛还在不停地向众人宣传着，"雾霾伤身呀，多吃些西洋参补虚壮体，有益健康。自己吃不了，送给亲戚也比钱没了强呀。"

大铃铛正嚷嚷得厉害时，盼姐看到有一辆出租车开了过来。盼姐看清了，司机正是多次帮助她的那名的哥。只见他在路边上停下车后，直接走向了人群。

"大玲姨呀，您怎么又听谣信谣上当受骗了？我刚才看见您背一大包子药回来了。"

"这医保卡不是要清零了吗？"

"哪有的事儿。医保卡是受国家法律保护的，里边的钱，不是谁想拿走就拿走的。医保卡与社保卡，合二为一，是为了一卡多用、全国通用、更好地为老百姓服务，不是国家要占个人什么便宜。您今天一下子把钱都花了，明天再买药可就要动现金喽。"

"那药店的服务员是说假话了？"

"她是想年底多挣奖金。药店是怕药品过期。"

"不行，那我得去退货。"

"走，您几位上车，我送你们去药店，当面辟谣。"

出租车呼啸而去。半小时后，的哥又呼啸而回。的哥告诉盼姐，刚才他和大铃铛到药店后，二话没说，就把说谎骗人的服务员臭骂了一顿。药店自知理亏，不仅当场退货，还给大铃铛送了一口高压锅，算是"封口锅"。大铃铛收了锅，立马一点声响也没有了。

触景生情，的哥眼瞧着大家伙儿对吸吮环保知识如此热情和渴望，深情地对盼姐道："凭我过去在政府工作的经验教训看，政府在很多科学知识、法规知识方面的宣教，大都是浮在媒体、写在书上，缺少接地气的环节。"

盼姐听后惊问："你还在政府工作过？"

听到盼姐这一问，的哥像是被马蜂蜇了一样，激灵一下，而后用故意打岔的口气答道："噢！我是说政府部门组织环保宣教应该多接一接地气。"

稍顿片刻，定了定神，的哥又对盼姐说："你看吧，每逢地球日、世界环境日、世界无车日等环境生态节日，不少地方都会开展各种活动，进企业、进工厂、进校园、进社区，向群众宣传节能减排形势、环境政策法规和环境生态保护常识，环保宣教做得有声有色。但是，群众对环保宣传内容越来越不感兴趣。究其原因，是环保宣教的内容和形式不能满足群众的需要，不能回应群众的关切。群众反映强烈的环境问题，往往与自己的生活相关。比如重污染小企业为何不断治理却收效甚微、城区夜间施工为啥屡禁不止、信访举报问题为何不能及时解决等；当地环境污染的成因、环境监测数据的真实性等问题，人们也比较感兴趣。一些敏感问题之所以未能及时解决，主要原因是基层政府和环保部门重视不够，缺少对民情、民意的分析研究。再就是公开透明不够。有关部门对空气和水环境的监测数据，往往是内部掌握，很少对外公布。"

话至此处，的哥说："有些事捂住盖住是幽默，有些则不然。"他告诉盼姐，刚才他在路上拉了一个老太太，老太太手里拎了个布袋子。上车不一会儿，布袋里伸出个脑袋，清脆地叫了一声，原来布袋里装了一只活公鸡！他听到叫声先是吓了一跳，忙问："什么叫的呀？"老太太赶忙把鸡头按回布袋里，答道："是手机彩铃。"真够幽默的。他和盼姐同时笑出了声。笑罢，的哥又接上前边的话茬，对盼姐说："还有一方面，就是环保部门对解决问题的难度，也讲得不够。比如重污染企业的治理，由于这类企业需要改造的力度较大，环保设施投入运行需要一个过程，治理效果不可能立竿见影，群众对此并不了解。"

盼姐听后说："环保宣教真应该加强针对性，要围绕环境敏感问题解疑释惑。我看今年春节期间，市里抓住烟花爆竹造成空气污染这一热点问题，宣教搞得就比较好。环保局将PM2.5的成因、市区污染主要成因等知识，逐一向群众公开宣传，使群众清晰地认识到PM2.5是空气污染的罪魁祸首之一，汽车尾气、燃放鞭炮、煤炭燃烧等是PM2.5浓度超标的主要原因，每个人都有责任，每个人都别光是抱怨，保护环境应该从自己做起。给群众一个明白，大家就能主动配合政府部门的工作。"

的哥接上盼姐的话茬说："光说不练是假把式，影响政府的公信力。因此，要治宣结合、疏宣并举、管宣互动，切实把环境敏感问题宣传到位、解决到位。对于群众反映强烈的问题，相关部门应联合行动，治理与正面宣传同时推进，形成声势，求得实效。对因各类环境问题引发的群众上访和举报，应本着抓早、抓小、抓苗头的原则，认真接访，及时调查，切实解决问题。对一时难以结案的案件，也要通过口头告知、送达文书、网上回复、公开宣传等形式，借助各种宣传渠道，全程发布举报案件的查处进展情况，防止矛盾激化，影响社会稳定。"

盼姐听后点点头说："你的建议好，环境保护离不开群众参与，环保宣教的目的也是广泛动员群众。群众有什么疑惑，有什么诉求和建议，靠政府部门的工作人员坐在办公室里想当然显然不行，只有多接地气，倾听群众的呼声，才能号准脉搏，对症下药。以后，我们志愿者也要及时向上面反映大家意愿，有的放矢地配合政府抓好活动。"

正当盼姐暗暗赞叹的哥的时候，盼姐忽见，同院的两个邻居，一男一女，各抱一台空气净化器向他们走来。

"快买去吧，要断货了。"女人向众人叫喊道，"现在这空气净化器可抢手了。"

"你买的这是啥牌子的？"

"啥牌子并不重要，重要的是管用。我这台是从我外甥那儿买的，采用了光触媒、负离子、等离子新技术的，可以百分之百去除室内的PM2.5和甲醛。"

"你别替你外甥吹牛了。眼下这东西鱼龙混杂，质量良莠不齐，夸大宣传、虚假宣传、营造噱头，实际上就是安慰型产品。"

"你是怕花钱吧？你就等你们公务员涨工资后再买吧。"

"大姐，空气净化器国家标准很快就要出台了，眼下这东西就是鱼目混珠，您可别病急乱投医。"

"我这台是进口的，比国产的贵一倍还多，差不了。"

"空气净化器，吹起来说是什么都能解决，其实什么根本问题也解决不了。电视中有专家讲，国产的产品，都是针对中国市场的特点研制的，在除甲醛方面，比进口产品都好一些。不是进口的就好，买贵的不一定好。"

"对对对。我也听电视说了。专家讲，不要买太小、太单薄的空气净化器，最好选择容尘量和材料吸附量大一些的产品。使用时还要注意及时更换滤芯，否则，不仅不起作用，而且还有可能产生二次污染。"

正当大家议论纷纷说得十分热闹的时候，盼姐发现，一只老猫在先，十来只有大有小的猫狗紧随其后，从人群边上的花丛中窜出，尾随一辆出租车，直奔操场的方向飞速冲去。盼姐想追上去，但老猫已经在雾霾与花木树丛的双重遮掩下消失了。

十三

快入夜了，盼姐依旧是忧心忡忡、满怀心事地在小区二十多栋楼房的前前后后转悠着、寻找着老猫。忽然她被眼前的一幕惊住了。

盼姐看到，在一个垃圾箱周围，一堆由香肠片、一堆由半条剩鱼和一堆由米饭、馒头组成的三堆剩菜、剩饭，好像是被谁特意整整齐齐地摆放在了那里。盼姐正若有所思之际，一只猫从垃圾箱里一跃而起，飞快地逃走了。远远的，盼姐看到，那猫竟又是一只黄毛老猫，猫的身上沾满了泥巴。

盼姐这回真的看清了，在老猫一跃而起的一刹那，她看见了猫身上曾闪过一片红光。

盼姐直挺挺站在那里，她突然想起霍夫人曾对她讲过的一件事。霍夫人说，几年前，老猫还是壮年时，她曾带猫回过乡下老家。一夜间，这只猫抓住六只老鼠，但它一只也不吃，而是按个头大小，头朝头、尾朝尾，依次摆放整齐，好像是要向主人邀功请赏。

它有这个习性，它有这个灵性，盼姐断定，那只猫一定是她要找的那只老猫。

盼姐眼睛一眨不眨，紧紧盯着老猫奔跑的方向。

那边，五个老头照例是如约而至，但一反常态的是，今天五个老头不是按席而坐，而是席地而站，好像是有什么迫不及待的事情要急着去侃。

"听说了吧？县城的施工工地不遮苫要挨罚了，最近市场上的苫布都脱销了。有关系的快进货挣点儿钱。"

"昨儿个听电视里说，城区还设了十多个黄标车检测站。喷水车一天要在城区主干道喷十遍水呢。扬尘太厉害了。"

"马上就入冬了，多雾天气来了，市县都拨专款，要有计划地把所有的燃煤取暖锅炉统统改成网、电、气。"

······

这次，盼姐不是凑近五个老头才听到他们说话的，他们似乎是很激动，又似乎是故意提高声调，讲给盼姐听。

"现在官场也难干，一怕雾霾，二怕公开。雾霾治不好，官要丢帽；政务公开不当，网上围攻，官也要被问责挨处分。"

"这些我全听说了！上边抓环境保护可要动真格的了。前天新闻说，一个乡长因为农村烧秸秆影响飞机起降，被撤了。还说烧暖气前C市要开展大气污染治理百日攻坚战，大气污染治不好，大大小小的头头脑脑就有丢乌纱帽的可能。"

"是呗，我一个亲戚在市委组织部工作，他中午来我家说，胡县长因为E县大气污染最严重，在全市倒排第一，被免了，要调到市直一个局里任副调研员。他还说，E县辞职的那个吕局长，上半年就搬家到咱们探春小区来了，老黄家对门住的蒙面人，就是吕正天局长。市委这回要重用他，任E县主管环保工作的副县长，明天就要去上任。因为他天天关机，我亲戚就是专程来他家下通知的。"

"老天有眼呀。"

听到这话，盼姐简直不敢相信这是真的。

盼姐回顾着多日来五个老头像说评书一样连续播发的内容，她已慢慢相信他们讲的不是故事而是真事了。她几次想鼓足勇气去告诉他们，尽管你们大家不知道我的底，可你们比我自己都清楚我的丈夫，吕局长就是我的丈夫啊。我知道丈夫工作上不顺心，一气之下辞了职，但我真的没细问、不清楚，谁知内幕竟有这么复杂、这么坎坷、这么让人刻骨揪心。正是我后来一点点，从你们讲的故事里，知道了丈夫今天处境的来龙去脉，我这才更加理解他、支持他。

盼姐想马上跑回家去，但她的脚步却又立刻停了下来。她麻利地掏出上衣兜中的手机，熟悉地按下了一个早已固定设置好的号码。

"正天呀，我刚听人说……这是真的吗？"

"市委组织部的同志通知我了。"

"你和胡县长和霍副局长闹过矛盾？"

"都是工作，过去了就算啦。"

"那你还好意思死在屋里？"

盼姐话没说完，双眼开始下雨了。

这时，远处，大圆脸带头拉开喉咙，朝盼姐站立的方向喊起来："盼姐——我们知道你是谁了——"

十四

其实，胡县长被撤职贬用的事儿，盼姐昨晚上就听说了，但她回家后没有和丈夫讲这事儿。盼姐告诉我，那是因为她知道，他不愿听"胡县长"这三个字组合到一块儿的话。盼姐昨晚上听宣传队的两个大妹子讲，胡县长被撤原因很多，但主要是因雾霾治理专项资金引发的。

说到胡县长，又牵扯吕局长，我立时想起了另一件有趣又有味儿的事儿。

盼姐在县民政局工作多年，其实对官场上的事儿，对环保工作上的事儿，也不是一点都不清楚。只不过是同为县里中层领导干部的盼姐与丈夫，都懂官场起码的规则，不在一个单位工作，下班一般不谈工作上的事儿，更不谈和领导之间的事儿，特别是与领导有什么不愉快的过节，更不能妄言，以免日后见了面说话心里有隔阂，心里头别扭，嘴上不好表达，搞不好还会影响工作，影响团结，影响领导形象。有时候，和领导之间有什么矛盾，向身外人暴露多了，还会招惹是非。总之，心胸宽点儿，防范严点儿，规则多点儿，占不了什么便宜，也没什么明显的坏处。可话是这么说，理也是这么个理，长期生活在一起的两口子，相互间从对方生活上细枝末节地观察，往往能透视对方思想上、工作上、作风上无穷无尽的优点与弱点、情绪与变化、感情与内涵。

早在一年前，盼姐就发现她丈夫有过一次明显的烦恼。她发现，丈夫有一段时间回家来，总是闷闷不乐，加上电视里也常讲环保工作上的困惑与艰难，再加上周围人绕弯打趣的一些风言风语，盼姐就觉察到了丈夫在工作上的许多阴霾。她试探着动笔，给丈夫写了一封信，她想用这种特殊的方式和丈夫交流一下思想。信写好后，她偷偷塞进了丈夫每大都提着的包里。第二天晚上，丈夫回家来后，一声没吭，把她写给他的信又放回到桌上，只见信封上批了长长一段文字：

> 热闹不过人挤人，着急不过人等人，温暖不过人帮人，感动不过人疼人，郁闷不过人气人，为难不过人求人，阴险不过人算人，残酷不过人害人，人生就是人与人，污霾才是真敌人。复印。发各科室组织学习讨论，每名干部写一篇不少于两千字的学习体会。群众的企盼就是我们的责任，就是我们前进的动力。请大家在实际行动中抓好落实。

盼姐马上乐了，虽然是心照不宣，看来她这封信还是讲到他心坎上了。后来，盼姐写的这封信，竟在两个局传成了美谈。有人说，看人家两口子那爱情，都可以写成环保人的教科书了，都可以成防治污染的动员令了，都可以成继马克思和燕妮、周恩来与邓大姐之后的又一对模范革命夫妻了。

在我和盼姐相识相熟相处相知相互取得对方信任后，我向盼姐讨要了她写给她丈夫的那封信。我热切地读了不下三遍，我深感，即使在几年后的今天，这封叫《放下包袱轻装上阵》的信，对许多人仍会有不少的启迪：

亲爱的吕君并局长先生：

笔者长年与一位身在环保基层一线工作的老同志相依为伴，深感当前在部分地区的基层环保队伍中，存在着三大负面情绪。我认为，我更希望，广大环保工作者，迫切需要理顺情绪，轻装上阵，履职尽责。

第一，困境畏难情绪。面对的困境主要有五种。一是执法困境。现行国家和地方环保法律法规，有的滞后，有的可操作性不强，不利于基层部门执法。二是协调困境。一些地方政府给环保部门下达的工作协调任务越来越多，越来越重。有的甚至把原先明确过的由其他部门负责的城乡垃圾、污水的日常清扫、处理任务，也推到了环保部门头上。三是国家专项资金使用上的困境。国家下拨农村环境综合整治以奖代补、以奖促治资金，明确要求地方各级政府要预算专项配套资金。但在落实中，有些地方政府根本不落实配套资金，导致工作难以开展。四是面对某些媒体不客观报道的困境。有些不负责任的媒体揪住环保工作中一些小问题，给钱则息事宁人，不给钱则大力炒作。五是面对公众期望值过高的困境。公众近年来对环境质量尤其是大气环境质量格外关注，空气质量若较差，在一片怨声中，环保部门承受着公众难以理解的压力。

第二，疲劳厌战情绪。近年来，随着环境问题不断得到重视，各种专项行动也此起彼伏。空前的工作量，使基层环保部门从领导到执法人员，有的甚至连续几个月没有休息，白天黑夜连轴转。即使在这种情况下，由于编制人员少、执法力量不足，也很难按时、高标准完成任务。

第三，问责担心情绪。如今，环保工作已被架上了各种考核、问责、追究的高压线。环保工作者不严格执法，出了事要被问责；执法过严，得罪了相关企业，到民意测验时企业给执法人员打低分、提意见，同样要被问责。这使得执法人员无所适从，由此产生担心情绪，影响到工作的积极性、主动性。

上述情绪的存在，导致了有些基层环保部门，特别是主要领导干部，在实际工作中出现了三种怪现象：一是低调求稳，宁可不干事也怕出事、怕得罪人；二是消极保平安，宁可破财四处灭火，也不让各类媒体曝光；三是被动应战，宁可打疲劳战，造成工作质量差，也要围着连续不断的各种检查验收打转转。

　　一人，一家，一团体，一地方，乃至一国，大凡初时，会聚精会神，没有一事不用心，没有什么矛盾会阻止他不卖力，甚至，奔跑得太快了，有时忘了自己是从哪里出发的。但日子长了，矛盾多了，压力大了，有时会丢了草创时期的那股劲头。而恰恰这时，正是最难得的考验时期。史上大凡成事之人，他们无一例外地都有历史、有故事，有情结，有精神。一代代共产党人、一茬茬基层干部，应该是艰苦奋斗，战胜困难，心系百姓情怀和精神的薪火相传者、传播者。特别是当今的环保工作者，面对现实，如何破解基层环保工作人员存在的畏难、压抑、担心情绪呢？我个人认为：

　　第一，应强化思想政治建设，加强对全体人员特别是基层各级领导班子成员和一线执法人员的思想教育，引导大家用责任强化斗志，用调研理清思路，用创新破解难题，用公正廉明、不求名利之心端正执法心态。

　　第二，上级部门和各级政府，面对当前环保工作困境、压力与责任，要着眼长远，科学、合理地安排阶段工作任务，突出一个时期的重点难点问题，有序开展专项行动。切不可在一个阶段安排开展过多的专项行动，避免造成忙乱、影响落实质量。

　　第三，各级政府和环保部门要正确看待和认真分析一些负面报道，实事求是地评价基层工作，切不可因为不真实的负面报道，挫伤基层同志的工作积极性。

　　第四，基层政府和相关部门要积极支持和配合环保部门开展工作、严格执法，不可随意压担子、多派活。在编制、体制许可的情况下，各地政府应适应环保工作的新形势、新要求，最大限度地逐步壮大环境执法队伍，提升环境执法能力。

但是，在目前形势下，我所企盼的这四条，特别是后三条，如果落实起来时机还不够成熟，那就请我的夫君进一步提高思想认识，树立面对现实，轻装上阵的思想，积极创造有利条件，有所作为地干好本职工作。切不可把情绪带到单位，传向领导。如果有什么掰不开、想不通、钻不出牛角尖的，别忘了还有甄老师在家给你实施家教呦。

信尾的留言是：

牢记我们激情燃烧的爱情岁月，曙光永远在前头。只许落实，不许批复。

十五

错误的政绩观，是招致一些官员，一味追求政绩攀比，做些劳民伤财的形象工程和沽名钓誉的政绩工程的导火索。它不仅给国家造成了巨大损失，也让群众看在眼里、痛在心里。这种由破坏型领导所为的负面领导行为，不仅仅是政绩单中带"污"的民怨账，也给政府的公信力带来极大危害。

我的心绪还愣在盼姐写给吕局长的"情书"上，盼姐这边已经开始向我介绍起了胡县长的新故事。盼姐告诉我，自从胡县长把吕局长"吊"起来后，县里先后挑选过三名正科级干部，两名副科级干部，作为新任环保局长推荐人。但胡县长亲自出面征求意见，却没有一个人愿意接受这个职务。

"县长啊，环保局太难干了，您还是另选新爱吧，我怕辜负了您的信任。"

"我都48岁了，再干两年就提前歇了，您就给我留一条平安着陆的活路吧。"

"我和吕局长是同学、邻居、亲戚，让我接他的职务，非得闹出内乱呀，我媳妇不骂死我才怪，谢谢您啦！"

"我个人能力有限，还比不上吕局长，我也不适合当正职，我感谢组织，也请组织理解我的无能。"

……

当着胡县长的面，几个人谦恭和气地解释，但一扭头，实话就来了：

"让我当环保局长，我和你胡县长喘不了这个气不说，干不了半年就够上渎职罪了。"

"他把吕局长这样的人都挂起来了，咱就不捧他的场了。他上边有人，咱下边有人。"

……

堂堂胡县长，选不出一个得心应手的环保局长，他觉得很没面子，于是，他把环保局的三名副局长、两个副主任科员，召集到一块儿，搞了一场集体谈话，指定每个人主持环保局工作一个月，考察一下，看谁优秀，让谁接任。

第一个月，环保局党组副书记、副局长任京，首先主政环保局工作。当月，胡县长不知从哪拉来了一个项目，要在县城边上批块地，建个化工厂。下午，县政府办公室通知任京去开会，审定项目。任京说发高烧住院输液呢，让环评科长去替他开会。环评科长接到电话说，您打错了吧？说完，把看大门的老马头的手机号码告诉了县政府。下午的会由胡县长亲自主持，议题就一个：各部门签字、盖章、走人。环保局的老马头接到环评科长通知，按要求穿得西装革履，按要求带着公章按时到会，按要求签字，按要求找对了盖章的地方，任务完成得十分出色，仅用半小时项目就批定了。县政府办公室马上向市政府报了一份简报，赞扬胡县长亲民亲商，为全县发展鞠躬尽瘁，兢兢业业，现场办公，提速提效，形象好，能力强，深得县直各执法职能部门拥护与支持，为下一步搞好群众路线教育，树立了样板。但事后三天，当C市市长到市环保局检查指导工作时，在市环保局局长办公桌上看到了惊人的一幕：在E县上报的某化工厂审批项目表上，不仅是环保局，土地局也是一样，两个单位盖的全是收发室的收讫邮寄物品证明章。

市长问市环保局雷局长："这表你看了吗？"

雷局长答："我知道您会看到。"

任京只主政一周，就被胡县长破格换了。接着主政的是副局长扈法根。胡县长当副县长时就对扈法根有所了解。那年县里搞竞争上岗，海选环保局长时，扈法根也是人选之一，但当他知道与胡县长关系极其密切的安全生产管理局霍副局长也在竞争这个位子后，就主动退出了。他说："再干两年就该着陆了，我才不再招酸引骚了呢。"

"老扈啊，其实竞争这个岗位的人不少，我只是看你连个正科级也没当过就要退了，为人才感到惋惜呀。都是工作嘛，都是出于公心嘛，思路上有点差异，可以慢慢地进步，我还是希望你能胜任，担当起来吧。"

"胡县长，我一定一如既往服从大局，干一天像一天的。您放心。"

"好。好。我就等你这句话呢！"

扈法根是局里的老资格，老环保，还是有名的老顽固、铁公鸡，和吕局长一样，是宁折不弯的硬汉子。他主政的第二天一上班，就是开局务会收集线索、确定工作方案，然后转题开局党组会，研究对近期部分严重违法企业进行停产整顿，实施顶格经济处罚的决定，建议县政府同意执行。胡县长接到主管副县长不明不白、不清不楚、不痛不痒的"请胡县长定夺"的批复后，气得肺都要炸了。环保局的人不讲政治，你主管环保的副县长也跟着抹稀泥。关这几家企业的门，罚这几家企业的钱，早在吕局长时就提出过多次了，我的态度你不是知道吗？怎么不顶回去？都关门了，全罚跑了，GDP从哪里来？我这个县长的政绩又从哪里来？

"这几家企业可把咱县几条河都污染得臭不可闻了。再这样下去，过不了两年，这县城就臭气围城了。"主管人事的常务副县长说。

"我还是那句话，我干不了几年，管不了那么多。谁挡我官路，我就先贬了他。你去问问那个扈法根，他不是向我表态了要服从大局吗？"

"我说了。他说一县之地、一人之言是小局，国家法规政策、生态文明建设是大局。听您的可能会被判刑，不听您的，最多也就是被吊起来……"

"明天开始，环保局的事儿让南征负责，让南征主抓项目环评、监察执法和对外宣传。像扈法根这样快到提前离岗时间的，可以用请长假的方式，再提前。"

"以什么名义请长假呢？"

"有病。有毛病。有环保精神病。实在不行，按女干部对待，现在就退！"

"您别生那么大气。您也注意着点儿。"

胡县长用眼角瞥了一眼常务副县长，顺手抄起了电话。但他心里还在咂摸着常务副县长刚才的话，算不算是一语双关呢？

一晃两个月过去了，南征这两个月，主政县环保局的工作，胡县长很是满意。一方面，南征很听话，让到会到会，让盖章盖章，让表态，都是同意，绝不多说一个字，包括不让处罚的，当场就把人撤走，把文书撕掉。为此，胡县长在政府系统干部大会上，多次表扬南征副局长是优秀的后备干部，难得的发展人才，最具前景的主要部门一把手人选。最让胡县长感动的是，在一件事关胡县长前途命运的大事上，南征亲自操刀，弄虚作假，从而使胡县长的政绩危机转危为安。但后来，让人意想不到地又转安为危了。

那时正是刚刚入秋的时候，雾霾天气连续袭扰C市和E县，市里拨下一笔钱，要求各县在入冬前改造各种燃煤锅炉、淘汰一批黄标车，并确保污水处理厂运转正常，确保减排任务完成。结果，钱刚拨到县财政，县里一项形象工程就赶上资金告急。胡县长打了个电话，县财政的两百万元减排治霾资金，就变成了"形象款"。两个月后，市里派督导组来验收防霾、减排治理成果，E县因专项资金被形象工程占用，收不回来，导致燃煤锅炉改造和黄标车淘汰任务没有按要求完成。这个时候，如果负责环保工作的南征不出面作假证，胡县长此关必定难过。这一关，当时那两天是过去了，但由于E县天空的PM10、PM2.5数值明显不正常，影响C市整体空气质量，引起了C市政府的高度关注，责成市县纪委监察局调查问责。监察局向市领导反映，我们昨天刚刚收到县里知情人的实名举报，正好要向市领导报告，胡县长众议较多。

　　事后几天，胡县长就被停职了。事后，全市都在传言，写信告胡县长的不是别人，正是南征。其实真正的事实，是任京、扈法根、南征三人联名用真名实姓，向市纪委写了两封信，一封信建议追究胡县长不顾大局，独断专行，弄虚作假，编造政绩，挪用公款，影响大气污染治理的责任。另一封信，是请求对吕局长被"吊"原因进行调查，给环保干部一个公正。

　　事后，有人当面指责南征两面三刀，南征无奈地说："碰上这样的领导，连'人精'都被'吊'了，连'法根'都被拔了，我只能耍点儿小聪明，一边假装配合，一边向上反映实情了。"南征说的一点也不假，事后证明，他盖的章确实是那枚E县环境保护局的真公章，但到胡县长被停职后，大家才看清楚，南征盖在审批表上的公章只有E县环境，没有"保护"二字。南征说，是他用胶带把"保护"二字事先粘上了。他撕的执法笔录也全是复印件。事后有人赞叹："南征啊，你真是'难整'啊！"

十六

其实，像吕正天局长这样被无端问责"吊"起来的不正常现象，在他地早有发生。并已引发有关媒体的关注。一家权威媒体曾以《谁该被问责？》为题发表评论，话锋尖锐地指出问责当问失责之人：

试问，被问责的环保人当真都失责了吗？恐怕不然。

一个地方的经济发展、项目引进乃至城市建设，环保局长都难有发言权。环保炙手可热，那是热在了刀尖上，热在公众的诉求上。在可以真正让环保人挺直腰杆的法律支撑、政策支持上，环保依旧是冷板凳一条。

呼吁了多年的环保源头控制，迟迟难以彻底落实。在一些地方，兄弟单位觉得环保麻烦，地方领导觉得环保添乱。因此我们看到，动辄以亿计的大项目，很难因为环保的反对而放弃。

所谓"最严格的环境保护制度"，往往都是对中期甚至后期的严格控制，这种控制要求看似合理，实则却让环保部门难以施展拳脚。企业只要达标排放，机动车只要符合环保标准，环保部门就无计可施。但因为基数庞大，排放总量惊人，天还是灰了，水还是黑了，空气还是脏了，环保局长也还是得"挨板子"。

上述这些"冷热夹心""上下夹心""官民夹心"的存在状态，让很多环保人变成缩手缩脚、畏首畏尾的"埋头鸵鸟"。

这样的存在状态，同样让很多环保局长们纠结。他们的纠结，绝不仅仅在于难有成就感，更多的在于不但难出政绩，还要整天战战兢兢地提着乌纱帽游走于被问责的边缘；在于夹在地方对经济发展的刚性要求与百姓对环境质量有所改善的迫切期望之间，一不小心就给政府"添了乱"，让群众"堵了心"。

因此，在问责一个地方环保局长的同时，是不是也该问责一下地方政策的制定者，问责一下统筹协调一方发展的主政者？唯有如此，环保事业发展才有根基，环保队伍出拳才有力量；也唯有如此，天蓝地绿水清的美丽中国，才有望成为现实。

试问：C市E县的环保局长吕正天，到底是因为什么被"吊"起来的？

是谁向媒体通的风报的信儿？有人怀疑是E县环保局班子成员写信告的密，也有人说是一名饭店女服务员在网上向媒体发的微博，还有人证实，早在事发第二天，B市的早间报摘节目就把这事当头条新闻播发了。

新闻播发后，引起了市政府高度重视。

十七

尽管有意外惊喜，盼姐也是激动不已，但她还是没有心思急着回家。因为，她有心事。盼姐早上接到霍夫人从日本福岛打回的电话，说这两天就要带克克回国了。回来后先上坟烧纸，给先人送寒衣，改天再来市里看盼姐。看不看她心爱的猫，人家没说，但盼姐不傻。

这个电话，让盼姐实在有点吃不消了。她铁了心，就是几天几夜不睡，也一定要在霍夫人回家前找到老猫。把猫找回来，此时没有比这更能让盼姐的心灵感到慰藉的了。

盼姐在院里转着、找着、捡着。其实，小区的垃圾已经越来越少了。但近几天，在街头烧纸钱的人却越来越多，有的人在路口烧，有的人还到草坪上烧，一堆火，烧死一大片草，风一刮，满天灰尘。盼姐想，要是谁家的老祖宗突然活了，肯定不愿后人这么做。她心里很不是滋味。

盼姐从上午找到下午，直到满楼的灯光全都亮起来，她在小区转了整整一天。甚至，她猜测着，老猫会有什么神功藏到地下，于是，她猫下腰去，费劲巴拉地把小区的百余个下水道的盖子，都一个个地抠开，看了又看，只是最终也没见到老猫的影子。

"盼姐，你现在怎么不爱理人啦，是当队长摆上架子了吗？"

"哪的话，你这是哪来的话呀大姐？"

和盼姐说话的是邻居大铃铛，她埋怨盼姐道："你下午抱个娃娃去对面银行干什么去了？我喊你你不言语，瞧我一眼，还扭头上车走了，让我好生奇怪。"

"哪有的事儿，我今儿一下午都没出院子，更没有抱什么娃娃。我看你是想演节目时当主角，故意逗我不是？"

"我肯定没认错，不是你也是你妹妹！"

"啊！上车后朝哪边去了？"大铃铛提到"妹妹"二字，盼姐不由得当场一惊，"快说呀，车朝哪边去了？"

"你急啥呀，好像亲妹妹丢了似的，朝东去了。"

今天这事要搁到往日，盼姐肯定没这么啰唆，也不会腿脚还这么稳定地站在原地了，她保准早冲出大院，奔银行方向去了。但今天，她的心事太多太重了。眼前，盼姐最叫劲儿叫紧的事儿，肯定不是别的，是要找猫。找妹妹，她始终没有放弃，她也不会放弃，但一次又一次的失望，始终都是以一次又一次希望开始的。认定了轻重缓急，盼姐此时还是暗暗咽下了大铃铛这几句话给她带来的心痛，嘱托了大铃铛一句："要是再见那个女人，你一定先把她缠住，快些给我打电话。"说完，又起步找猫去了。

她必须找到这只老猫，因为，在她的心目中，找到老猫，已经不仅仅是为了那份承诺的兑现与邻里人情了，那只既有人性又有灵性的老猫，实在是让她心动、让她心跳，她深感那只老猫与人类有共生存共患难的灵性，更有报答主人宠爱之恩的真情。她还试想着要问问这只老猫，难道你比当今地球上最高级的动物，还更有保环境、求生存的危机感吗？还更有良知吗？

盼姐努力地要把自己的心绪与猫分开，但她做不到。因为，心里有了那老猫，她才更感觉充实。

社区办事处门口，聚集了数百人，小区环保志愿者宣传队的演出马上就要开始了。更让盼姐感到欣慰、满意的是，她还没到场，大家就主动聚集起来，开始了今晚的宣传演出。

四位大嫂大姐大妹子先上台，围绕生态环保话题，连续说唱了几个通俗易懂的小节目，其中一个《霾是什么？》的对口剧，在欢快优美的乐曲伴奏下，四个人你一句，我一句，讲得津津有味：

> 霾是雾水的兄弟，霾是污毒的集结。
>
> 霾是百姓的炊烟，霾是汽车的尾气。
>
> 霾是燃煤的残浊，霾是飞扬的尘土。
>
> 霾是饭店的烟油，霾是鞭炮的硝硫。
>
> 霾是燃烧的垃圾，霾是工业的废气。
>
> 霾是秸秆的乱燃，霾是可吸的颗粒。
>
> 霾是石沙的泛起，霾是搅拌的灰尘。
>
> 霾是心脏的杀手，霾是百病的诱因。
>
> 霾是吃人的猛虎，霾是人类的天敌。
>
> 霾是可防的污染，霾是可治的毒源……

第一组表演刚停下，人群中忽然站出几个老头，硬是要上场加个塞儿。盼姐一看，正是经常聚会聊大天的那五个老头。五个老头敲锣打鼓算是打场开局。上台表演的，是那位瘦身白脸、人送外号"大音箱"的老头。他在C市B区区委宣传部当过干事，他学着单田芳的沙哑之声，说了一段自编的评书：

> 要说雾霾危害大，日积月累雪加霜。
>
> 人类破坏大自然，霾来报复属正当。
>
> 眼前只是发警告，再不治理地球亡。
>
> 要问尽责找哪个？政府公众都有分。
>
> 钓鱼岛问题先搁置，大气治理莫彷徨。
>
> 同呼吸来共奋斗，生态文明梦帆扬。
>
> 科学发展创和谐，改革开放弄潮忙……

十八

此时此刻，盼姐根本没有多少心思看节目，她深信她要找的老猫没有走远。

在凉飕飕的晚风中，突然，在人群后面，盼姐发现，在一辆出租车的车顶上，端坐着一只老猫，正伸着脖子，聚精会神地望着她。借着邻场透出的强烈光线，盼姐清清楚楚地看到了，老猫立身张开四爪，好像是它故意要让她看清它胸脯上有一片圆圆的、红红的毛。老猫久久地、稳稳地后腿站立、前腿高扬，好像是它生怕盼姐看不清它，好像是，它知道盼姐在寻它、在盼它、在找它。

就是它，就是它。盼姐兴奋异常。她小心翼翼地向老猫奔去。

老猫好像早就认出了盼姐，它抻着脖子望着盼姐，任凭盼姐走近它。

场内，锣鼓声声。场外，盼姐的心脏此时不知是停是跳，但她清楚地感觉到，那只老猫的心脏跳得比锣鼓声还要响。

仅差一步了，盼姐生怕老猫又会跑掉，她猛地扑过去，双手同时伸出来，紧紧抱住了老猫的腰。

"哎哟——"

盼姐在抱住老猫的一刹那，突然感到，她抓住的不是猫，而是一双大手。

惊魂未定之际，盼姐隐约感到，先她抱住老猫的那双手，似乎不是刚刚伸出来的，也不是外人。与此同时，她看到了一张熟悉的脸，在车的另一侧，人蹲着，手举着，脸笑着。

她，两手抱得更紧了。

"是你找回来的？"

"不，是它自己回家来挠门的，我只是给你设了这个局。"

"喂了吗？"

"对门老黄爷儿俩一块送了几袋猫粮。"

"你出来时有人跟踪吗？"

"单元门上贴个条，说蒙面人身份确定，黄A级警报解除，但严打防范仍然任重道远。"

"我想和你一起上台演个节目。"

"明天吧。今儿不好作介绍。"

"我想回家给猫洗个澡。"

"明天吧，夜里凉。"

又一阵晚风吹来，咚咚的锣鼓，有节点地随风飘向远方。借助灯光，盼姐忽然看到，多次帮他的那位的哥，正站在人群最中央。在他身边，还站着一位瘦脸干瘪的男人，很像是算卦的那个康大仙……

十九

有人曾发出《孝敬自然的追问》：

天同覆，地同载。万物本乎天。我们人人都来自于自然，更离不开自然。在当代社会，"孝"不应只是维系家庭和睦的伦理，而应有更广泛的解读，应该由孝亲敬老延及孝敬自然。小孝父母，大孝自然，人类应该像孝敬父母一样孝敬大自然。要感恩自然，就像感恩父母的养育之恩；珍惜自然，就是珍惜人类自己；善待自然，就是保护我们的生存空间。

人从哪里来？大自然是我们生命所来与所归的地方，人人来自自然，在自然界中生息，最后又回归自然。

在日常生活中，许多人都在忙于盲目享受，却没有意识到环境危机正在到来。唯有真正树立生态道德观，致力于建设资源节约型、生态保护型和食品安全型的社会，才能使支撑人类"文明大厦"的森林枝繁叶茂，绿色长存。

具体到行动上，我们要敬厚土，要善待水，要护树木，要爱绿色。我们报效父母养育之恩，宜早不宜迟；报效国家教育之恩，宜真不宜虚；报效自然哺育之恩，宜快不宜缓。

想到盼姐，想到老猫，此时，我忽然想起了托尔斯泰曾经的感叹："在这可爱的自然界中，人的内心里能够容纳仇恨、报复和消灭自己同类的那种感情吗？"

我们伤害同类，也时时刻刻将现代文明制造的各种屠戮工具和黑手伸向无数弱小，剥夺它们生存的权利，剥夺它们与人类共在一片蓝天白云下呼吸的权利，剥夺它们与人类共同保护生存空间的权利。但又有多少人懂得，一只鸟的命运与一个人的命运同样重要。世界上哪还有比关心、呵护万类万物的人性更美丽的呢？莫等到大地隐退、万物消逝，人类世界风雨飘摇的时候再去哭泣。关爱生灵，与万物一起呵护我们共同生存的星球，从现在开始。或许，下辈子，你我就是那只鸟、那条鱼、那只猫……

的哥有梦

  我认识这位貌如白面书生、又正值而立有余的的哥，还是盼姐推荐的。盼姐说，他曾多次恩助于她，但始终不留其名，更不知其心为何意。她猜测，"他有心事，否则他反复帮我，到底图个啥呢？"盼姐的介绍勾起了我的兴趣。在盼姐的指点下，我有意坐上了他的车，并主动自我介绍。谁知我们相互竟有磁力，并很快成为免费聊友。我知道了，他叫郝大侃。在树叶悄悄发黄，并经不起雾霾与冷热空气交错折磨，开始分期从半空中飘飘飞落的那个季节，大侃把他珍藏多年、从未外露的一大堆日记本送给了我，并反复交代，要我好好看一看，系统读一读。他提醒我，这些日记可不是一堆烂树叶子，应该有些滋味。我猜想，他这样做，肯定是因为他十分相信我，相信我一定会读懂它，并能把他日记的主旨思想和藏在他心头的蓝天梦公布于众。

  我向大侃讲明了心灵认知后，他神秘地对我说："你只猜对了一半。"他又反问我："你写小说，可你怎么理解'小说'二字呢？"我答："有两层含义：一是小心说话，二是说话小心。"大侃笑了。他若有所思地说："悔过与自新，也应该像人们迫切企盼尽快从雾霾中解脱出来一样，成为文学的时代主题。"我似乎没有完全听懂他要表达的意思。大侃对我说："你写的小说我看过。与众不同之处是你不光写情写景写故事，你敢把有些人认为没人看的长篇大套的理论说教写进去，我感到很是惊奇。"我告诉大侃："写小说其实很像是做自助餐，爱吃什么口味的都有，你多准备些米饭馒头花卷饺子菜包子，让大家自己去挑。同样的道理，你把小说的创作体裁、表达方式、表达形式都写成千篇一律，就犹如你只炒一两个菜一样，没了让众口挑选的余地。你说这成篇大套的理论、法律条文和知识讲座没意思，好多人看后还如饥似渴地抄啊记啊转啊背啊，搞得热火朝天。有看热闹的有看门道的有学知识的还有专门挑毛病的，这才叫百花齐放。人说众口难调，首先你要保证众有所爱。别只让少数人云里雾里地评文学，要让多数人生里活里有喜爱。"大侃说："我和你观点一致。但你还是去读一读我的日记吧。当然，在你向外界公布我的日记时，你可以用写小说的形式构思一下。"我答应了。

二十

人生在世的整个过程，是一种辛劳与责任的阶段，在这辛劳与责任当中，起码在思想里面，我们应把自己和世界、和天地、和宇宙、和空间、和时间，能够结为一体，这样，才能够得到一种真正的自在。在有很多问题解决不了，许多全球性问题解决不了，许多太空的问题解决不了，许多历史性问题解决不了的情势下，作为一个人、作为社会的一员、作为社区的一员、作为家庭的一员，总会有自己要做的事、要尽的责。不论你是否正在经历各种坎坷。

——的哥日记摘抄

时值癸巳年深秋，C城全体市民的国庆节，都是在雾霾遮罩中度过的，很多人还是在手忙脚乱中度过的，还有为数不少的一些人，是在怨声满腹之中度过的。

全是雾霾惹的祸。这两天，整整两天，真真切切地，让C城和的哥郝大侃，体验了一把什么是手忙脚乱、什么是祸不单行、什么是让人心堵的滋味。

在C城，雾天、霾天、雾霾联合遮日天，近年已不算什么鲜事，但让好多人痛感雪上加霜的，是C城启动了历史上从未有过的雾霾重污染天气应急机制。就在过节长假的第三天，C城启动了Ⅲ级应急机制，而第四天，又升级为Ⅱ级。这样一来，C城各行各业、许许多多的人，许许多多的事，连锁反应，彰显出的是那么的被动与不适。尽管应急机制是在提前数日的预警之后启动的，但这件新生事物，还是让好多人都感到那样的陌生、那样的木然、那样极端的难以适应。甚至，节日的喜庆，也因此惨遭伤害，幸福感大幅度滑向泥潭，一些人的腻歪当然就在其中。

"你知道市里启动了雾霾重污染天气应急机制了吗？"

"你知道启动这个机制后有什么要求吗？"

"就这点雾霾至于让工厂、工地停工，让小学生停课，让车辆限号上路通行吗？"

"防雾霾难道和防地震、防洪水、防台风一样邪乎吗？"

"是闹一阵子、演习一下就过去了，还是要成为长效机制呀？"

……

由不知道、不清楚、不了解、不理解和埋怨与抱怨、等待与期待、盼望与渴望、猜测与预测、不满与不管、主动与行动、焦虑与焦躁汇成的各种矛盾与漩涡，一时成为C城的主话题、主旋律、主情绪、主问寻。

整整一上午，整整一天半夜，大侃都是在被寻问、被追问、被考问、被埋怨、被处罚和被伤害中被动地度过的。上上下下，芸芸众生，平日里大侃还没被顾客形形色色、天南地北、C城春秋及各种各样的寻问难倒过，今天，他觉得自己有点不太会侃，有点不太熟悉自己的生活规律了。

雾大人急，大侃猜测，这会让他和他的同行们失去午间聚餐的大好机会，但尽管政府有令车辆限行，的哥们的买卖并没有火起来，公车私车，照旧布满了市区的大小路段。临近中午，大侃电话约同行老辛、大潘到燕青饭店吃饭。大侃怕没有雅间，便给阮经理打电话订餐。阮经理告诉他，公款吃喝的人没有了，雅间可随来随坐。十二点多一点儿，三人前后脚到V6雅间坐了下来。大侃的妹妹前几天刚刚结过婚，老辛和老潘哥儿俩随过大份子，欠下的人情，大侃想今天中午补上。

两道凉菜刚上桌，老潘的手机响了。

"晴呀。"老潘名叫潘天晴，"家里出事了。上午霾大天暗，我和几个老伙伴出去遛狗，回来一看，把狗牵错了。你妈去接妞妞，抱回家一看，变成了邻居家的顺溜。快去幼儿园找孩子吧。"手机声音大，像小广播。父亲的几句话，让老潘立时愣住了。

"先别吃了，快去找孩子吧。"大侃提醒老潘。

老潘正要起身，却见大辛率先起身惊慌跑出餐厅。

大侃见罢急问："段子，他丢孩子你急啥？"大辛名叫辛段子。

"你嫂子早上去逛商场，到现在也没回家，别让人领错喽。"话音传来时，大辛已从二楼冲到一楼。

全是雾霾惹的祸！

两个客人跑了一对，大侃正欲叫服务员停止上菜，他的手机也响了。大侃一看，是大辛发来的段子：

> 网友们发起一个为PM2.5征名活动，力求通过广泛征求意见，为PM2.5定一个科学恰当的中文名。已有的答案真是百花齐放：严肃一点的叫"公雾源"；高端一点的叫"京尘"；霸气一点的叫"尘疾思汗"；乐观一点的叫"尘世美"；娱乐一点的叫"尘惯吸"；更有稍微民生一点的叫"喂的哥服雾"。

大辛真乐观，都什么时候了，还有这样的闲心。大侃这样想着，手机又响了。

　　"哥呀，我公爹今儿个从老家来，会民那儿病娃娃太多，脱不开身，你拉我去火车站接一趟吧！"

　　"你自己不是有车吗？"

　　"尾号2和7今天限行。上路劝返还要罚款扣分。"

　　"好，你在家等我吧。"

　　这饭大侃一个人也没心思吃了。他急匆匆下楼。在饭店门口，围了不下十人，其中一名中年妇女正哭哭啼啼地向饭店要求赔偿。

　　"在饭店门口停车不收费，我们也不负责为客人看车上的物品。"

　　"我明明把车门锁上了，怎么一没撬车二没砸玻璃，车上的东西就丢了呢？"

　　这时，两名穿警服的年轻干警说话了，"你是被犯罪分子盯上了吧？你锁车后拉一下把手确认车是锁上了吗？"

　　"没拉。我的遥控锁车器很好用的。"

　　"问题就出在这里。你锁车时犯罪分子就在你停车的周边用电子干扰器干扰了你锁车的电子信号，你的车根本没锁上。所以，在你离开后，犯罪分子直接开了车门偷了你的物品。"

　　"我听说过有人利用汽车干扰器实施目标盗窃，但没往心里去。"

　　"损失大吗？"

　　"一万现金两万卡，还有三张股票资金卡，放在一个包里，全没了。"

　　"盗窃过程有录像，但雾霾遮光，又蒙头盖脸，一下子很难破案……"

　　大侃心里装着事儿，顾不上再听下去，开车上路。走出两站地，他才想起来，上了一桌菜，虽然没吃成，但还没有给饭店结账哪。

　　先接人吧，晚上一块儿结。大侃自责又自我安慰着。

二十一

大侃妹妹是中秋节结的婚。甄会民是他的妹夫，是人民医院幼儿科的主治医师。妹子和会民是网恋加闪婚，介绍人是他们刚出生的女儿。两家人还没会过亲家，除去小两口，彼此都还不认识。妹夫一家人，听说是母亲已去世，父亲是空巢居乡下，还有大姐，和大姐夫。大姐夫是E县的环保局长。他还有个失散多年的二姐，找了几十年，有音讯没结果。等两家人无奈同意他俩结婚后才弄清楚，女孩其实不是他俩生的，是在医院门口捡的一个弃婴。当时女婴身上只围了一块红布，还有一张答谢的纸条，说明是婚外生育，不得已而为之。这对热恋中的情人把孩子抱回家，也是经过了艰巨的思想斗争的。一方面，怕双方老人、家人反对，另一方面，收养弃婴要到民政局办理比进看守所都要复杂的手续，同时，还要背上未婚生育的秕名。为给弃婴一个完整的家，抱回孩子的第三天，两人毅然去民政局办理了结婚登记，并向家人谎称，孩子是他俩亲生的。事后，会民借工作之便，为孩子办理了出生证，并托关系，在没办准生证的情况下，在派出所给孩子上了户口。

关于大侃妹夫的婚恋史，其实前边海雯与克克网聊时，早介绍清楚了。海雯小舅与大侃妹夫，其实就是一个人。

妹子家住火车站南，大侃从金河路南行，经过火车站，才能接上妹子。

堵车了。真是越忙越乱。大侃下去一看，整个金河路上堵满了车。但他下车才看清，他车前边只有两台车，而且正赶上是路口，前行堵，左转不堵。最前边那台帕萨特的边上，围了不下二三十人。人墙雾海当中，一个七十岁上下的老汉躺在路中间。

"谁撞的？"

"不是谁撞的，可能是急病摔倒的。"

"快送医院呀。"

"有人打了120，医院说今天病人猛增，急救车还没回来，让等着。"

大侃急了，"你们让一下，用我车送。"

"你不怕老爷子醒了赖上你吗？"

大侃用眼神斜瞪了一下说话的男子，算是做了答复。他想，好心救人换来的不一定都是伤心，做人应该有原则。

大侃开快车，及时来到市医院，却被一伙人挡在了医院大门外。

雾霾之中，只见足有五六十人，大部分是中年男女。他们有的烧纸钱，有的哭爸喊叔叫舅公，把医院大门堵得严严实实，出不来进不去。人群中还有三个人，手拉一条白布红字的横幅，上面写着：

医院还逝者公道，不赔五十万，做鬼也要闹到联合国。

据现场知情人讲，事情已闹两天了。医院正常的就医环境受到严重干扰。原因是有一位老人在雾霾天突发心脏病，到医院后，在抢救过程中死去了。病人家属一口咬定是医院抢救不够及时，才导致了老人的死亡。要求医院赔偿丧葬费、病人家属精神损失费，共计五十万元。事情越闹越大，此时，院方领导发现，在指挥众人谩骂、用砖头砸碎医院门窗玻璃的人群中，有至少十人的面孔是过去多次在医院出现医疗纠纷时都在场打先锋的"老面孔"。这引起了院方的警惕。报案后，公安干警马上到场。看到公安干警来了，一名病人家属突然冲出人群对干警说："玻璃可不是我们家属砸的，是他们几个干的。"原来，这是一群职业医闹，经常借医患纠纷导演诈钱风波。开始的时候，亡者家属还以为是遇到了见危相助的好心人。后来，事儿闹大了，"医闹"又提出，五十万元各分一半，几名家属才感到把事儿办错了方向，他们想找卫生局和医院和平解决，不想再闹下去了。几名医闹却打电话恐吓威胁他们，不闹也行，付十万元帮工费，否则，刀上见血。事情闹了两天，把医院里搞得一片混乱，严重扰乱了社会秩序。

幸亏大侃聪明，他背着老人，绕到了医院的锅炉房，才进了急救室。大侃把急病的老汉送到市医院急诊室，找医生、登记、取药，忙了足有半个多小时。此间，他的手机铃声几乎是持续不断地响了一遍又一遍，但大侃好像是根本没有听到一样，一直跑前跑后忙乎着。救人总比接人急。他猜想，肯定是妹子在催他，但让他没有想到的是，电话有几次是妻子打来的。

"大侃呀，快回来呀，我爸刚才出去遛弯，回来就闹病了，快送医院吧。"

真是祸不单行。岳父大人病了，大侃真是急上加急呀。他正想走出急救室，女护士却拦住了他，"你留下电话，一会儿你爹醒了怎么找你呀？"

"你说他是谁爹呀？"

"你还问我，不是你爹你会这么上心呀？"

"是就是吧。反正我也交两千块押金了。"

大侃上车打火，手机又响了。

"哥呀，你跑哪儿去了？"

"我老丈人心脏病犯了。先救人后接人吧。你要是着急，就自己打个车去接站吧。"

啪。大侃似乎听到了妹子气呼呼挂手机的声音。

从医院到大侃家不足两公里路。此时雾霾更加严重。大侃虽心急，但自我感觉，车还是没有开太快，他怕撞红灯，可跑了大半天，他也没看清路口的红绿灯都装到哪里去了。过了好一会儿，当他正疑惑自己是否跑错了路的时候，一辆警车在前边拦住了他。交警下车先敬礼，后说话："大雾天您开这么快，前边六道执勤岗都举报您闯红灯了，幸亏这段路刚实施完应急管制，没其他车，否则早撞了。请出示驾照。"

天哪。大侃似有冤枉地向交警诉说原由。

交警先是对大侃表现出同情，但转口又问道："您家住哪？"

"就住前边探春花园小区。"

"这都出市区三公里，快到城西火化场了，哪来的探春花园小区？"

"哎呦，全是雾霾惹的祸，我保证没骗您。"

"往回走，我给您带路，先去家里救人。"交警再次表现出了同情。

大侃掉头，发现车不对劲，下车仔细一瞧，左前轮车胎瘪了。没办法，只有把车放路边，大侃上了警车。

交警不但先用警车把大侃老丈人送到了医院，而且一直跟着忙乎到了急救室。

但同情代表不了依法办事，"闯红灯的事，我帮不了您了，驾照我得带走。"

大侃哭笑不得，还一个劲儿地对交警说着"谢谢"。

二十二

　　对家庭的责任、对父母的责任、对社区的责任、对国家的责任、对社会的责任，每天分得清意义也好，分不清意义也好，都要从早忙到晚。意义想得透彻，一切遂愿，要从早忙到晚；意义想得不透彻，一切不遂心愿，也要从早忙到晚。因为要吃饭，要工作，要养家，要完成对国家、对社会、对他人应尽的义务，同时，我们也在享受国家、社会、他人给予我们的关照和关爱。对大多数人来说，辛劳与责任本身就已经是安身立命，这样才可以使人安得下心，对生命的珍惜和拥抱才有意义。

　　　　　　　　　　　　　　　——的哥日记摘抄

没了驾驶证，也就失去了开车的资格。大侃是个规矩人，也是个自尊心很强、很要面子的男人。他借口自己家里有人住院，休息几天，打电话给合伙的老辛，让他去城西把车开走。老辛说："行，你歇几天吧，我一个人开，反正你嫂子也找回来了。"

大侃这人，宁可不干这行了，他也不愿让别人知道他闯红灯被扣驾照的事，他抹不开这个面子，他丢不起这人，他最怕谁说他"又"出什么什么事了，他接受不了。这不仅是因为他是公司里公认的驾龄不长、技术挺好、德技双馨的五星级的哥，还有一个更重要的原因，要等到树枝全变成了光棍的时候，我才会让你明白。

由于抢救及时，大侃的老丈人转危为安，继续住院观察。妻心疼大侃，让他回家吃饭休息，她自己留在医院照顾父亲。回家前，大侃又到急救室去看望了他在路上捡来的那个"爹"。老人还没醒，因为办了特护，医生说，家人可以回去。这样，大侃又给值班护士留了父母家的座机电话，才起步下楼。医院的住院楼不是一个年代盖的，七扭八拐，记性不好的人转几圈就得迷路。急救室在西楼，取药要穿走廊左右拐三四道弯。从病房到走出院门口，也要先电梯、后走廊、再左转、再右转、再穿过南北楼的过道，才能出大门。大侃看到，在南北两楼的夹缝处，有一对捡破烂的男女，正借助楼道的灯光在垃圾箱中挑拣有用的物品。有输液用过的塑料袋，还有整瓶、半瓶的药片。大侃想，说不定哪天，扔掉的药又会回到病房。

大侃正思虑着，大辛的信息又来了：

最不诚信的服务——快递；

最不道德的职业——造谣；

最难接受的丑态——假医闹；

最具吸引力的发财梦——炒比特币；

最该打击的犯罪——违法排污；

最难防治的灾害——雾霾时节出医闹。

看着门口被砸的玻璃、满地的砖头，大侃想，假医闹比网上暴力更凶狠、直接，极易形成恶劣影响，这种职业，有良知的人是不能与它沾边的。大侃走出医院的门，钻进阴沉昏暗的雾霾之中。

他仔细寻找着回家的方位物，生怕一不小心走错路、多走路，他觉得，这一天过得够窝囊、够扫兴、也够累了。

突然，不知是谁，惊慌着从雾霾当中冲过来，一头把大侃撞翻在地。还没等大侃看清面相，撞他的人又在雾霾之中消失了。

"抓小偷呀，快抓小偷呀！"伴随着喊声，一中年妇女，后面还跟着几个壮汉，冲到了大侃面前。

大侃明白了。他怕误会，急忙解释："向前面跑了，快去追吧。"

"哈哈——哈哈——别追了，别追了，不值得。"女失主大笑着拦住众人。

"怎么不值得？"

"那小子借雾霾天黑，费了半天劲，顺排水管爬到我家里，只偷了一袋子冥币。那是我准备上坟给老人送寒衣用的，就值八毛。哈哈——哈哈——"女失主话毕又大笑起来。

大侃祸不单行，被怨被罚又被摔，此时心痛腿也痛。他慢慢扶着电线杆，才从地上爬起来。借助路灯的昏暗光线，大侃看到电线杆上贴了两张大字号的小广告。

紧急救人：您想让自己的老人、小孩成为抗击雾霾侵害的勇士吗？面对雾霾对您亲人的伤害，难道您还会无动于衷、心疼花钱吗？请服用速效雾霾救生丸，每丸仅一百元，每天只服一丸，十天为一疗程，可保四季平安。

紧急救车：您想让您的黄标车起死回生吗？您想只花几千元小钱，就买回一台新车吗？换车牌、改发动机和车架号码、让公里数归二百五。本企业曾获得国家特事特办组委会颁发的应对雾霾治理信得过企业金奖。网上汇款，现金也收，回避公安，约地服务，遵守职业道德，为客户保密各种信息。

　　下边还有好几组各地联系电话。

　　再往前走，是一处正在施工的工地。工地上两名穿制服的人正和一名老板模样的人交涉着什么。大侃看到，虽然雾大，但工地上架了很多大灯，几辆大黄标车正忙着装土石外运。

　　"你们不但没有按规定苫盖工地的土堆，而且在应急机制启动日违规动土，应该立即停工整顿，接受处罚。"

　　"兄弟，咱这楼质量绝对好，十二级地震震不倒。你高抬贵手，我低放楼价，各得其所，交个朋友，给个出路。停工整顿，损失太大啦。"

　　"真能吹牛，十二级地震，楼房会震不倒吗？"两个路人在一旁听后一问一答，"他没说震中在什么地方吧？"

　　"哈哈——哈哈——真他妈滑头。"

　　"现在只要是山就开发成景点，只要是湖就搞几条游船，只要是风景就圈起来卖票，只要是路就建站收费，只要是地，哪怕是把学校拆了，也能搞成楼盘，而且，是楼盘就大幅度涨价。"

　　"楼市涨价其实不一定全是坏事。我家为买楼，吃肉越来越少，两年下来，我和老伴高血脂、高血压症状明显好转，让我们夫妻俩身体重获健康！否则，这大雾霾天出来转，早就送医院啦。"

　　"哈哈哈——"俩老头又是一阵大笑，大侃也觉着好笑，但他想笑却笑不出来。

　　什么事都出，什么人都有。大侃心里琢磨着刚才这一幕又一幕，没心思再看下去。走到百货大楼拐角处，他借助火光，看见一中年妇女带一个小女孩正在路边烧纸。

中年妇女一边烧纸一边嘟囔着："爸呀，当年您怀疑食品有毒时，有人怪您多事；当您说过度开发会引起环境污染时，有人骂你多嘴。现如今呀，地沟油、皮带奶、毒大米、农药菜毁了食品；台风、暴雨、海啸、雾霾毁了环境、毁了空气，他们都沉默了、哑巴了，不得不承认您老人家有远见、有智慧啦。"

妈妈语毕，小女孩也学着妈妈的样子，一边往火堆里放纸钱，一边也嘟囔起来。大侃发现，小女孩烧纸时，有几次向火堆里扔的不是冥币，而是几张考试卷子。"爷爷呀，这两天雾霾大，学校里停课，老师打电话让在家做一百道下学期的数学题，算开卷考试。您在那边闲着不如多做题，对脑子好，您还能继续深度开发智慧。要是有不会做的题呀，您就请我们老师去吃顿饭，让她教您。"

听到这里，看到这里，大侃早已经忘记了自己的懊丧，他突然对烧纸的小女孩产生了同情。但很快，大侃就意识到了雾天烧纸的危害。他想提醒一下她们，又怕过度打搅她们，于是，他悄悄凑到她们身后，尽量压低了声音说道："心意爷爷都领了，少烧纸吧，霾毒够大了。"

"妈呀，闹鬼了。"雾霾之中，娘儿俩守着火堆往后看，大侃在雾霾中隐隐现现，再加上他话语低沉，身上还穿了一件雪白的衬衣，胆大的人此时也可能被吓住。娘儿俩站起来，飞奔而逃。

大侃有点后悔了，"别跑，我不是鬼。"

不喊还好，他这一喊，娘儿俩在雾霾中没影得更快了。

走近人民公园，老远就听到从一家KTV传来卡拉OK的豪放声。歌厅门口停着一辆救护车，一帮人正七手八脚把两男两女抬上救护车。

"四个人躲霾挤到歌厅，又抽又喝一大晚上，结果导致一氧化碳中毒了。"

"看来躲在室内也不完全安全呀。"

救护车飞啸而去。大侃快步前行。歌厅的音箱噪声太大太吵人了。

"砰。"突然的一声巨响，大侃被雾霾中飞起的一块路砖砸到了右腿上。右腿膝盖刚被小偷撞倒摔过，再加上这一砸，大侃备感酸痛。

"是什么爆炸了？"

"是不是又把带火的煤灰倒路边下井盖上了？肯定是。是引燃氨气了。多危险啊。"

是够危险的，借助路边门脸玻璃放射出的光芒，大侃清清楚楚地看到，人行道上足有三平方米的路面砖石都被炸飞了，井坑被炸大了，臭烘烘黑乎乎的泥水粪便被炸上了路面、树干、门脸的窗门墙体，大侃的白上衣也变成了黑花衣。

大侃心里带着众多的腻歪，走上公园广场，平日里亮堂堂的广场，在雾霾之中，闪着很多的小星星，那是太阳能夜灯。灯塔下，几名老头老太太全然没有顾及霾的存在，仍在一边伸胳膊扭腿地展示着各种欢快的舞步，一台便携式录音机，助威般发出低回的乐曲。

"二姐，今天见面了吗？"

"见了是见了，但白见了。"

"咋的呢？"

"和微信里发的照片根本不像一个人。看微信挺白净，挺精神，我还真信了，见面一看，是个瘦巴子黑老头，很糟糕。"

"人家说了是'微信'嘛，要是照片和本人一样了，那不就叫'全信'了吗！"

"哈哈哈哈哈，你这臭婆娘还挺有经验的。我正发愁怎么和撮合人解释呢。"

"没什么愁的。你别直截了当地和人说人家老头儿怎么不好，回话时文绉绉一点，给介绍人留下联想的空间。"

"怎么文绉绉？你说说。"

"嫌人家长得不好看，你就说'此颜差矣'；嫌人家脸上有坑的，你就说'颜之凿凿';丑得能把人吓跑的,你就说'异颜既出,驷马难追';嫌人家黑的,你就说'霾颜有愧……'"

"散了吧,怎么这闹心的老头全让我一个人见了,还是你自己去'和颜悦色'吧!"

"二姐,其实折腾半天,你是舍近求远了,牛大哥不是挺好的吗?"

"他呀,命不好,算卦的大仙说他雾霾天有血光之灾。不行,不行呀,那不是老来图伤悲吗!"

听刘姐这么说,在她一边又蹦又跳显摆体格健壮的老头再也忍不住了,"那大仙是个骗子,昨天我为这事儿把他骂了个狗血喷头。他说我霾天有血光之灾,结果我这两天什么事儿都没有。我找他评理,让他退我那五百块算卦费,他反问我,昨儿个你出门了吗?我说,我在外边转一天呢。他问,前天晚上你干什么去了?我说,我和居委会的大胸主任吃饭来着。算卦先生听后一拍大腿说,那就对了,你是逢胸(凶)化吉了。他妈的,什么玩意儿。"

"牛大哥,你一天心不在焉地在大街上转,是不是听说二姐相亲去了?"

"嘿嘿,嘿嘿。二姐不是没看上那人吗?嘿嘿嘿嘿……"

"得了,我先回去了,你们俩'恋'吧。既是一'颜'难进,两'颜'相悦,干脆霾去'添情'(天晴)了吧!哈哈哈哈。"

"……

此时,大侃驻足公园,从"霾"中传出的老年爱情,让大侃几乎忘了此时是在雾霾中。爱本没有固定的时日,但有些纯洁的爱,有可能就诞生在雾霾之中。大侃正在思索之中,远处传来一阵又一阵强烈的鞭炮声,但只听响声,却看不见多少亮光。雾霾真是太厉害了,它让强光都难以划破夜空。鞭炮声过后,大侃又听到离他不远处,传来持续低沉的二胡声。雾霾之下,乐曲的优美音调似乎也被污霾糊住,听后让人心堵。

C城这个三十年前名不见经传的小城，如今已成为北方名副其实的明珠，不仅是世界投资者的聚宝盆，也是未来发展的角力之地，凝聚了千千万万人真实的情感、智慧和资金，他们来自四海五洲，几代人从不同年时起步，精诚劳作，见证了C城奇迹的诞生和成长。但与此同时，粗放的发展，也给C城带来了较重的环境污染问题。在全国大气重污染城市排名表上，C城前十有名。公众惊恐，政府着急，才有了转型发展的力举，才有了大气污染攻坚战的实施，才有了应急机制的启动。

快到家了，那优美而略带伤感的二胡声，仍在大侃耳旁回荡，它好像是在诉说着这块土地的历史足音，乐曲里好像还有雾霾带来的一时怅惘，但更充满了对未来的希冀。正好像是大侃此时的心悸。

妻不在家，大侃一天没吃饭，他径直来到父母家，进门见桌上放着一盘油炸丸子，他抓起来就吃了一颗。

"哎，那是你爸刚买的药，你怎么给吃啦？"

"这明明是大萝卜丸子嘛，怎么会是药。是不是在大街上买的？"

"是呀，一个小伙子卖的，说是速效雾霾救生丸。一服一千块。"

"上当了！"大侃正和妈妈说着话，妹妹和妹夫就气呼呼到了。大侃的妹妹到车站接公爹去得太晚了，公爹不知去向，已向派出所报案。为此，两口子还闹着气，这是上门找丈母娘评理来了。妹妹哭个不停。

"全怪你，说接又不接，让你妹子着急受委屈，这叫什么事儿？"

大侃在妈妈絮絮叨叨的责怪声中，只说了一句"要有市医院电话快叫醒我"，然后，就躺到书房屋里的小床上，出乎家人预料地呼呼睡着了。在睡梦中，大辛仍然用段子袭扰着大侃：

医托变成医闹了，三陪变成嘉宾了，炒股票变成炒比特币了，运管变成创收了，网友变成同伙了，大雾变成霾毒了，污霾变成诈骗道具了。

二十三

　　思想是一种精神的享受，是一种精神上的愉悦和充实。甚至说得过一点，这种在人的一生当中占有时间全过程的行为，有时也可以成为一种精神的游戏，并通过一场梦把它展现出来。有时，那些改变世界、改变自然、改变社会、改变人类的智慧不一定都是出自哲人、官人和专业发明人之脑，当的哥一梦醒来，他生活的世界空间，也可能会因为他的某一个梦，带你走向新的和谐。关键看，你是否真的乐意忘记烦恼，并与之融为一体。

——的哥日记摘抄

　　大侃实在是太烦太累太困啦。

　　大侃甜睡后，梦就跟着来了。

　　大侃在梦中开车上路了。他不受任何红灯黄灯约束地驰骋前行，雾来雾去，霾来霾去，感官情感与时速，不断地跨越时空，飘飘然驶向云端，但最终，他还是慢慢地、稳稳地回到了陆地，并有规则地驶回了金河路。

　　大辛照例是每天与大侃分手后都发回一条新段子：

　　　　你说交通拥堵，给你限号了。

　　　　你说私家车太多，给你摇号了。

　　　　你说汽油不合格污染空气，给你把油价涨了。

　　　　你说出租车不好打，起步价马上加一块儿……

大侃正暗笑，几名交警在迎春小区路口拦住了他的车。

"你一边开车一边看手机，是不是喝酒了？"一交警说着话，把测试器递到了大侃面前，"使劲儿吹。"

大侃口对测试器猛吹了三次，均显示没有喝酒。

"驾驶证，行车本。"

大侃听说要驾照，立时慌乱起来。他正要向交警解释，忽然，大潘跑了过来，醉醺醺对交警说："让我也吹吹。"

警察说："你又没开车，吹什么吹？"

"我有车。你让我哥们儿吹，为什么不让我吹？"

"吹吧！"

大潘对着测试器猛吹一口，测试器立马就大叫起来。

"你是醉驾。车呢？"

"路边上那辆车是我的。"

交警以为抓了大潘现行，撇下大侃，拉着大潘朝停在路边的出租车而去。

大潘呀，真够哥们儿，你可是舍身救义呀。大侃见交警不理他了，便趁机开车前行。

刚走不足百米，一位白净圆脸的客人在路边拦车。上车后，那人马上就接听电话，"要垃圾桶你找我干吗，找你表姐夫，环卫局有。乱倒垃圾？那是你们小区的人不太讲究。我在环保局，管企业环评，管环境监测，管企业排污监察，不管垃圾桶的事儿。"

大侃分析，客人肯定是环保局的领导，正好借机"捞"点知识。

"领导，这雾霾一来，启动应急机制，市里搞这么大动静，很多人不理解、不了解、不配合呀！"

"你经多见广，你说说都有什么不理解、不了解、不配合？"

"雾霾重污染天气启动应急机制Ⅱ级响应后，幼儿园、小学要停课，重污染企业要停产，车辆要限号、限路段通行，黄标车不让上路还要报废，很多客人不理解。停课了，大人上班孩子们怎么办？限行了，私家车公家车限制上路，不通公交车的地方怎么办？停工了，私企老板也觉得委屈，政府治理污染，干吗让我个人买单？还有淘汰黄标车，好多人刚花钱买的旧车，政府一句话，补个万把块钱，就让报废，人家的损失怎么办？大雾天，霾重空间视线差，误闯红灯扣不扣分？吊不吊车本？控污染，控燃油，为什么电瓶车也限单双号？还有，市里启动应急机制仅靠广播、电视、报纸来公布，会有很大一部分市民了解不到信息，这个'漏'怎么个'补'法？政府说煤改气，要等几年，气源在哪？现在正用着的大大小小的燃煤炉能一下子取消吗？取消了，市民取暖怎么办？"

"师傅啊，好啦、好啦，咱还是先吃一口再吃一口吧，不然消化不了。"大侃明白客人的意思，静静地等待答案。

"雾霾重污染天气启动应急机制，在咱C市还是新生事物。目的只有一个：防污染加重，保市民健康。要让人们解开应急机制启动后添麻烦的烦恼，首先要让人们认清一时麻烦与长远健康幸福，到底哪头轻、哪头重？"

"那还用说吗？健康幸福比什么都重要。"

"话是这么说，可很多时候，临到事儿上，谁都有想不开的时候。关键是要首先解决思想问题。解决思想问题，要用事实说话。"大侃一边开车，一边听着，"雾和霾本是两码事。雾是雾，霾是霾。雾是水气，霾是尘毒。雾本无害，雾因霾伏而成害；霾本是害，霾借雾，雾借霾，一旦同时囤浮空间，必将导致害人。雾是一种正常的气候现象，上下五千年，随来随去；霾毒有些是人类生产生活过程中正常的产物，但更多的，是过度发展与无度排放、轻视环境保护造成的。粗放发展、无序发展更是祸首。C市的雾和霾，有时单独出现，有时同时现身。霾又分以PM10为主和以PM2.5为主。PM2.5颗粒更细、更易遮掩视线、更易让人吸入肺内，更易伤人致病。C市的霾毒主要是由燃煤、汽车尾气、饭店油烟、燃放鞭炮、工地和道路扬尘，以及工业废气造成的。霾毒的主要成分是有毒金属、酸性氧化物、有机污染物和细菌、病毒等化学物质和微生物。通过呼吸系统被人体直接吸入后，可致人心肺血管和呼吸道病变致死或埋下疾病的祸根。此外，污霾还是凶恶的心脏杀手、致癌大敌，对小孩和老年人的侵害尤显凶猛。在这种情况下，政府启动应急机制，是没有办法的办法。霾越来越重，市民的健康就真的无法保障了。不信赶上雾霾天气你到医院去看一看，老人、孩子突发、突患、突然得病的，比平常多很多。"

大侃听后沉思了一下，接着问道："网上有人说，汽车尾气对霾形成的污染贡献率只有4%，如果是这样，那么限行、限购、征收排污费，不是小题大做了吗？"

"你提的这个问题很尖锐。但你在网上只看到了这样一个说法吗？"

"也有说这是瞎'喷'的。"

"这就对了！对于机动车尾气对大气污染的贡献率到底有多少，各国家各城市也不相同。我国已有二十多个城市做过不同程度的污染源解析工作。最权威的结论是占22%至24%。机动车排放绝对是咱C市大气污染的罪魁祸首。否则，政府也不会为此大动干戈。"

"这事儿看来得和公众说清楚，否则将会对公众形成误导，有碍于清洁空气的共同行动。"

"你说得对。应该让公众知道，大气污染治理的主战场就是压减燃煤、限车控油、产业优化、扬尘治理。"

说到了扬尘，大侃又急不可待地追问："有人说，全市上下忙一冬，不如老天一场风。是这样吗？"

"哈哈——哈哈——这是好心说了一句错话。霾多不能赖天气，减霾咱也不能只靠天气。雨雪、大风是可以消霾，无奈下不下雨雪，刮不刮风，人说了不算啊。人工增雨雪，不是想增就能增，需具备一定条件。治霾，天帮忙可遇而不可求，关键得靠人努力。说到底，天气、气候条件不利于污染物扩散，充其量只是霾的'帮凶'。'主凶'则是我们粗放的生产方式和生活方式——大量燃烧化石燃料，大量生产，大量消费，大量废弃，搞得生态环境不堪重负。治霾，首先要抓'主凶'，即改变我们自己的行为，当务之急是压钢、减煤、治企、控车、降尘，落实《大气污染防治行动计划》。风多雾去快，这一点不假，但如果地球上的人都不保护环境，都比着排污，等着风来治，等着让老天爷来治，污染最终会毁灭人类的。"

"抓'帮凶'主要指的是做什么呢？"

"抓'帮凶'的目的是让老天爷脾气好起来，尽量做到风调雨顺。实现这一目的，同样需要改变我们自己的行为，除了少排放污染物，还要慎砍树，多种树，不填湖，少筑坝，保护江河湖海和森林、湿地、草原，让生态系统休养生息。"

"应对全球气候变化，世界各国都得行动起来了，开始履行自身减排责任。但历史上欠下一大笔排放老账的发达国家，自己不主动减排，却抱怨发展中国家不积极减排，这种态度是不是极端自私，令人反感呀？难道他们能独善其身吗？"

"你说得对。在天气、气候等自然物对人类的'恶作剧'甚至'报复'面前，抱怨或依赖都不管用，唯有怀着敬畏之心，节制自己的行为，善待自然才能趋利避害。俗话说天有不测风云。天气、气候的自然变化本来已经令人眼花缭乱，人类的影响使其更加变幻多端，带来自然灾害，加重环境污染。"

说到污染程度的飘忽不定，大侃又问道："听交通台广播说，空气污染按不同程度细分为六级，具体到数字上是怎么个区别法儿呢？"

"具体区别是'六道坎'。"环保干部说，"这一点国际上有公认标准。天空中PM2.5浓度每立方米小于或等于35微克，空气质量为一级，属于最好的优质天气；每立方米PM2.5高于35微克，小于或等于75微克，空气质量为二级，属于较好的良质天气；每立方米PM2.5浓度高于75微克，小于或等于115微克，空气质量为三级，属轻度污染；每立方米PM2.5浓度高于115微克小于或等于150微克，空气质量为四级，属中度污染；每立方米PM2.5浓度高于150微克，小于或等于250微克，空气质量为五级，属重度污染；每立方米PM2.5浓度高于250微克，直至爆表，为严重污染，空气质量为六级，表明空气质量是最差的。"

大侃一边眼盯道路，一边耳听介绍。

车入南风道，客人告诉大侃："我到单位了，咱下回再聊吧，我身上带着一本污染防治手册，你留下看吧，也好向客人宣传！"

大侃开车又前行没多远，大潘打来电话，"大侃，没本你也敢上路？"

"你怎么知道我没本？"

"大辛告诉我的！"

"我没和他说呀。"

"他和扣你本的交警是哥们儿。但人家说你闯红灯有录像，帮不上忙。"

"你酒驾怎么没被拘留呀？"

"我刚才和交警说的是我有车，没说我开车。我是坐车的，车上有司机。我那是为了救你。交警训我一顿，没事儿了。"

"嘿，真是好兄弟呀！下来再聊吧，有客了。"

在七中门口，三个貌似中学低年级学生的男孩拦车、上车，三人上车就打开了嘴架。

"我爸说昨天搓麻赢了一万多，今天要请我吃大闸蟹。"瘦孩说罢，胖孩抢过话茬，"你爸当官，总赢钱，快被双规啦。有能耐学我爸，自己开厂子赚钱，吃饭有人送，自己住单间，门口还有武警叔叔站岗呢。"

听到这儿，大侃扭头看了一眼坐在副驾驶位置上一声不吭的黑娃。此时黑娃朝大侃神秘一笑，小声说道："小胖吹牛逼呢，他爸违法排污多年，刚让环保局取证告了，被环保公安支队抓了，在看守所待着呢。其实他俩都不行，我爸叫金刚，网友尊称刚大V，是我家网络记者站站长，若是谁敢违法排污又不肯按规矩交钱'压事'，我爸就把谁的污染行为写成新闻挂到网上去曝光，让他吃不了兜着走。我爸比他爸开厂子投入少风险小，可来钱又快又多。"三个中学生一起在一家网吧门口下了车。此时，大侃心里说不清都有啥滋味。

三个中学生下车的地方，离金河路与解放道十字路口很近。大侃看到，一名交警左手拿着五六本驾照，右手正在空中比划着不同数量的手指头。"启动雾霾重污染天气应急机制Ⅲ级黄色预警后，持有黄色环保检验合格标志的机动车，禁止上路行驶。工作日早七点至晚八点，从周一至周五为序，按1和6、2和7、3和8、4和9、5和0及车尾号为英文字母的禁止对应车牌尾号上路行驶。启动Ⅱ级橙色预警后，黄标车和拉散袋建筑材料、工程渣土、建筑垃圾运输车辆一律禁止上路。其他车辆在工作日高峰阶段，按单双号对应车牌尾号上路行驶。启动Ⅰ级红色预警后，在Ⅱ级预警时非工作日可以上路的车辆，也要二十四小时限号上路通行。今天各位是首次违规，一是劝返，二是警告，过一段时间再录上像就要处罚扣分了。"

话到此处，交警开始给围着他的几个人发驾驶证。看到交警发本，大侃也条件反射地用两手在上下身的衣袋里慌乱地摸起来。他想起来了，自己没驾驶证了，没了本就不能再开车了。大侃想，应该守规矩。他掏出手机给大辛打电话，想让大辛过来开车拉他转。大辛说："我过不去，我们整个单元暖气热了一会儿就全凉了。有人说是市里启动了雾霾应急机制，限制燃煤，所以要分单元供暖。交了钱，不正常供暖，我们正要去政府上访呢。"

过了没半小时，大辛又把电话打回来告诉大侃，"刚才我们正要去政府上访，三单元一位老干部说，政府昨天表态要保证全市居民冬季正常供暖，说这是民生大事，今天怎么会顾此失彼，让市民冻着呢？看看是不是单元管道出毛病了。我们正说话，供热站又派两位老师傅来了，问明情况后，两位师傅直接上了顶楼，不一会儿工夫，两位师傅就下来了，说热了热了，回家去摸摸吧。"

"什么毛病？"

"前边人只打开了送水阀门，回水管阀门没打开。"

"说什么来着，不是政策的事吧。供热站招的技工也有冒牌的呀？"

"现在的人呀，用电脑多了，遇到事动脑子就少了，让蚊子叮了也把责任往政府身上推，还有人在网上给政府支招，说C市的雾霾污染全是借东南风、西北风，从AB市刮来的，与其下力气治霾，不如找AB市打官司省事。为此，市环保局在市区内外布点安装多个监测站点，监测表明，咱们是自污自霾，与AB市无关。"

"地球上的各种生命，都是在同一空间呼吸维持生命的，谁也别害眼怪别人，只有同心同德，才会共渡难关。"

"哪天我给你找个记者，说说你的心里话。"

"信息传播现在已进入'微'时代了，人人都像记者，事事有人关注，天天都在监督，谁不小心谁挨炒，谁爱造谣谁担责。"

"面对雾霾，你说那些趁机骗财的人心里有愧疚不？"

"哪天有空，你到看守所里找人问问吧。"

大侃与大辛在电话中你一句我一句，说了好半天，大侃才想起来，自己还空着肚子呢。大辛说，我给你看条短信你再去吃饭吧。话毕，信息来了：

> 别老怨收费站了，它的作用真不小。地震中的收费站没倒，可显示没"豆腐渣"工程了；偶尔制造一下堵车，可显示对长途车司机的关心；休息一下，能有效避免疲劳驾驶；解决大批应届毕业生安置，可显示就业率上升；收费站多，增加财政收入，可显示当地领导有经济头脑，有利于官员提升。还有一点最为重要，收费站密度大，可以显示法制社会形象，提醒司机，不要以为上了高速就没人管你了。

哈哈哈——

大辛那边哈哈哈，大侃饿着肚子咕噜噜，哈哈不起来。他借题发挥，给大辛专造了一条短信：

> 生气发脾气，是小气；
>
> 赌气发神经，伤元气；
>
> 出气发短信，小心添福气。

发完短信，梦中的大侃自然而然地开车来到了燕青饭店，下车，进门。

"就是他，就是他。我猜着你还会来骗吃骗喝的。"

大侃被这一幕惊呆住了。这个女人似乎特别眼熟。他认清了，指着他鼻子说话的女人，正是自己那天在V6雅间吃饭时的服务员。

"你吃饭不结账，让饭店罚我、辞我，你要负责。"

"我认识你们阮经理。"

"阮经理说了，她也是给老板打工的。吃饭可以打折，做不了免费的主。"

大侃正欲继续向那女人解释，忽然，他看到妹妹和妹夫好像是从天而降一样，站到了他面前。妹夫介绍说："哥，这是我妹子。"妹夫又扭过头，拉过他妹子，"这是你嫂家大哥，不是外人，快叫哥。"大侃又羞又臊，有点不知所措地重复着说："那天事急，那天事急，没来得及，上楼，我请妹子，账一块儿结。"

大侃正在尴尬之时，突见盼姐抱着一只老黄猫从门外走来。大侃连忙给自己找个台阶避开，他热情地和盼姐打上了招呼，"盼姐，老猫找到了？"

盼姐见是大侃，马上笑答："是它自己回家来的。这不是吗，它的主人也回来了，今天中午正想一起聚聚。你有空吗？一块儿吧！"

"我这儿也正好有几位客人，咱们两便吧。"

"那可不行，你前后帮了我那么多忙，我也该感谢你。"

"说什么呢。您是咱小区的名牌环保志愿者，我应该向您学习才对。"

大侃与盼姐正热情地话来语去，会民却兴奋地走过来叫道："大姐，今天怎么这么巧啊，快认识一下你弟妹吧！"说着话，会民把媳妇拉过来，"快认识一下大姐。大姐，她就是美娟。咱们两家还没聚过呢。"

"哈哈哈哈。"大侃乐得出了声，"盼姐呀，美娟是我亲妹妹，会民是您亲兄弟，咱俩认识这么长时间，还让她俩把咱们蒙在鼓里呢！"

"哈哈哈哈——"大家笑成一团。

"盼姐，我订好V6了，我请客。"

"那可不成，美娟刚过门，我当大姐的请客才对。正好今天我亲家母和闺女、半拉子女婿一会儿都来。正好、正好，真是太好了。"

大家光顾着热乎了，大侃却把那名服务员给忘到了脑后。一直到大家吃过饭，也没人再提起过她。但饭后大家分手时，大侃突然感觉到，刚才一起吃饭的人，他一个也想不起来到底都有谁了。

但大侃却十分清醒地记得，吃饭过程中，大辛曾给他发来一条很有特色的短信：

沁园春·酒
酒店市场，
千里冰封，
不见酒飘。
望酒店内外，
霾多客少，

餐桌上下，

顿顿散烧。

高档酒楼，

一片萧条，

私人会所，

战兢兢整改关掉。

雾霾夜，

看饮酒之辈，

私家低调。

名酒如此难销，

引无数酒商竞折腰。

惜茅洋剑五，

风光不再，

公款酒饮，

已然滞霾。

数名酒哥，

红颜祸命，

九泉狱内思营销。

俱往矣！

数十大名酒，

今败小烧！

二十四

在梦中，大侃不知怎么着，就在雾霾的遮掩下，离开了饭店，又重新上路。在迎春路口，大侃突然被一只老黄猫拦车堵路，大侃想下车把老猫轰走，但让他没想到的是，他刚一下车，老猫便立身站起，两只后爪着地，两只前爪恭恭敬敬地把一个大牛皮纸信封递给了他，然后扭头钻进了绿树丛中。大侃清楚地记得，那只老猫胸前有一块圆圆的、红红的毛。

老猫跑走后，大侃急忙打开了信封，他取出的红色硬纸片，竟是一张公务员录取通知书。大侃当上了市环保局环境监察支队的副队长，他的直接领导姓马，叫二哈。马二哈刚被提升为大队长，接着就又背上了一个行政警告处分。原因是他手下的一个人，因收受违法排污企业小老板的贿赂，被法院判刑两年零六个月。手下人被判刑，队长肯定会有摘不清的责任，二哈挨处分，连他自己都心服口服。但事情并没有大家想象的那么简单。

手下人犯罪，二哈也被县纪委叫去停职数日，虽然后来查清了二哈没有违纪违法问题，但他是不是应该承担领导责任？他是不是还有其他问题？

"是呗。他不仅应该承担这件事的领导责任，他违反国家规定，把他爹偷偷土葬了的事，也应该追究呀！"

"是该承担责任，是该追究，这就说明他还是有问题。有问题怎么还在这期间提拔了，这算不算带病提拔呢？"

"肯定是他上边有人呗。要不然就是送了厚礼了。"

"他们家当官还祖辈父辈地传呀？"

"是吕局长推荐的。"

……

二哈在处分、议论、担心、狐疑中生活着、工作着、奔忙着，但他还不清楚一件事：揭发他、告他状的信，早就有三封到了县纪委了。三封告状信，有两封是告他一个人的，说他有徇私枉法、收受贿赂的问题，有一回，在一个企业就收过二十万元。信尾署名是：知情人。还有一封是连吕局长一块儿告的，说二哈给吕局长送礼三十万元，买官。吕局长拉皮条卖官。信尾署名是：吴中生。三封信凑到一块儿，不用专家做鉴定，一眼就能看出，有两封是一个人的笔迹。所不同的是，有一封是用碳素笔写的，有一封是用圆珠笔写的，还有一封是用电脑打印的。

为了安慰马队长，大侃发挥自己的特长，在进局后，他悄悄写了一封长信，毫无保留地把自己的思想倾注出来，偷偷塞到马队长包里。他不太了解马队长，但他以为，执法的人都是粗人，只会背法规条文，没有理论功底。这确实是一封长信，还有个标题《面对问责的思考》：

> 尊敬的马队长：到市环保局工作两周来，我不断看到上级
> 有这样的通报：某某地环保人因各种原因被问责、被组织处理
> 或被"双规"……

晚上，二哈回家发现了大侃写的这封特殊来信，立马被吸引住了。但他忘记了今天破例调整好工作矛盾，专门赶回家来吃晚饭的目的：

> 过去，在老百姓脑子里，已形成印象容易被问责"大户"
> 是煤矿事故、交通事故、铁路事故、饮食事故、医疗事故。
> 这些事故大多以社会影响大、直接导致大群体、小群体伤亡
> 为"特色"，也更让人触目惊心。在众多被问责行业，事故发
> 生依然涛声依旧中，近年来，中国的公民们突然发现，环保
> 人、环保部门突然也因环境问题成了问责频发、"触电"丢官
> 的"高危"行业。而且牵扯环境问题的事，尽管当场死人的
> 没几起，但媒体报道时，叫"事故"的少，叫"事件"的多。
> 事故与事件有什么本质的区别，可能只有辞海才能解释清楚，
> 但"环境事件"这个词，更让人有一种超大群体慢慢被杀害，

惊心又怵目的恐惧感。

"二哈，晚上你想吃什么？"听妻问话，二哈故意把信念出声了："今天的中国，伴随着建设服务型、廉政型政府和高度关注民生大计、提升社会管理能力热潮的涌起，从中央到地方，对党政机关和国家公务人员实施问责、追究的法规条文不仅是越来越多、越来越细、越来越严肃，而且'被问责'牵扯到的部门也越来越多。我预言，各级政府部门多已进入'民生问责时代'。事实就是如此。在很多地方、很多具体事情上，早已不是非出大事、大祸或滥用职权、违法行政才被问责追究，问责情形甚至涵盖了机关工作人员有令不行、有禁不止；不求进取、平庸无为；推诿扯皮、效率低下；工作不细、落实马虎等不履行或不正确履行工作职责的各类、多种情形。特别是对环保工作者的问责，已明确规定许多情形是'终身问责'。可见，环保人要想站得住、站得稳，经受住'考验'已成严峻之现实要求。"

"你喊叫什么？"

"我发现，现实工作中，特别是工作在基层一线的一些环保人、环保部门，并没有从思想上适应责任追究的'高危'环境，因为工作中马马虎虎、大大咧咧、不负责任、不廉不净撞到枪口上，成了被责任追究的牺牲者的人和事越来越多。据我不太认真地粗略统计，仅近三年中，在一些企业发生环境事故、事件后，环保部门、环保工作者被曝光、被追究行政或法律责任的就有数十起、数十人。某地有一家企业发生违法排污事件，虽然环保部门监察人员平时监察工作次数也不少、要求也很严，但因没有按规定填写相关文书，工作马虎，查无证据，遂遭失职之追究；某地一家国家明令限批的化工企业，违规未批先建，当地环保部门监察发现后，因收受钱物，竟熟若无睹，结果在企业出事后，环保局相关人员因不廉洁而被法纪追究；某地环保局两名监察人员因面对说情风，没有顶住，放宽了执法标准，在企业放肆排污

103

被群众举报后，不仅最终被追责下岗，还受到党纪政纪处理……"

"谁又受处理了？你们那事儿不是早处理完了吗？"妻听二哈说到处理，马上想起了一件事，二哈故意装作没听见，接着读大侃的信："纵观一些环保人被问责追究渐多的众多因素，最直接的原因是由主观上责任心不强、执法上不严、廉洁上不净造成的。从客观上分析，其一，目前，我国已经进入科学发展、绿色发展的新时期。过去粗放发展时期积累的环境问题，到了以'好'为首的转型发展时期，必然产生碰撞。过去人们习以为常的环境污染问题，现今引发的是污染事故的高发期，因此，环保部门的风险越来越大，引发问责缠身实属形势所迫……环保人应该如何正视现实，放下包袱，丢弃牢骚，从日常生活、工作的每一个环节、每一个细节做起，坚持从严、从细、从廉、从实地做好每一项工作，减少和避免被责任追究呢？"

"你读什么呢？你别神兮兮的行吗？"

"要增强依法办事的严肃性，做到行得严、行得细。环境法律法规是环保部门、环保工作者执法落实的根本依据。工作中，无论审批何种事项，都要依法办事，用法规条文说话，循规则办，违规必否。要明确区分责任，各负其责，健全工作程序责任制，严作风、严落实、严督查，督促全体人员依法循规开展工作。要细致认真地做工作。项目环评、稽查、监察执法、各项审批等工作，无论是要落实到文书上的，还是要依法、依规、依制度落实到实际工作中的，都要言出有据、言出有理、积极稳妥，既不能马马虎虎、粗心大意，又不能文过饰非、工作浅薄，更不能玩忽职守、留下后患。特别是对符合审批条件该办的事，要雷厉风行，强化效能；对各项核查验收更要细致认真，切不可把'检'查当成'简'查，导致玩忽职守。要增强权力运行的公开性，做到行得明、行得白。从严执法、从细落实，就要顶得住说情风、人情账。纵观多起环境事件可以看出，在权力运行过程中，由于执法者执法不严、工作不细开了口子，造成被责任追究的实例比比皆是。因此，环境执法过程一定要公开透明与群众见面。不论遇到什么事、什么人、什么背景，都不能丧失原则。要做到不看来头、不看关系、不惧条子、不畏说情……不断加大预防力度。从完善集体决策制度、建立行政权力运行监控机制和强化责任追究制度入手，建立形成较为严密完善的反腐倡廉制度防护网。真正实现行政权力运行由事后监督向事前、事中、事后全过程监督转变，营造清正廉洁、快捷、高效的权力运行氛围，以此减少单位和个人被责任追究的机会。作为执法者，还要始终做到：丧失原则的事不办、越轨的行为不为，更不能被一些蝇头小利诱惑，做到不贪、不沾、不腐、不污、清正廉洁。"

"你傻了你，念半宿了，你还吃饭不吃？"妻有点急眼了。

"当然，作为环保工作者，我们的责任是对环境负责、对人民负责。落实好反腐倡廉的要求，做好环境执法工作，我们不是以规避问责风险为目标，但是规避问责风险，就要认真落实党的十八大精神，在迎接新考验中首先要做到行得严、行得细、行得明、行得端、行得清、行得廉，学会立身做人，这样，不仅可以使我们环保人站得稳、立得住，还有利于避免社会矛盾和问题，维护环保部门良好形象，无论是各级环保部门或环保工作者，对此都应法纪常记、警钟长鸣，切不可忽视与麻痹。"

这么长的一封信，二哈一口气就从头读到了尾，中间，妻连逗带训，电话也响了几次，他连看也没看。二哈看过信，心里备感充实。他暗暗佩服大侃，遗憾大侃进了小庙的门屈才了，他把大侃当成了楷模拍档，出去办案时，总拉着他，让他出主意、想办法。

事后，二哈想起来了，那天妻忙活了一桌子菜，因为那天是她的生日。二哈内心十分惭愧……

二十五

梦中的大侃天天陪着二哈下乡、进企业执法，工作干着很是来劲。这天，霾重雾小。在去企业执法的路上，二哈突然问大侃："你说说，作为执法人员也好，国家机关工作人员也好，为了地方政府的面子、为了让领导高兴，帮助违法企业遮丑、护短对不对？"

"对呀，维护领导，服从组织，顾全大局嘛！"

"好，我给你讲几件事你听听。第一件，某乡政府为求多收一点利税，帮一违法企业遮'三无'建设之丑，结果上级追查责任，乡长被免职，相关部门领导被处分。第二件，某地环境执法人员在执法中明明发现一家化工企业在偷排偷放，却因有领导打电话说情，碍于面子，在向上级领导汇报工作时，隐瞒此严重违法事实。结果，在上级突查时违法企业再次被查获，企业负责人把环境执法人员早已知情这一事实抖落了出来。第三件，某地一县级环保局副局长，在上级检查企业违法排污、超标排污、恶意排污情况时，以保护当地名誉为借口，指使部下为一污水处理厂出具假数据、假证明，致使群众上访不断，引发责任追究，副局长最终丢了官职。三件事有一个共性：保税收、保名誉、保情面，都是公心。表面上看，有充分的理由、充足的情谊，充满了人情味。但是，如果我们站在党纪政纪、法律规定、绿色发展层面去分析，可就不是那么回事了。政府保税收，谁能去非议？但事实上保的却是GDP，是发黑的政绩，是自己的虚荣与官帽。这样的经济增长、这样的发展成果，根本就是得不偿失。就是说得再好听，组织和群众也不会答应。"

大侃听着二哈的讲述，心像刀割一样难受。他后悔早几年没有认识二哈队长，他好像是吃过什么哑巴亏一样，痛心又疾首。

"环保和政府，两者是上下级关系，下级服从上级，按说也是符合组织原则的。但事实上，除此之外，环保枉法人员之所以如此听招呼，恐怕也有私心杂念在作祟。因此，企业出了事，只要政府领导拿出'保地方面子为重'的招牌，环境执法人员则能捂则捂。可是，纸毕竟包不住火，一旦捂不住了，就会受到党纪国法的处罚。环境执法者保企业，又是出于何种心理？恐怕这个问题更复杂。吃人家嘴短、收人家手短，帮违法者讲情，肯定有短在先。当然，可能也有一些执法人员心软，念违法排污企业是初犯或以为外人不知道，遮遮丑、抬抬手，让违法排污者过了处罚关。殊不知，这正是宁伤众人，不伤一人；宁伤世人，不伤恶人；宁伤环境，不伤个人情面的下策，是枉法渎职之举。"

二哈不停地说，大侃不停地点头，此时，文采飞扬的大侃好像是在老师面前的小学生一样，心悦诚服。

"一直以来，不仅仅是一些基层政府、一些环保部门官员和执法者，在违法违规企业出事后习惯于以各种各样的理由帮领导'抗'、帮政府'顶'、帮朋友'压'、帮行贿人'抹'，以免事情闹大、因事出丑、追责伤人。其实，在现今生态环境建设如火如荼；打击违法排污、违法建设声势一浪高过一浪；广大人民群众积极参与环境保护，迫切追求绿色健康生存环境的今日，很多环境问题，'捂'是捂不住的。而且往往是越'捂'越'热'，越'遮'越'丑'，越压事越大，越抹越热闹。最终是谁'捂'谁引火烧身，谁'遮'谁用脏手打自己耳光，谁压谁就抱个'不定时'炸弹。政府也好，部门也好，执法者也好，分析众多'遮'与'捂'的原因，不外有四类：一是私欲作祟；二是原则性差；三是法纪观念淡薄；四是有些地方对类似情形处理不够严肃。"

大侃听得快入迷了。但他还是手和笔协调联动着，在本子上记下了二哈讲的每一句话。

"现今中国阔步迈进法治社会。公民要学法守法，企业要知法守法，政府部门官员更要带头懂法、讲法、守法。当前，面对环境污染的严峻现实，面对持久打击违法排污的繁重任务，面对严格执法的各种环境，面对维护公众环境权益的艰巨考验，面对服务绿色崛起的迫切要求，广大环保工作者在打好蓝天保卫战和深入开展查非法排污、查超标排污、查恶意排污中，要不怕辛苦、不怕加班加点、不怕困难、不怕得罪人，应廉洁自律，依法办事，使一批批违法排污单位受到严处与追究，充分体现了环保工作者敢于担当、善于担当，乐于担当的高贵品质和为高端发展服务，为生态环境把关，为人民群众维权的良好形象和坚定决心。既然环境问题越来越突出，越来越成为社会关注的焦点，人民群众要求解决突出环境问题的呼声高涨，这正是环境执法蓄势发力的时候，是环境执法人员有所作为的时候。如果对违法行为从轻、从松处理，甚至姑息、包庇、纵容，只会助长其嚣张气焰，加大环境执法难度，伤害环境执法人员工作的积极性。执法人员在知晓企业的不法行为后，解决问题的最好办法就是及时公开真相，依法依规办事。该停止建设的予以拆除、该停产整顿的整顿、该挂牌督办的督办、该处罚的严厉处罚、该曝光的曝光。要让违法违规的企业受到应有的制裁与处理，切不可漠视群众的举报，纵容违法者的恶行，蹚进浑水帮恶人，最终落了个众骂贼怪、法办纠缠、引火烧身之果，这实属不值。"

说话间，执法车开到了一家企业的门口，二哈急着说："一会儿就要动真的、来实的了。对企业违法的一些问题，早发现、早改正、早处理，对企业、对政府、对执法人员都有好处。遮遮掩掩、捂捂盖盖，只会使企业违法的事实越积越大、越积越多，到头来收拾不了。表面上看，是在帮企业，实质上是害民害企害自己害政府。"

大侃敬佩地点着头。想起他给马队长写的信，他似乎有了一种班门弄斧的感觉。但他又发现，马队长是真的又谦虚又好学又实在又严厉。大侃正思虑着，二哈拉着大侃，一同走进厂区……

二十六

两个半小时后，二哈带大侃从企业出来，神情郁闷，比雾霾还郁闷。上车后，二哈告诉大侃："最近在企业监察，发现一个值得关注的问题：目前，国家颁布实施的生态环保法律有近三十部，但是不少企业法人对此不够清楚或一知半解，在违规建设、违章操作、违法排污受罚后，觉得很'冤枉'，由此被追究、被问责的，还有政府的相关管理部门和政府官员。刚才这家钢铁企业，十几年前从小作坊干起，买了好大一块地，那时不需要环评，跑个手续就干。近些年，国家对建设项目实行环评，严格执行'三同时'制度，企业法人在不知情的情况下，擅自建设新项目，导致当地污染加重，这家企业的情况，我们回去汇报，它将被严厉处罚。"

后来大侃了解到，现实中，很多已成规模的企业，都是从过去的小作坊、小企业发展起来的，许多企业法人头脑中的法规信息也还停留在几年前、十几年前。在许多企业违法违规案例中，除少数企业属于知法违法，恶意妄为，不计后果外，多数是企业法人按"老黄历"办事所致。

企业法人不学法、不知法，已成为一些地方违法排污事件屡禁不绝、企业转型升级难以实施的主要因素。去年某地发生的数起私自倾倒化学危险废物、违规在水源地周边建养殖场等事件，经查企业法人基本为环保法盲。

追问这些企业法人为什么不知新法，很多人诉苦：天天为企业经营东奔西跑，行在车上，忙在路上，吃在外边，听广播、看电视的机会都很少。过去政府部门要求企业订报纸，如今政府为企业减负，很多企业连报纸都不订了。有的老板书柜内藏书很丰富，说起环保法律脑子里却是一片空白。

知法才能守法。企业是经济社会发展的主力军。企业法人特别是私营企业法人，平时考虑企业如何谋利赚钱多，了解生态环保法规少，这也是现实。正因为如此，地方政府及执法部门有责任帮助企业法人学法知法。

为此，大侃主动给局党组建议，提出采用集中辅导、网上教学、编印学习手册和以会代训等多种形式，联系实际重点学，让企业学了有用，明白哪些政策法规是红线、是底线、是高压线。其次，要严格执法，改变"违法成本低、守法成本高"的现状。让知法守法者尝到甜头，让不守法者吃点苦头。在执法中深刻分析违法案例，以案说法，帮助其他企业举一反三，增强其学法守法的责任心、紧迫感。企业法人的环保法规意识增强了，不仅可以大大减少违法违规事件，企业也可以充分利用国家和地方的优惠政策，推进转型升级。

事后，二哈表扬了大侃，"你真给我做脸，你写的建议受到了局长的表扬，他还说：'大侃的建议，必须马上落实，误了事，对不住企业，也对不起大侃。'"

大侃在环保局这段工作历练，为他后来调到B区政府、C市政府，给区长得心应手当秘书、当好市政府副秘书长，奠定了良好的基础。

"马队长，环保执法真是春风得意呀！"二哈听了大侃的话，若有所思片刻后说，"自党的十八大把生态文明建设列入'五位一体'的高度后，环境保护工作提升到了史无前例的空前高度。作为基层环保一线的环境执法者，我和同行们都感到，既备受鼓舞，又备感压力。要清醒认识保护生态环境、治理污染的紧迫性和艰巨性，清醒认识加强生态文明的重要性和必要性。这'两个清醒认识'，直面问题，切中要害，提醒我们，环境问题已经到了没有退路、不得不解决的时候了；环境监察执法，已经到了必须视法如山，视'污'为敌，不得不严肃落实法规制度，抓好环境监管的时候了。"

二哈告诉大侃，"我和在环境执法岗位上工作多年的老同志都深感，2013年是环保执法腰杆子挺得最直、力度最大的一年；从年初到年末，环境执法由过去上压下顶难落实，冷热不均难使劲，转变为力度持续加强，亮点至少有四方面：一是上压的重力转'行'了。从中央到地方，各级党委、政府开始对生态文明、环境保护有了新的更高认识和更大支持，五级书记抓环保的局面已形成，基层政府从改变片面追求GDP做起，大力支持环保一票否决权，支持环保严格执法，心变带来'行'变，'行'变带来事变。二是下顶的怪力扭'转'了。'两高'出台了新的司法解释，降低了环境污染犯罪的入罪门槛，明确了污染环境罪入罪标准，为从严治理环境污染提供了必要的法律依据，也使违法排污者变得不愿排、不敢排、不乱排了。三是执法的能力提'速'了。市县两级政府对环境执法能力提升加大了力度。一方面加大环境执法力度建设，使全市形成了市、县、乡、村四级有环保机构，处处事事有人监管、有人监督、有人举报的局面。另一方面，从环境监察、监测车辆、器材保障上加大了投入，保障执法拉得出、能到位、管得好，特别是下半年进入开展大气污染治理攻坚战阶段，良好的设备保障千余次环保执法做到了不迟到、不误事、打胜仗。四是公众的动力换'气'了。面对长期存在的环境问题久拖不决、困扰长时存在，期待难以实现，过去，公众参与环保多是以抱怨、赌气、上访、网吵来督促政府和环保解决问题。随着执法力度的加大，问题的解决，公众的参与逐步由'赌气'变为'顺气'，由观望，转变为心平气和地支持环保执法，参与环境治理，敢于揭发违法行为上。"

大侃听后，正要赞叹二哈，二哈却抢过话头接上说："我这是小官说大话、小官操大心，小官不知天高地厚，哈哈哈……"

二哈还沉浸在自我嘲讽中，大侃的思绪已经又"飞"向了另一个问题。

"马队，我最近还发现一个问题，我感觉很多环境案件的受害者，正被起诉难、胜诉难和执行难所困扰着。"

"你说得对。环境诉讼起诉难，首先是因为司法救济在绝大多数环境侵害案件受害者的眼中，并不见得是一个最优先的选择。受害者在经济地位和知识水平上，往往处于一个比较弱势的地位。考虑到诉讼成本、法律专业知识和信息等因素，大部分受害者都不会选择司法救济。群众往往有一种'息诉'心理，不愿意通过打官司来维护自己的权利。即便有人勇于去打官司，但受举证难、鉴定评估难和环境保护审判人员专业知识性不强等因素影响，也常常导致受害者很难胜诉。同时，在一些案件中，受害者历尽千辛万苦，终于获得胜诉了，但事情却并没有结束。在没有执行到位保证的情况下，胜诉的判决书仍然是一纸空文。这种'法律白条'的现象确实大量存在。"

二哈话毕，大侃接上说："是，在整个社会出现执行难的大背景下，环境案件执行难也不新鲜。在旷日持久的'拖'和'磨'之中，有多少受害者被迫放弃了诉讼，有多少环境违法者得不到处罚，我们不得而知，但有一点是确定的：环境侵害案件受害者对人民法院的权威、对司法的信心在这漫长的过程中，会一点点地被'磨'没喽。"

"大侃呀，你来的时间短，还不是很清楚，我工作这十多年，有的官司甚至从我一上班开始就在打，有的连污染企业都没了，有的原告都去世了，可是官司还在祖辈传着打，这样的官司，即便是胜诉了，执行也是很难的。如果法规衔接不到位，解决这些问题只能是一条路：等明天……"

二十七

梦中，雾中，霾中，雾霾中，大侃竟又高升了。他不在环保局工作了。这天，他在半路上接送了一位贵人，贵人打了个电话，大侃就调进了C市B区的政府机关，当上了任区长的秘书，专门帮区长出谋划策治雾霾。

大侃确实是个有心计的人，随着他职务的升迁，责任的加重，他深感自己对雾霾知识的了解太少了，对上级开展大气污染治理的政策要求也知之太少了。此时，责任的压力，逼迫大侃又想起了一个人，他想起了环保局的专家，就是搭过他车的那位白净圆脸的环保局干部，那天他下车时，大侃向他要了手机号。

"领导啊，您好。我是那天向您请教雾霾问题的的哥，我有个问题还想向您请教一下。"

"别客气，谈不上请教，有话直问就可以了。"

"您说说这霾为什么会像雨一样突然从天而降呢？"

"你的感受很对。霾有一个很明显的特点，就是让人感到它来去都很突然。雾来霾就突然来，风来霾就突然走。原因是各种污染物体，日积月累都飘在空中，形成很顽固的气溶胶。过去污染物少时，下一点小雨、刮一点小风，污染物就随雨掉下来了，或是随风飘走了。现在污染物量太多了，小颗粒攒到了一定量，小风、小雨就刮不走、带不下来了。这些污染颗粒在大气里互相碰撞，互相往上推举，越积越多，越积越重，所以，遇雾后便成批次地一起搅和着积落下来。有些较大的溶胶颗粒，此时还会与空气发生化学反应，发生爆裂，最终，形成了PM2.5二次突然来袭的污染局面。"

"为什么城市的霾比农村重呢？"

"城市是人口集中的地方，城市布局不合理，建设不科学，本来承载力最多只有五十万人、七十万人的城市，一下子集中了几百万人。日常生活，家家要做饭排烟，很多人要开车排烟，集中供暖、分散烧煤要排烟，工厂的烟囱也要排烟，几百万人同时排污，大城市楼高房密，不断密集扩展的城市群，使通风透气能力变差，最终导致各种污染物在城市上空打转转儿，必然会形成污霾满天的局面。此外，追求高消费，追求奢侈品消费的人群，重点也是在城市，从生产到消费，整个就是一条污染带、污染链。"

"这些问题是刚刚发生的吗？"

"不是刚刚发生，是刚刚爆发。十五年前广州、兰州地区就有科学家呼吁防治雾霾，但粗放发展的势头，始终没有停步。"

"领导啊，您说科学治霾、理性治霾的出路在哪里呢？"

"科学、理性治霾之路，全国都在摸索，依我看应走解析探因、科学施治，部门联动、综合施治，循法立规、依法施治，区域联手、同防同治，党政同责、全民防治之路。"

"谢谢了领导，要上班了，有事儿我再麻烦您。"

"不客气，感谢你们志愿者。"

"领导，我现在已经不是……"话到嘴边，大侃把自己"已经不是普通志愿者了"的话又收了回去。

上班第一天，大侃就听说，区委书记在省委培训，区长是区委政府一担挑。紧跟着，C市一大堆涉及大气污染治理先行试点的工作任务就通过会议、文件、督导部署到了B区。其中，围绕应急机制如何启动，如何更好地让公众理解、接受、配合和参与的任务最为艰巨。启动雾霾重污染天气应急机制，在C市是新生事物，在A市却有成功经验。大侃主动请缨，和A市政府的老同事老领导联系，请他们接待任区长带队前去学习考察。

在大侃的提议下，B区政府一改让环保局唱独角戏的工作思路，把环保工作和大气污染全过程的各项工作，全部实行政府主导，环保牵头，纵向到底，横向到边，分块定岗，责任到人的网格化管理新模式，经验被C市推广。

在大侃的组织下，全区成立了第一个应急信息传播亲友团、第一个搭车族协会、第一个环保纠察队、第一个以环保志愿者为主体的业余文艺宣传队。他还主编了一本《大气污染宣传手册》，用大白话宣讲雾霾知识、讲解法规，并通过向全市数万中小学生和上万名的哥发放，向家庭传播，向社会辐射，汇集环保正能量。他组织的应急信息传播亲友团都是家庭亲友，每当政府动用媒体公布启动应急机制后，亲友团的成员们就会按事先的约定，利用微信、短信、彩信、飞信、私信和其他客户端，把信息复制互传。大侃的做法，很快在B区、在C市传开，在大侃和他的亲友们带动下，全市民众迅速在雾霾攻坚战役中掀起了信息战、网络战、广告战和纠察不文明行为的曝光战。

在大侃的建议下，区青年联合会、妇联会、老年人协会，纷纷披挂上阵，结合实际，加入到了大气污染攻坚战的行列。共青团倡导的多步行多骑行少开车活动，在全市反应强烈，起到了很好的推动作用。

特别是大侃组织的环保志愿者宣传队，为宣传雾霾防范科学知识、国家和地方环保法规、动员公众与政府一道同担当共尽责，节目演遍了全市的广场市场工厂，园区社区小区，食堂礼堂课堂，大会小会集会，大街小巷胡同和城里城郊城乡接合部，看过他们演出的人涵盖社会各界。为此，大辛夸大侃："你编的节目是老中少皆宜，一块同过窗扛过枪分过赃的都愿看，敬老院的福利院的卫生院的都喜欢，开黄标的放黑水的冒黑烟的排黑气的都受教育，烧垃圾的点秸秆的放鞭炮的都改旧习，你真不愧是执行政策、掌握速度、选择道路、把握方向出身的的哥。这回你代表区长，亲自组织全区雾霾治理行动，可给咱的哥做了大脸了。"

雾霾考验了政府，也考验了公众，还考验了大侃。大辛夸大侃"代表区长"既是有来头的讽刺，也是大侃教训最为深刻的一件瞎事。那是在大侃到B区政府上班的第五天，雾霾再次袭扰了C城。整个天空都是黑黄不分、雾气蒙蒙，C市照旧启动了雾霾重污染天气Ⅱ级应急机制。区政府门口的几台轿车上，布满厚厚的灰尘，不知是谁借尘练书法，在车前盖子上用隶书写了十个大字：雾霾猛如虎，有过无不及。上午十点，大侃忽然看到区政府大门口外，聚集了足有上百人的上访人群。

百人分两组，一组站门西，二三十人；一组坐门东，六七十人。大侃问清缘由，急忙去向区长报告。

原来，站门口西侧的，全是城中规模以上饭店的老板，上访原因是他们没有按规定在饭店厨房安装油烟净化装置，有关部门要处罚他们。他们不服，要搞清楚，为什么政府出钱给城中用小煤炉取暖的人又买炉子又送优质煤，而让饭店自己出钱安装油烟净化装置。说这不公平，要讨公道。坐门东侧的清一色是某小区的居民，他们以底商饭店油烟、噪声受害者的身份来上访，要求底商饭店搬迁。

任区长问大侃："你说怎么处理好？"

大侃说："回避矛盾等于火上浇油，不如顺势疏导，向公众公开政策法规，讲清实际情况，求同心，存异议，共奋斗。"

任区长说："你别绕弯子，直说。"

"请上媒体，请上上访群众代表，请上饭店老板，请上公众代表，请上区领导，一块召开一个公开议政会，让大家自己说，应该怎么办？然后再用政策和现实引导疏通。"

任区长说："好，正合我意。你去准备，越快越好！"

经过一中午的准备，当天下午两点，各界代表相约齐会B区政府大会议室。大侃主持会议。他先让饭店老板和上访群众代表讲上访缘由和上访诉求，然后，请区环保、建设、规划、公安、工商、卫生等部门领导讲与之相关的政策法规。

在区长讲话之前，大侃首先代表区大气污染治理百日攻坚行动办公室就大家上访所提问题讲了两点建议。大侃说："城中村少数群众，因集体供暖工程未完工，冬季需要自己烧煤取暖，这是重大民生问题，在这个特殊时期，政府应该为困难群众着想。同时，配发环保炉具、送优质煤，也是为了减少污染排放，保证公众健康，是大势所趋，情势所逼。"大侃话锋一转，又说道："饭店是企业经营实体，按国家谁污染谁治理的原则，饭店安装油烟净化装置的钱，理应由饭店自己从盈利中支出，纳税人的钱也不是政府想花哪儿就能花哪儿，是有人大和法纪监督的。"

"我的饭店刚开张，还没盈利呢！"

"一是你以后会有盈利的机会，二是按国家现行政策，环保不达标、饭店不能开张不能营业，你必须先投入这笔钱。"卫生局长说这话算是代表环保直接答复。

"那我要是硬不安呢？"

"哈哈——哈哈——我知道你是在开玩笑呢。硬不安国家和政府法规很明确，一停业整顿、二处罚警告、三吊销执照。"工商局长话毕，一名上访户代表立时站起来对一个胖胖的饭店老板说道："赚钱是你的，污染是我们的，我们天天在你制造的雾里霾里飘着呢。开底商饭店，你有环评吗？有工商营业执照吗？有卫生许可证吗？你害得我们小区住户不敢开窗户，还好意思张口向政府要补贴。趁雾霾治理，全关了吧。"

"你说得倒是简单，饭店关门我前期装修、购设备花的钱谁给？"

"你要那么说，我们受的害，健康损失费是不是该你饭店老板给？"

"我饭店在先，你小区入住在后！"胖哥还在争。

"国家哪条法规说，后来的人可以忍受前人的污染折磨而不能维权了？"

"那我还有个新问题。开车惯了，坐公交、骑自行车，我不习惯。"

胖哥话落，立时有位市民代表对他回击："你习惯赌钱，习惯闯红灯，习惯扰民，你就是不习惯守规矩，不习惯改变不文明行为，全市的人不能陪你一个人凑合着活吧？"胖哥哑口无言了。

"这是我们祖祖辈辈生存的地方，霾毒临头，大家担当起来，行动起来，别让霾毒留与明天，给我们的子孙留下一片碧水、一片蓝天吧，这才是当务之急。"又一位市民代表激动中发出感慨。

争到这里，大侃看火候也到了，再争，可能会跑题。"各界各位代表，关于底商饭店问题，大家先别争了。为什么呢？这是城市建设中一个遗留的问题，责任应该在多个部门过去权力交叉、责任不明上，现在政府已开始研究论证解决的办法。一个是涉及企业主投入回收，二是涉及市民就业，三是政策法规还有待完善。我想，用不了太长时间，一定会解决，眼前需要大家多理解。刚才那位代表说得对，眼下治理雾霾最重要。"

"我看政府今天这会组织得挺新鲜、挺够档次，政府和我们家里过日子一样，摊子大了，遗留问题多了，好多事也不是一天两天全能解决的。大家的事大家办，大家的责大家担，大家的活大家干，非常时期，该让的让一把，该忍的忍几天，雾霾会过去的，蓝天白云会回来的。"一位群众代表这一席话后，场上所有的人都给了热烈掌声。

这时大侃告诉大家："今天咱这会可是电视、广播、政府网站现场直播啊！"

"是吗？现在正是治霾攻坚时刻，咱也该有点大局观念，配合政府把问题和和气气解决喽。"刚才那位叫板不安油烟净化装置的老板，现在变成了积极分子。

时机成熟，大侃站起来宣布"散会"。等人都走了，大侃突然看到，任区长还坐原位一动没动。"哎呦。"他忽然想起来，说好了唱压轴戏讲话的是任区长，他给忘了。闯大祸了。大侃立时惊呆了。饭碗子不丢才怪。想到饭碗子，大侃似乎觉得那天他在燕青饭店请妹妹、妹夫和妹夫的妹妹吃饭时，自己却好像是一直坐在桌边看着他们吃，而自己却一直惭愧着，和盼姐说着话一口饭也没吃，直到现在还饿着。人饿体虚，不冒虚汗，那才是怪事。

"任区长，我缺乏经验，我认罚。"

"好，那我罚你一天一夜不吃不喝不睡，你自己开车在全区明察暗访，考察大气污染治理成果，回来向我报告。"

听到"开车"两字，大侃不由一惊。驾照在交警手里呢，哪能开

118

车，难道过去犯错误的教训还不够深刻吗？但他马上又想，领导说了的，必须照办不误，既是自己有违规行为，也有领导担着呢。于是，大侃犹豫再三后，还是自己开车上路了。

夜光之下，天空繁星闪耀。大侃看到，在市区的许多广场、商场和十字路口边上，大大小小的电子屏幕，都清一色显示着与环保和抗击雾霾有关的宣传标语、动员口号和环保知识、法规条文；大侃还看到，在市区大大小小的路段，十几辆洒水车、洗地车，在市区主要路段上来回穿梭操作，晴天满地灰，洒水一路泥的状况得到很大改观；市区内设立的十多个黄标车检查站，发现一辆，扣罚一辆；由交警和煤质检测部门共同设立的燃煤检查站，对进入市区的每一车煤，都毫无例外地进行检测，坚决卡住劣质煤入市。在远离市区的一片林地边上，新生型煤有限公司正昼夜加班加点生产型煤，确保市民取暖供应……

开车转了一夜又一天，大侃却一点也没觉得累，他不仅对自己又能开上车心满意足，更对交警没有查扣他，深感万幸。第二天傍晚，大侃赶在区长下班前，回区政府向任区长汇报明察暗访成果，经过深思熟虑，他要在任区长面前以功补过，他一口气讲了"九少""五没"的攻坚成果："市区各类扬尘明显少了，乱烧垃圾的明显少了，烧劣质煤的明显少了，放鞭炮的明显少了，开私家车的明显少了，单双号违规上路的明显少了，闹纠纷上访告状的明显少了，去医院的老人小孩明显少了，发牢骚讲怪话不适应不满意的明显少了；违规上路的黄标车没了，露天烧烤的没了，工地土堆不苫盖的没了，满地撒土石的大车没了，规模以上饭店不安装油烟净化装置的没了。"

任区长听后只说了一句话："先别沾沾自喜。"回到自己办公室，尤秘书悄悄告诉大侃，其实任区长已多次夜里自己开车去暗查过。一些工地苫盖不落实问题，一些单位工作失职失查问题，官商勾结、以假充真、给群众供劣质无烟煤问题，他什么都清楚，他已经向市委提出了"治霾先治官"的谏言。无巧真是不成书。尤秘书话音刚落，大辛

119

就给大侃发来这样几句话：

> 汇报搞不好就成告密，演说搞不好就成吹牛，慎重搞不好
> 就成心虚，拒绝搞不好就成翻脸，曝光搞不好就成抹黑，少
> 女搞不好就成少妇，老婆搞不好就成前妻，雾霾搞不好就成
> 犯罪，伴君搞不好就被斩首。

大侃看后，心里更没底气了。

任区长运筹帷幄，指挥有方，各部门通力协作，给力支持，坚决
落实，B区大气污染治理取得了阶段性胜利，C市连续三周没有发生严
重雾霾。区长受到市长的嘉奖后，当然不会亏待了作出突出贡献的高
参郝大侃。好酒、好菜，外加手擀面，任区长让大侃猛吃猛喝一顿，
大侃备感任区长亲切、可敬。此时，大侃似乎是有点喝多了，他手舞
足蹈地给任区长跳起了大秧歌，跳啊、舞啊、高兴啊。

大侃跳着、舞着正起劲儿的时候，一个女人端了一盘子由西瓜、
苹果和草莓组合的果盘敲门、推门而来。大侃正在酒中，他猛一抬头，
发现这个女人特别眼熟。过后，他想起来了，她很像燕青饭店的那名
女服务员。

尤秘书告诉大侃，她原来是在几家饭店当过服务员，现在是区机
关新雇来的保洁员，工作很勤奋，有时政府开会，她还经常加班加点
地帮机关的服务人员倒倒开水、收拾收拾会议室……

二十八

大侃这一夜的梦，做得实在是太美太实太棒太值得了。他先是进
了环保局，后又高升到B区政府给区长当了秘书，天快亮时，他竟在喝

完区长的庆功酒后，又一次高升了，直接升到市政府，当上了主管环保工作的副秘书长。梦中，他不仅过足了官瘾，还大展了才华，施尽了本领。"大侃高升，是B区的光荣啊！"临行前，区长嘱托道，"大侃呀，好好发挥你的才干吧，前途无量啊！"大侃激动又充满感激地对区长说："我不会忘记您的培养和帮助，您就是我的伯乐呀！"

"对、对、对！你这句话说到点上了，要不是我到市长那儿夸你是智多星，市领导怎么会了解你呀。将来混好了，可别把咱B区的交情忘掉喽啊。"

"不会、不会、不会，您放心。"

大侃连家都没顾上回，也没顾上给妻子、父母打个电话报个喜，更没有顾上吃饭，连夜就来到市政府报到上任来了。

"好啊，好啊，大侃就是事业心、责任感强啊，你晚上来报到太好了，正好有个急活，我刚才还要打电话找你快点来呢。"

政府秘书长，也是大侃新的直接领导，一面对大侃热情地欢迎、寒暄，一面就给大侃派上了活。

"听说你在环保局干过，治理大气污染你也是专家了。你在B区提出的很多招法市领导都非常赏识。市领导刚提出一个大气污染综合治理攻坚行动的新思想新思路新举措，让我们连夜起草文件，明天上午就开会研究，你加个班吧。"

大侃就是大侃。他二话没说，愉快地接下了报到后的第一项光荣而艰巨的任务。

"秘书长，您得把市领导的思想和意图给我传达一下吧！"

"你在B区不是提出过一个政府主导、环保牵头、部门落实、各司其职的思路建议吗？市领导说很好。你就按市领导讲的攻坚行动的思想，结合C市大气污染成因的问题，着眼统筹规划、综合治理，既要有战略上的总体考虑，又要有战术上的分步实施，既要有打攻坚战的决心和勇气，也要有打持久战的耐心和毅力，这是书记讲的。你就有针对性地制定攻坚方案吧。"

"重点突出哪些呢？"

"治尘、治烟、治气；防霾、防污、防毒；政府、部门、县区；定标、派活、明责；落实、检查、问责。明白吗？"

"明白。"

第二天上午八点半，在市政府十二楼第五会议室，市政府常务成员全员到会，讨论由大侃一夜未眠起草的C市大气污染治理攻坚专项行动工作方案。会议由秘书长主持。他首先把大侃向市长和各位副市长作了介绍，而后请示一把市长是否开始开会。市长说："今天这个会议很重要，方案也重要，大家要边听边思考边讨论边修改，争取明天召开全市大气污染攻坚专项行动动员大会的计划如期落实。"

市长讲话提要求后，秘书长示意大侃可以开始汇报工作方案了。会前秘书长和大侃介绍过，"市长这人没架子，很随和，干事儿特干练，对环保工作高度重视，不用害怕和担心什么，他就喜欢能干事干成事的人。"有这话垫底，大侃一点都没有怯场，就直接进入了角色。

"为进一步加大大气污染治理工作力度，使我市空气质量得到根本性改善，按照市委、市政府的统一部署，制定集中行动实施方案。指导思想和整体目标是，深入贯彻党的十八届三中全会和省委八届六次全会精神，按照决心要大、出手要重、措施要硬、效果要实的要求，利用半年时间，在全市集中实施大气污染治理八大攻坚行动，切实解决以PM2.5为重点的大气污染问题，使我市空气质量得到根本性改善，半年后，市区PM2.5浓度比上年同期下降9%以上，确保永久退出全国空气质量相对较差城市行列。"

"好，有高度、有气势，也很简练。"市长的插话，让大侃备受鼓舞。

"一是展开'铁腕治污、利剑斩污'专项打击攻坚行动。结合上级环保、公安部门正在开展的'利剑斩污'专项打击行动，出重拳'铁腕治污'，有效震慑违法犯罪，坚决遏制环境违法行为的发生，切实加大打击力度，查处一批环境污染违法犯罪案件，惩处一批违法犯罪人员，确保大气排放企业污染物达标排放。各集中供热燃煤锅炉和企事业单位自备燃煤供暖锅炉脱硫除尘设施运行率达到100%，煤场、灰堆落实防尘措施达到100%，打好法律根基。"

"好。在这一点上，不能只是泛泛地提要求，要明确重点打击对象和内容，要针对前一时期治理中存在的主要问题讲。打击的重点，一个是非法排污、恶意排污、超标排污的所有企业和个人，有反弹行为的'十五小''新六小'非法企业和国家明令禁止的污染淘汰类项目；一个是企业或者个人盗窃、损毁大气环境监测设施或者使监测设施不正常运行以及在线监控设备数据造假的；再一个是企业或者个人阻碍或以暴力、威胁方法阻碍环保、公安等国家机关工作人员依法执行职务的；第四点是，对排放企业未安装废气治理设施、不正常使用或闲置污染防治设施的；第五点是，集中供热锅炉和企事业单位自备燃煤锅炉，不正常使用或闲置脱硫除尘设施，污染物超标排放的；煤场、灰堆等未采取有效防尘措施对空气质量造成严重影响的，都不能放任和含糊。在专项打击行动中，环保部门与公安部门要按照省高级法院、省检察院、省公安厅、省环保厅联合下发"通告"要求，在执法过程中密切配合，发挥好部门联动优势，形成打击环境污染的强劲合力，同时对重点违法案件依法联合挂牌督办。"市长的讲话斩钉截铁，"全市上下要集中检查各类企业存在的环境违法问题，要集中查处一批典型违法案件，还要集中整治和关停一批违法环境企业。市县两级环保部门对辖区内燃煤大户采取二十四小时驻厂检查措施，落实留痕执法制度，确保达标排放。"

主管公安和主管环保工作的两位副市长此时分别讲出了自己的意见。

"各县、区政府还要组织相关部门进行严格的后督查。市政府大气办要会同纪检、监察、公安、环保等部门组成专项督导组，赴各地进行明察暗访，对环境污染违法犯罪案件没有查处、隐瞒案情、包庇纵容的，对排查不到位、整治进展缓慢的要依法依纪严肃问责。"市长再次重点强调几个问题后说："往下说吧。"

大侃继续读稿："二是开展燃煤茶浴炉专项治理攻坚行动。工作目标是，到明年第一季度末，淘汰市区建成区和各县、区建成区范围内全部燃煤茶浴炉，推广使用太阳能、天然气、电等清洁能源。市政府大气办负责全市燃煤茶浴炉淘汰工作的组织实施和整体推进，协调督导各相关单位，对工作进度进行全程督导。各县、区政府负责各地建成区范围内燃煤茶浴炉淘汰工作。市发改委负责组织实施燃煤茶浴炉改气的气源供应保障工作。市供电公司负责组织实施燃煤茶浴炉改电的电力配套保障工作。"

大侃念完"二"，市长马上插话道："一提起雾霾天，人们往往很自然地将其归咎于燃煤，急着要上煤改气项目，其实这并非明智之举。"

市长端杯喝了一口茶，接着道："富煤、贫油、少气，是我国能源结构的基本特色。全面推广煤改气，没那么简单，有限的资源告诉我们，不适合全面推广。同时，能源结构调整，也是一个长期的过程，需要因地制宜、对症下药，一哄而上，恐怕很难实现，而且增大能源保障风险。眼前，从国情、市情实际出发，加快推广煤炭清洁利用技术，提高清洁煤炭使用发展水平，看来是比煤改气更为可行、更好实现、更有把握的办法。如果我们继续把希望寄托在煤改气上，可能会贻误拨开雾霾见蓝天的时机。大家议一议，看看是不是这么回事？"

会场上，各位副市长、几位列席会议的局长，纷纷表态发言，称赞市长说得对讲得好。秘书长告诉市长，下边第三个专项攻坚行动，就要涉及利用清洁燃煤的问题。市长表态，让大侃往下念。于是，大侃继续往下念：

"三是开展市区建成区城中村散烧煤专项治理攻坚行动。工作目标及要求是，在先期成功试点基础上，继续大力推广'烧无烟清洁型煤、换节能环保炉具'行动。明年6月底以前，在市区空气监测点位周边、敏感区内的城中村完成一万户左右的散烧煤污染治理工作，对成建制的村庄逐村实行整体推进。治理后使用的优质型煤和炉具达到以下标准：优质低硫无烟煤球、蜂窝煤的硫分低于0.8%，灰分低于15%，发热值高于5000大卡。所更换炉具达到国家质量安全、环保、节能标准。村庄、农户和炉型的选定都要明确具体负责人，组织农户选择符合标准的炉型，组织完成型煤供应网点的设立，做好型煤的生产、储备工作和农户散烧煤的置换准备工作。5月底前，炉具的更换和安装工作全部完成。"

"散烧煤的治理，涉及千家万户，是民生大事，不可马虎。一定要组织好、更换好、补贴好。"市长总结后，主管环保的副市长解释道："市政府大气办拟组织财政、环保和审计等部门进行验收。验收通过后，由市、区财政共同按'以奖代补'的形式进行资金补贴。"

"好，我们的工作就是要往细里做、深里做、实里做。接着说第四项治理吧。"市长说。

"四是开展工业企业锅炉专项治理攻坚行动。工作目标是，全市工业企业燃煤锅炉全部完成脱硫除尘治理或改气、改电，各项污染物稳定达到规定排放标准。未完成治理任务的，一律关停。组织实施上，一要建立台账。明年初，完成工业企业燃煤锅炉摸底排查工作。摸清企业名称、行业类别、详细地址、锅炉台数及吨位、年耗煤量、现有脱硫除尘设施等情况。按照国务院和省大气污染防治行动计划要求，针对每台锅炉的实际情况，确定具体责任单位和责任人，安装脱硫除尘设施或改气、改电，做到一炉一策，并将台账报市政府大气办和市环保局。二要严格整改。按照制定的治理措施，开展严格整改。明年6月底前，完成全部整改任务。未通过验收的，一律断电，停产整改。"

"这块上的事儿，具体落实上一定要做到底数清，区别情况，不能武断啊。"市长插话后，大侃接着来：

"五是开展扬尘专项治理攻坚行动。工作目标是,对全市所有建筑工地、渣土运输车辆、城市道路及郊区公路、煤场、料堆、搅拌站等进行集中整治,全面控制扬尘污染。重点解决以城市扬尘污染为主因的PM10严重超标问题。由市综合执法局、市公安交警支队负责,对所有渣土运输车辆全部停运进行整改,确需运行的,必须向综合执法部门申请备案,通过车厢封闭验收并加装GPS定位跟踪系统后方可行驶。加大夜间巡查执法力度,对产生遗撒和封闭不到位的车辆,要采取扣车、处罚和吊销营运执照等措施。市区各种煤场、料堆、搅拌站扬尘治理,主要是加大城区各种煤场、物料堆和混凝土搅拌站治理力度。搅拌站厂区道路必须硬化,加大对道路的清扫和洒水频次;运输原料及产品的车辆必须密闭或严密覆盖,厂区门口安装统一规范的车辆冲洗设备;有组织排放污染源安装高效布袋除尘器,并保证除尘设施正常运行,污染物达标排放;所有物料禁止露天堆放,必须入棚入仓。市工信局负责,对工厂厂区内以及工业园区内料场料堆实现规范化管理。对煤堆、料堆、渣堆等易产生扬尘的各类物料堆放场地,应采用仓库、储藏罐、防风抑尘墙和整体覆盖等防尘措施,对辖区内所有建筑工地,裸露土地、搅拌站、煤场料堆等登记造册,建立台账。采取边排查边整治的方式,集中整治,做到100%达标,并保持城市扬尘污染治理效果的常态化。六是开展机动车尾气专项治理攻坚行动……"

"好。这里我先插句话。前一时期在抓黄标车治理上公安环保配合不错,组织很得力,成果很明显,下一步要进一步明确责任,一鼓作气抓下去。"市长打断说,"这项工作的职责分工是市公安局负责全市机动车治理工作的总体推动。具体负责黄标车淘汰治理,制定完善黄标车的限行政策,新注册机动车准入和外地车辆转入管理。市环保局负责机动车尾气检测机构的监督管理,负责推行机动车尾气工况法检测技术。市商务局负责报废汽车回收拆解的监督管理,推动油品升级工作。市质监局负责机动车尾气工况法检测技术计量资质认定工作。

市工商局负责二手车和老旧机动车交易市场的监督管理。各县区政府负责辖区机动车淘汰治理工作。"

"加强常态化管理工作，是集中治理后的关键。一方面要加强外地车辆转入管理。对申请转入我市的外地机动车必须达到国家机动车第四阶段排放标准，并经机动车尾气检测合格，获得环保部门核发的绿色环保检验合格标志。第二方面，要提高新注册机动车准入门槛。全市新车注册登记同步执行国家规定的阶段排放标准，实施国家第Ⅴ阶段轻型汽油车排放标准和国家第Ⅳ阶段摩托车排放标准。第三方面，还要加强二手车和老旧汽车交易的监督管理。严厉打击非法二手车、老旧汽车交易市场，依法取缔非法机动车交易市场。按照黄标车淘汰年限，对超出使用年限或尾气排放不合格的机动车禁止在二手车市场进行交易。同时，还要按治理淘汰黄标车资金奖补方案的要求，严格实行黄标车淘汰补贴政策，保障车主的利益。"主管公安工作的副市长兼公安局长，此时思考的问题已经延伸到了集中行动之后了。

"好，方案好，办法也好。"市长又一次肯定。

"七是开展各类烟气和挥发性有机物专项治理攻坚行动。"大侃刚要往下念材料，他的手机突然连响三声。真讨厌，肯定是大辛又发短信了，也不看看是什么时候。大侃不好意思地把手机关了，然后接着念材料："工作目标是全面落实市区禁止燃放烟花爆竹管理规定的要求，全面禁止燃放烟花爆竹。全市不出现焚烧秸秆和垃圾落叶现象。市区建成区和各县、市建成区内所有'规模饭店'和单位食堂全部安装高效油烟净化装置。全市所有加油站、储油库和油罐车全部完成油气回收治理。市政府大气办负责综合协调、信息汇总、组织实施和督导检查。市公安局负责市区内禁止燃放烟花爆竹工作。市综合执法局负责严查市区内单位和个人焚烧垃圾、枯枝落叶及其他杂物的违法行为；市建设局负责市区内垃圾清运工作，并加强环卫工人的管理，杜绝环卫工人焚烧垃圾现象。各县区内禁止焚烧秸秆、垃圾、枯枝落叶及其杂物工作。"

"把秸秆和垃圾落叶禁烧责任落实到各乡（镇）政府、各村（街），建立和完善禁烧工作目标管理责任制，将具体责任细化落实到具体人，严格奖惩措施，加强监督管理，强化责任追究，确保'不着一把火，不冒一股烟'。对出现的焚烧问题，依法严肃处罚，并追究责任人的责任。明年1月中旬前，完成辖区内规模饭店和单位食堂的摸底调查，制定治理方案，确定责任单位和责任人，建立台账，并将完整台账上报市政府大气办。3月底前，完成治理任务。逾期未安装油烟净化装置或未通过验收的，由各县、区政府采取停业整改措施，验收合格后方可恢复营业。明年1月中旬前，完成所有加油站、储油库和油罐车的摸排，建立完整的动态台账，明确责任单位和责任人，并将台账上报市政府大气办。明年6月底前完成治理并通过验收的，实行以奖代补政策。逾期未通过验收的，一律停业整顿，不予补贴。"一名主管副市长此时讲出的具体意见，大侃都及时添加到了材料上。

"好。奖罚就该分明。"市长再次肯定。

"八是开展污染减排攻坚行动。工作目标是，明年全市及各县、区化学需氧量、氨氮、二氧化硫和氮氧化物四项指标均分别完成"十二五"剩余任务的70%。全市化学需氧量、氨氮、二氧化硫和氮氧化物四项指标分别在上年基础上净削减6670.9吨（削减率7.1%）、641.9吨（削减率9%）、2056吨（削减率3.6%）、7203.1吨（削减率8.0%）。开展好这项攻坚行动，一要建立台账。二要抓紧污水处理厂工程建设。三要抓紧大气减排工程建设。四要抓紧农业源减排工程建设。从明年1月1日起，市环保局要每日实时发布各县、区空气质量状况，每月按照国家规范对各县、区的空气质量监测数据进行统计、排名和公布。同时要加强空气质量定量分析，市委、市政府将组织市纪委、市委组织部和督查室及相关部门对八大攻坚行动实施情况随时进行督导检查，坚持做到至少每半月一检查一通报，6月底进行整体考核，对完不成任务的严格责任追究。"

"好啊。秘书长，这个方案虽然是个急活，但你们搞得还是比较到位的，既体现了市委主要领导的决心，也结合了C市的实际情况。但有一点，我还是要提醒一下。下来你们修改时，注意两方面。一是要注意防止急功近利、盲目上阵，既要顾及眼前利益，更要注意看长远、用长劲儿，多管齐下，综合防治，实事求是。二是要明确大气污染治理，既是政府的事儿，也是全民的事儿。我看应该学习借鉴咱们邻市廊坊的经验，加大投入，加大力度，把生态文明、生态环保教育推向全民，借以推进攻坚行动深入开展。按书记的话说，就是要通过大气污染治理这根主线，把全民的环境意识、环保理念融入引申到荣辱观和社会主义核心价值观培育层面，形成思想、形成意识、形成观念、形成持久的行动。"

市长的表扬，让秘书长备感兴奋。散会后，他把大侃叫到办公室热情表扬道："大侃呀，市长连说七个好，你是开门打响头一炮，我祝贺你呀！"说着话，秘书长从橱柜中拿出两瓶酒，四根火腿肠，对大侃说："咱哥儿俩二一添作五，干。"说着话，秘书长抄起酒瓶，瓶嘴对口，嘟嘟嘟，一饮而尽。大侃当然是受宠若惊，也是嘟嘟嘟，一气全干。一天一夜没吃饭，大侃连着两顿酒，刚刚醒了的酒气酒劲，又重返回全身。

这时，一件奇怪的事情发生了。汇报会刚结束不足半小时，B市广播电台的女播音员就播发这样一条新闻：

　　本台刚刚收到的消息，邻居C市今天上午十一时刚刚研究确定2014年大气污染治理八项攻坚行动工作方案。方案能否真正做到落实，我们拭目以待。另据可靠消息，C市市长在10分钟前刚刚签批文件，计划下周三上午召开全市大气污染治理再动员誓师大会，届时，八大攻坚举措将随之亮相。

"文件还没出台，外地电台怎么先'吹'出去了，还有没有新闻纪律了？查一查是谁透出去的。"秘书长奉命追查，大侃说："我可没向外发布任何消息。"

　　"真是邪乎了，几个月来，这样的事儿没少出，连宣传部门也不知道是谁捷足先登了。很多内部情况、领导活动，都是赶在第一时间就先于本地媒体对外公布了。"秘书长安慰大侃道，"我不是怀疑你，你没来之前这事儿就发生过。"

　　大侃听后心里踏实了许多，他想，难道市政府会有谁是外媒的"卧底"？

　　"大侃，你把你刚才读的那份材料给我用一下。"

　　"好。"大侃嘴上说着好，这时他才想起来，他的一堆文件还放在会议室里呢。但他跑到会议室一查看，别的文件都有，唯独八大攻坚方案那份文稿没有了。

　　"秘书长，你等一下，我马上再去出一份。"

　　"出一份事儿小，关键是看一看你的电脑加密了没有。别把饭碗子砸喽。"秘书长的话绵里带刚，大侃也听出了似有弦外有音。

　　这段小小的插曲并没有影响大侃酒兴的发作，他借助酒力唱啊、跳啊、高兴啊，又开始了新一轮更加兴奋的手舞足蹈……

　　"大侃、大侃，你喝多了吧，折腾什么呢？快起来接电话，大早晨的，这是什么恶心人的电话。"妈妈气嚷嚷地叫醒了他。

　　电话是医院护士打来的。护士告诉他："你爸还在昏迷中，白天你家里要来人照顾一下。"

　　大侃明白了，怪不得妈妈生那么大气，大侃的爸爸明明在家好好的，肯定是让医院说成住院昏迷了！

　　"妈，我去医院了！"

　　"到底是谁病了？"

"我老丈人。还有一位您不认识。"

"吃了饭再去吧！"

咣当。门关了，楼道里传回大侃快节奏的皮鞋底与水泥地板的摩擦与撞击声。

半路上，大侃接到老潘的电话，说他昨儿个就把孩子找回来了，他爸爸的小宠物狗也换回来了，他还提醒大侃，抓紧找空，再补一顿。不用太破费，吃饱就好，配合"光盘"行动。

二十九

树枝变成光棍的季节到了。我的心悸也伴随已形成常态化的雾霾进入小雪，但此时，C城却一个雪花也没有和季节对应。

小说就是小说，小说中讲的事，生活中可能都发生过，也可能没发生过。在彼地发生过的事，也可能在此地根本没有发生过。说有就有，说没有就没有，没有也有。郝大侃的日记就是证据。

其实《的哥一梦》，通篇都是一场梦，是世人与的哥郝大侃同做的一场梦，是一场梦中梦、梦套梦。所不同的是，大侃编织的这场梦，其实是社会智人与公众共同的梦附体到了郝大侃的身上。因为，在公众心里，的哥们，交际所逼，职业所在，责任所系，经多见广，与众生有缘，只有他们才会有能力做出这样的梦。不是吗？大侃不就是天天在渴望、在希望、在盼望、在愿望与芸芸众生一起，努力实现着人生的各种各样的梦想吗？还因为，大侃在一篇日记中也讲过，只有梦见，才有实现，只有梦有，才是实现梦想的路。

　　实现国家富强，民族振兴，人民幸福的中国梦，是国家
　　的、民族的，也是每一个中国人的，C城人和的哥，都不例外

地行走在这场宏伟壮阔的梦想征途上，与每个中华儿女的梦想是相同相融的。但完成C城大气污染治理攻坚战，持久战，实现蓝天、白云久住C城的目标，要靠C城男女老少的每一个人都能入脑入心地行动起来，与政府同心同德去拼争才能够实现。如果仅在消极情绪中前行，梦想将永远会是一场梦。靠牢骚和瞎侃，C城变不了幸福C城，C城眼前缺乏的，不是被动、观望与牢骚，是与政府与公众心愿同向而行的公益行动者。需要尊重规则、尊重制度的人。因为，尊重规则，尊重制度，才是尊重社会、尊重生命、尊重自己。如果有一天机会成熟了，我愿意通过记者或是小说家的笔，把我曾有过的坎坷与自新的经历公布于众，启发更多的人尽快从形形色色的雾霾中解脱出来。

——的哥日记摘抄

在我心中，大侃的日记，有一种能穿透人心的理性力。

我看过大侃近三年的部分日记，特别是每次看了他那些哲理深刻的叙述后，我内心对他都产生了一次疑惑。当我质疑他压根就不像是一名普通的的哥时，他对我反问道："你肯定没有全部看过我的日记吧？怪不得你还怀疑我是否有背景。"我忽然想起他反复嘱托过我的那几句话，我后悔没有系统地、全部地看完他的日记，就匆匆动笔，把雾霾作为了小说的主体。

果真，大侃告诉我，他曾是B市高考文科状元，博士学位拿到手后，曾在A市政府研究室任职，专给市长写讲话稿。后来，他厌倦了天天如也的文字游戏，跳槽到一国有企业任老总助理。三年前，老总因行贿贪腐入狱。大侃因多次帮老总提包、数钱、跑腿、当参谋，而被开除公职。他说："其实，我只是在履行助理责任，没有个人目的，也没有主观故意。寄人篱下，守了小规则，犯了大规则，才从辉煌跌入灰色。"他发誓此生不再进官场、吃公饭。他和妻子、父母、妹妹及岳父母一起，从A市迁至C市，并和朋友大辛一起，共同承包了一辆出租车。

我向大侃承诺，绝对不向外人透露他曾经有耻的经历，也不再看他剩余的日记。大侃说："你误会了，我是想让你向外透露的。虽然我很看重面子。"他告诉我，被开公职后，他有过惊恐、懊丧，甚至轻生。但很快又因亲情而振作。他还告诉我："我已经庆幸法有可赦，对我从轻处理啦。我不恨组织、不恨社会。我憎恨腐败、憎恨污染、憎恨不守规则，我觉得法律对我原老板和对我本人的惩罚是公正的。我还恨我自己一时搭错了船，我正在用行动回报社会的阳光，珍惜生存的可贵。虽然我是C城的外来户，但我要做一名守规则尽责任的好市民。"稍作停顿后，大侃又若有所思地对我说："人和社会一样，失去规则，必乱方寸。随着反腐败老虎苍蝇一起打的不断深入，像有我一样经历的'情况'肯定会升格为一种当今的社会'现象'。事到临头，社会要考虑药方，当事者也要准备好下药的水，该面对的现实就要面对，谁也不能总像个病人，沉迷于雾霾中，病上加病。我感觉，保环境、治雾霾与反腐败、治风气都是一个理。越积越重，越拖越霾，越等受伤害的人会越多。就像是肺炎治不好要留下钙化点，很容易演变成癌。但治霾也不能操之过急，资源条件、社会条件、制度措施，都有待积淀和完善，否则，客观规律不买账，反过来政府的好心很难让全体市民都能接受。"大侃和我讲的每一句话每一个字，都让我的心灵感到一次次震颤。我相信了，他的日记、他的思想、他的行为，真的是来自他的灵魂，来自他的历练，来自他的挚诚，来自他对这个目前唯一适合人类生存的星球与空间，所独有的爱恋、梦想与追求。

我和大侃说话间，他的手机响了：

> 要想不出事，尽量少干事。尤其是别干花钱的事。干花钱的事，最容易成为嫌疑犯。

大侃看罢短信，热血冲冠，头皮发痒。他暗暗骂大辛："什么破段子！"

为了给自己开脱，也为了让大侃理解我，我郑重地告诉他，"你的日记有些话题很敏感。即使我全部看了，一篇小说也写不出太多的主题。咱俩不是说过吗？小心说话，说话小心。"大侃朝我淡淡一笑，我回给他的笑更显无奈。直到这时，我才想起盼姐的嘱托。我问他："你为什么那么真情地多次帮助盼姐？"他若有所思地答道："我只是敬佩她有公益之心而已。"

三十

一天，我独自一个人去A市出差，途中在车上，我仍然继续阅读着大侃的日记。深夜来到宾馆，我缺乏困意，便打开了电视机。首先映入眼帘的是A市卫星频道在台标之下有一个大大的"霾"字。我惊叹，十万火急，治霾至上啊！ABC市区域联动，污染同治，预警机制同施，应急规定同步同样，超过亿人同时做着一模一样的蓝天梦。金钱与物质，观望与等待，推卸与责难，焦虑与惊恐，牢骚与抱怨，自私与图谋，都换不回蓝天白云，只有靠大家的担当、劳动、参与、奉献换来的生存环境，才是最值得珍惜的，才不会受之有愧有疚，三市亿人形成的共识，定让世人同感欣慰。我正若有所思之时，两条新闻传来，惊得我几乎一夜未眠。

一条说，由于日本福岛地震导致的核泄漏，已使当地辐射量过于严重，将有数万人永远不能再回家园。同时，仍有万余日本国民至今仍在高度辐射污染的环境中生活。辐射垃圾已被海水冲至美国西海岸，危及多国，污染后果难测。

另一条说，台风海燕已致菲律宾五千二百多人死亡，一千六百多人受伤，还有一千多人失踪。由于应急准备不足，有一百五十万人至今无家可归，正流落灾区，在饥饿中等待救援。更令人悲伤的是，灾区很多婴儿才刚刚来到这个世界，就变成了恶劣环境的遇难者。

2013年，第22届亚太抗癌大会公布的研究结果显示，中国每年新增癌症患者占到全球新增患者的20%以上。肺癌、肝癌、食管癌、鼻咽癌等8种癌症死亡人数约占中国癌症总死亡人数的80%以上。在所有种类癌症增长中，肺癌是增长最快的，也是世界各国发病率最高的癌症。在中国也不例外。而大气污染被指与各种疾病，尤其是与肺癌有"罪"不可逃关系。

还有一条说，C市探春小区一老年妇女，在花坛中毁花种菜，不承想，小区建设前，这里曾是一家化工厂，花坛的土地早被严重污染。由于经常吃毒菜，老两口双双得了癌症，目前正含悔与病魔痛苦抗争。这条新闻更让我心惊，因为他就发生在我的身边。因贪小利，损害环境，自己又毒害自己的老妇人，就是和盼姐发生过矫情的那位胖丑婆，她不仅害了自己，也害了老伴。

人类破坏了自然，大自然正在吞噬和惩罚人类，人类觉醒了吗？被惩罚了的人都是污染的制造者吗？真正无视法律，偷排偷放，造成恶劣后果的祸首们得到报应了吗？我极度不平地思索着。

时近凌晨，手机连续传来蜂鸣声。这个钟点，大侃给我发来一组短信，肯定是有什么急事吧？我急促地开始一条一条地阅读起来。我猜错了，他的短信，有的让我悲伤，有的又让我感到兴奋：

燕青饭店的账结过了，那名受委屈的女服务员怎么也不愿回燕青饭店上班了，听说她去了别的酒店，她之前还当过区政府保洁员。她不是我妹夫的妹妹，是A市一名检察官的夫人。

我妹妹的公爹找到了。但不幸的是，那天他在老家车站还没上车就在雾霾中病倒了，由于抢救不及时，已经去世了。那天，我去吊唁才知道，老人的不幸过程实在让人生气。老人病倒后，一大群人围着却没人敢施救。虽有好心人打了120，但是，医院的救护车，在距现场一公里远的地方被堵了车，任凭警笛怎么叫唤，前边的车都是一动不动。后来才清楚，堵车的原因既不是雾霾，也不是红绿灯造成的，是因为一帮子农民工和一帮子购房户组成的联合上访队把路给封了。原因是建楼的老板把楼盘打包卖给了一家售房公司。结果，建楼的老板，收了钱，跑了，欠了农民工一大笔工资。售房的公司也不规矩，把同一套房同时卖给多个购房客户，两栋楼卖出了四栋楼的钱后，售房公司的老板，也卷款外逃了，把"负担"全留给了县政府。农民工和购房户发现上当受骗，连续数日到县政府上访无果后，几个牵头的一商量，便想出了一个堵路封锁城区交通，然后把事儿搞大，争取群众支持的歪招。谁知他们这么一搞，不但没有争取到群众的支持与同情，反倒让群众对他们产生了愤怒与指责。那天，县公安局的防暴警察去了不少人，但面对已受伤害的上访者，他们也是束手无策，只是好言相劝，但上访者根本听不进去。最后解决堵路问题的，倒是一名年轻靓丽的王姓报社女记者。她先是答应上访者通过媒体向有关部门尽快反映情况，帮助上访者解决问题。后又劝告上访者，用这种以恶讨恶的办法寻求解决问题，思路是不对的，也是违法的，不仅影响社会秩序，影响稳定，同时，也会伤害公众利益。最后，上访者虽然把路让开了，但抢救老人的宝贵时间已经过去了。你说说，老人命丧街头，这笔账该找谁去算？

昨晚上C市电视新闻说，经过全市上下共同努力，到上月底，C市已退出全国重污染城市排名前十行列。但新闻还说，ABC市大气污染治理区域联防联动机制已经建立，攻坚战将持续深入开展。

我老丈人昨天康复出院了。那天帮忙的交警还专门来家看望，并把驾驶本还给了我。交警说，我那天吃了雾霾的亏，但也占了雾霾太大的便宜，闯红灯根本没被摄像头录上。按照疑罪从无的法律原则，交警只对我提出警告批评。

还有一件事我要详细讲给你听。你猜猜，我那天救的那位老爷子是谁？太离谱了，他竟然是A市办过我和我们总经理那桩案子的一位检察官的老丈人。那天，老爷子去A市参加"抗美援朝"老战友聚会，晚上多喝了几杯，住在了姑爷那儿，第二天回到C市下高铁后走了不一会儿，心脏病就犯了。他苏醒后才与家人联系上。昨天，爷儿仨反复对我言谢。检察官退还了我交的押金，他还问我，你若知道他是我的岳父，你还会救吗？我说，那是两码事。你是公务，我是规则……

看到这里，我明白了，世上的事，真是太神奇了。我真的有点躺不住了，穿衣起身，使劲儿拉开了厚重的窗帘。原来，天早已大亮，阳光透过蓝天白云，正急切地向我直射。我知道，ABC市的天空是相连的，我相信，此时，大侃绝对没在梦中。

三十一

"叮铃铃——"电话来了。没错,是大侃的声音:"雾霾与腐败,同样可恶,同等恶毒,要同时整治,同心推进,大气环境和社会环境才能同步带公众回归阳光、和谐与幸福。拍污染苍蝇,打违法老虎,抓集中整治,当然重要,但从无度排污,到有序治污,需要过程,需要时间。只有一手抓持续整治,一手抓制度源头,成效才会久远,过程才会顺畅。你说呢?"

若不是亲耳聆听,谁敢相信这些话出自一名的哥之口?但我相信这是一段喻世明言、现世净言。我再次追悔自己,我痛下决心,要把大侃的所有日记,特别是他痛失公职的那段经历,好好读一读,并从他的记述中寻觅出精神宝藏。我要以郝大侃为人物原型,写一部小说,编一部电视连续剧,片名就叫《拨开霾的迷雾》吧。我之所以这样定题,排除政治因素,是我刚从电视新闻中得知,"霾"字入选了2013年十大最热汉字。新闻说,一项全媒体2013年度十大最具热度汉字近日正式出炉。"霾"字成为2013年最具热度汉字之一。这一年,除了热,人们感受最多的就是雾霾天增多了,一个原本陌生的词——PM2.5也迅速被人们所熟知。数据显示,2014年以来全国平均雾霾天数为47天,较往年同期偏多2.3天,为1961年以来最多的一年。时值年末,有位媒体人,盘点总结2013年度十大最具热度汉字时,也把"霾"字入选。

我想,一年来,雾霾频发,长居久住,从东北到华北乃全南方,雾霾光顾了大半个中国,越来越多地成为媒体和舆论关注的焦点。

霾由从前的生僻字,正在逐渐被人们所认识、了解、熟悉,乃至成为热门词汇。但人们对于霾的认识,真的就能与它的热门程度成正比吗?

在大量聚焦雾霾的新闻中，我也读出了对霾解读的一些误区，看到对霾的过度解读。

最典型的，是盲目防霾，对雾霾缺少科学理性的认知。

前不久，为应对雾霾天，某地一小学创编了武术雾霾操。校方积极应对雾霾、自我创新、对学生负责的出发点固然值得肯定，但此雾霾操在缺少权威健康和运动专家指导鉴定的情况下，究竟能否防霾还有待商榷，被多位专家指瞎忽悠也不是没道理。

此外，因为有传言称，猪肉的不饱和脂肪酸和矿泉水能帮助排出雾霾中的污染物和重金属，导致韩国五花肉和矿泉水销量激增、价格大幅上涨。而各种号称能防PM2.5的口罩，也常常被一抢而空。这些，都是一种盲目跟风。其实，据科学家分析，吃猪肉跟防霾八竿子打不着，防霾口罩大都对PM2.5没啥大用，闹不好倒会让自己呼吸不畅。

这些事例都表明，对于霾，我们缺乏科学严谨的认识和态度，缺少科学常识和理性思维。盲从跟风防霾，只会激发社会紧张情绪。

其次，现在还有些人，把莫须有的罪名嫁祸于霾，将霾妖魔化。

几天前，某地某小学数十名学生集体呕吐就医，疑似食物中毒。面对家长质疑和追问，校方却称：食堂觉得没问题，或许是雾霾引起的。难道雾霾就单单围绕在特定地区、特定年龄的特定班级？对于校方的回应，家长和舆论认为简直荒谬。

同样荒谬地以霾作为挡箭牌的事件还不止于此。年初，某地一急救车闪警灯去送礼。医院回应称，开警示灯都怪雾霾天气让司机紧张，"不小心开启了警示灯。"上月，韩国首尔市一架私人直升机撞上民间公寓。韩媒就称，是中国的霾给首尔市中心的直升机飞行带来危险因素。

这些"赖"在霾头上的意外事件，理由可笑，漏洞百出，俨然将霾作为推卸责任的借口。这些强加于霾的"危害"，大有将霾妖魔化的态度，会有碍社会正确认识环境污染问题，有碍社会基本问责机制，扰乱人们明辨是非、担当责任。此外，现在很多人对霾的认识还存在片面性和局限性。

很多公众认为，现阶段霾愈演愈烈、集中爆发，因此对目前的减排工作、环境治理持怀疑甚至否定的态度。认为只要落实了环境治理措施、管住了污染源，霾就该立刻消失。

实际上，这是对霾、对大气污染现状的一种认识误区。大气污染不是暂时性的，它是长期作用的结果，也具有长期存在的特性。并不是减排项目落实到位，霾就能立竿见影地马上消失。

同时，空气质量标准所涵盖内容的不断增加，衡量标准的不断提升，使得空气质量的合格率越来越低，单从监测数据上看，好像空气质量越来越糟糕了。比如，根据我国此前的空气质量标准，我国重点区域城市的超标率仅为15%；而根据新修订的《环境空气质量标准》，超标率为82%。新标准中，增加了PM2.5等指标，而PM2.5正是霾的主要成因。没有人喜欢霾，它伤害身体健康，阻碍了交通，学生停课、车辆限购限行，打乱我们的日常生活节奏。政府和公众都想结束十面"霾"伏的状况，但备战霾的前提是，要不偏不倚地正确认识霾，科学了解霾，理性对待霾。

对此，大侃有一篇日记的阐述很有见的。标题是《面对雾霾，我们需要改变什么？》：

> "雾霾，已成为中国人生活中的常态天气。""雾霾，让越来越多的人反思自己的生活现状。"这两句话，是最近一些媒体给雾霾作的总结。
>
> 梳理2013年改变人们生活的事件时，有人把雾霾列为其中之一。
>
> 雾霾改变了哪些生活？起床就看手机中的空气质量指数，雾霾天减少外出、出门戴口罩，给家里买个空气净化器，在

办公桌上摆几盆花草，这是不少人做出的改变。

雾霾让人们反思什么？据说吃五花肉、做操、喝木耳猪血汤、戴柚子皮面具可减轻雾霾危害，还有人想着逃离北上广等雾霾重灾区，到空气好的小城市定居……

能够有所改变与反思，说明人们的自我防护意识在增强。但是，仅止于此，远远不够。

那些自我防护办法有多大作用，有待实践检验，即使有效，也是治标不治本。常识告诉我们，防治疾病，关键要从源头预防，不注重预防，等生了病才治，治起来非常难。雾霾是生态环境生病的典型症状，解决这一问题，必须深刻反思我们的生产生活方式，切实行动起来，减少污染物排放。

当今中国，除了雾霾污染，还有江河湖泊以及地下水、近海的水污染，土壤污染，有沙尘暴、石漠化、生物多样性减少等生态问题，它们直接拉低人们当下的生活质量，制约经济社会可持续发展。我们人均国内生产总值已超过6000美元，面对的却是资源约束趋紧、环境污染严重、生态系统退化的严峻形势，这种形势之下，谁能独善其身？

国家高层解决生态环境问题的思路非常清晰。党的十八大提出大力推进生态文明建设。党的十八届三中全会提出加快生态文明制度建设。只有把生态文明建设放在突出地位，才能从源头上扭转生态环境恶化趋势；只有把生态文明融入经济建设、政治建设、文化建设、社会建设各方面和全过程，才能实现中华民族的永续发展。

建设生态文明，是一场深刻的变革。变革，就不能躲进小楼成一统，管他春夏与秋冬；就不能只让别人付出，自己乐享其成。变革，就要跳出"先污染后治理"的路径，坚持节约优先、保护优先、自然恢复为主的方针；就要勇于打破部门分割，统一保护山水林田湖这一生命共同体。

变革，必然触动利益。深化资源性产品价格和税费改革，出发点是为了"可持续"，但要调整水、电、油、气等价格，又必须考虑群众"可承受"，把握两者之间的平衡，考验政府的智慧。要建立体现生态价值、环境公平的生态补偿机制，就得按"谁开发谁保护、谁受益谁补偿"的原则，协调上下游之间、地区之间、省际之间的利益，这要经过反复博弈。

变革，贵在从我做起，从现在做起。建设生态文明，政府要制定政策、完善法律、严格监管，企业要履行责任、舍得投入，个人也要积极行动。每个人都是生态环境问题的制造者，保护生态环境需要从我做起，并且还得牺牲一些舒适、便利。不能口头上支持环保，而需要自己多掏点油钱、水费，少开一天车，不放或少放鞭炮的时候，却不加分析地质疑责难。

解决以雾霾为代表的生态环境问题，我们需要超越一己之利、个人之便，大力支持改革，多方面参与改革，用尊重自然、顺应自然、保护自然的生态文明理念支配自己的行为。

抗霾之路道阻且长，拨开霾的迷雾，才能走出阴霾。

三十二

我十分怀念2013年，因为在这一年，我认识了的哥郝大侃。生活中，为什么我们常常怀念普通人？因为他们身上有让我们感动的事迹。无论在城市、小镇还是乡村，世界上总有这样一些遵从心灵中善的力量的人。他们用涓涓溪流般的努力，把其个人的生涯与历史的善变、时代的进步融汇到一起，这是个人的幸运，更是公众的福祉。生态环境的改变，离不开每个人的努力和付出。

面对环保工作中存在的难题，需要多元的观点、广泛的讨论、扎实的行动加以解决。而勇者，正是那些在历史滚滚车轮中，改变既有轨迹，大胆突破旧有陈规，一马当先，于万千阻碍中突围的人。事之当革，若畏惧而不为，则失时为害。"履不必同，期于适足；治不必同，斯于利民。"变革未必带来进步，但是进步终究需要变革。落实环保战略部署，时代呼唤更多敢为人先、勇立潮头、乘风破局的人，带领更多的人走入美好的生活。

　　说到环保志愿者，大侃曾这样呼吁过：你可以不去做志愿者，但你不能否定你是霾的制造者；你可以做有经济利益追求的志愿者，但你不能在没有个人利益所得时放弃你有能力可做的志愿行动；你可以不为改善生态环境做什么贡献，但你不能忘记，你是生态环境的剥削者。志愿者不应该是他人强迫出来的，但应该是每一个珍惜生命与健康的人，自己从心灵上逼迫自己所做出的本能与行动。你不能总是把行动寄望于他人，而忘记自己……

　　一个人的力量是有限的，但社会早已把环保组织纳入了视野。参与环保的社会力量，必然会越来越壮大，其推动公众参与的力量，功不可没。

敲钟的老康

环境监测数据保密，隐瞒得了数据隐瞒不了霾的存在；监测结果公开，说出了实情，赢得了人心，还换回了公众行动。霾来了，其实，霾自古就有，只是过去的霾，没有现在这么严重，人类也没有真正认识到它的危害。从对它实施监测到实施有力防治；从监测PM10到2013年开始监测PM2.5；从监测数据对公众保密到监测数据实时公开，历经数十年。因此，与其说霾来了，不如说生态环境走向精细化管理的时代到来了；与其说雾霾突然上升了，不如说，生态红线划定了污染排放的法规底线；与其说保护环境制约了发展，不如说，生态环保保住了发展所追求的百姓福祉；与其说霾慢性杀人比虎狼还有过之而无不及，不如把恐惧与牢骚变成行动；与其说公众生活加大了碳排放，不如说觉醒的政府与公众在确保生存所需的前提下，正用法规制度与道德良知，各司其职，开始对霾毒展开有效控制、积极防范、统筹治理。

三十三

从A市回C市的第二天早上，大侃拉着盼姐一块儿，来到我家。他们说要拉我去认识一个人，一个有背景的神人。

我说："世上哪有什么神人，是神人还能在C市这个小地方待吗？早

144

去华盛顿了。"

大侃说："神不神先放一边，你写环保小说，他应该是最好的正反两方面的双料主人公。"

"他在哪儿？是干什么的？"

盼姐抢过话茬，"我也不认识。大侃说他在六十五中学上班，专管敲钟。"

在盼姐和我说话的一刹那，我突然发现，盼姐的眼神里，添挂着几丝忧伤。盼姐似乎怕我看出她眼神中的内含，半笑着补上一句话："那大仙是大侃的远房亲戚，还指点过我，让我去城乡接合部去找丢失的老猫。认识他，你会收获意想不到的素材。"

素材就是诱惑，我和盼姐同时上了大侃的车。

当、当、当、当……十声钟响告诉我们，车到六十五中学了。雾霾茫茫之中，敲钟的瘦巴男人，手执一根小擀面杖长短的铁棍，站在钟前，正等待着预备上课钟后五分钟，再敲正式上课钟。每天早晨都是这样。没等介绍，我第一眼就认出了那个敲钟的人，我早就认识他，五十岁的年龄，六十岁的形象，他姓康，是E县有名的大仙、算卦先生。老康似乎不愿认我，他在抢着和盼姐、大侃握手之后，借口到钟点了，扭过头，敲钟去了。

当、当、当、当……又是十声，靠在钟边，声音备感响亮。我看清了，老康敲的那个铁钟，其实是一片早年农村里让骡马拉着犁地用的半钢半铁的犁铧。这些年，农田因长期不施农家肥，施化肥过多，土质严重硬化，骡马犁地的历史也早已改成了机械化耕作，犁铧成了那个特定时代的古董与见证。六十五中的海校长生在农村，他是爱怀旧的人，也是有思想的一个人。在多数学校早于三四十年前就把上课下课的钟声变成了电动铃声的情况下，六十五中的钟声始终响着，这与海老师、海副校、海校长有直接关系，因为，从进校当老师，到当上副校长后，敲钟的事，始终是他义务承包了。几年前，在上级安排他到A市教育学院培训三年回来后，他发现，六十五中的老校长把上下课敲钟变成了按电铃。他二话没说，去找老校长。老校长说："钟也好，铃也好，就是按规则到点给人提个醒，用啥不一样呀，用铃还能省个敲钟人的工资。"

不久，老校长退了，海副校长由副转正，他第一件事就是把铁犁铧从学校杂物仓库中找出来，用油擦得又光又亮，照旧又挂回到校中心那两棵大杨树的横杠上。他的就职演说就是围着敲钟展开的，他给老师们演说道："教书育人，责任重大，必须警钟长鸣。老师教学生，就像敲钟，老师是铁棒，学生是铁钟，没有你他响不了，他响了，你的责任才是发挥到位了。你敲的劲儿越大，他就越响亮，你敲的节奏越快，他响得就越有声乐感。这一点，再响的电铃也替代不了。"事后，有人在背后悄悄说："坚持敲钟，改铃换钟，演说讲钟，都是他三舅出的主意，海校长本人没那么多心计。另外，海校长改铃为钟，主要目的是要安排他三舅就业。这也算以权谋私吧？"但后来的事实证明，有些事说得对，有些事情，根本不是别人议论的那个样。

三十四

天空中一点风丝都让人感觉不到，没有风，雾散不去，霾越积越厚。但这并没有影响六十五中要在室外正常开展的各项活动。早上，教研室陈冬梅主任向海校长建议："雾大霾重，按上级要求，应停止或减少户外活动。"海校长说："还有没有规矩了，定了的事哪能说改就改。知道有雾早干什么去了。照常进行。"

"这可是您三舅说的。"

海校长扭头看了一眼陈主任，又重复道："照常进行。"

六十五中是省环保厅、省教育厅挂牌的绿色学校。围绕倡导低碳环保、绿色出行和同呼吸、共奋斗，学校里每年都搞几次有声有景有事有色的文化体育活动。学校师生自编自演的讽刺污染环境行为的小品，还多次在市委宣传部组织的彩色周末活动中登台演出，中央电视台都有过专题报道。这两年，C市雾霾越来越严重，尽管市环保局通过开展从娃娃抓起的多种多样的宣教活动，已使环保知识深入人心，但从家庭到社会，很多旧习仍在无心无意中支持着污染，许多旧习也在延革与言不由衷中支持着雾霾发挥着各种伤害作用。

六十五中要开展的以打赢雾霾治理百日攻坚战为背景的"汉语听写讲大会""成语英雄作文大PK"和"讽刺与幽默故事会"，就是该校经过两个月充分准备，确定从立冬这一天开始展开的。事先，谁也没想到，立冬这天会有雾霾来，寒流加霜又加霾，但丝毫没有影响活动的质量与效果。虽然比赛一开始就出了点令人不悦的小插曲，但用海校长话说是"无关大局"。

比赛在学校大操场上举行。操场上按高中低，横看成伍，竖看成行，五颜搭配，红头绿尾的次秩，彩旗在雾空高展，音乐飘荡。主宾席正前方，并排的24张课桌摆放在红地毯上，看上去比主席台布置得还要风光，这便是考生席。千余名学校师生员工，几乎全都到场。此时，谁也没太在意敲钟的老康来没来。但大侃看到了，在学生队伍的后边，老康找块砖头，坐得稳稳当当。

三场比赛预定分三天进行。主考官是学校教研室冯主任，还有三名裁判，是从A市和B市请来的汉语学专家，以示档次和公正，以壮声威。今天的比赛是汉字听、写、讲比赛，要求考生以按键抢答方式进行。一要写出词组，二要解答词意，三要举例深入讲解。

首场上台的六名考生，手执红外线抢答器，紧张地对准了考官桌上的显示器。

主考官宣布，各位考生在听清题后即可抢答。如有问题，请先举手，经主考官同意后，方可提问，如有违规，要给予处罚，每次扣五至十分。具体每次扣多少分，由主考官裁定。如有争议，由主考官和三名裁判依据自由裁量权一起商定。如果再有争议，请海校长终定。

"考生请听题：雾霾。"

主考官的话音刚落，一个壮头壮脑的男生，没有举手，就大声直接对着主考官问道："这是词组吗？是刨个坑把雾埋起来的意思吗？"

"哈哈哈、哈哈哈……"场上笑成一片，有的学生笑得都前爬后仰了。

"雾霾是怎么回事儿，这小子还装不知道呢！"

"太幽默了。"

"违规了，应该先扣……"

还没等主考官把"扣"字后边的话说出来，胡副校长突然站起来，用手推了主考官一把，并凑近他的耳边，悄悄说了几句话。主考官随后若有所思地开始纠正他刚才要表达的意思。

"违规的考生请不用担心，其实，咱们考题的雾霾原本不是词组。雾是雾，霾是霾，根本不是一码事。雾是空气中的水珠，霾是空中悬浮的各种烟尘。烟尘与雾水珠结合，才产生雾霾。雾通常为白色，而霾很是十恶不赦，它发黄。因此，这个词组过去没有，现在才有，将来作为追忆或是记录历史，肯定会写入词典，世代流传。今天的比赛，由于我们对同学们知识面的了解和考虑不周，所以造成刚一开场，就差点误罚了那名机智的同学，请大家原谅。根据胡副校长传达的海校长的决定，上午的汉语听写讲大会，择日再进行。大家说好不好？"

"好什么好，定好的时间、定好的比赛、定好的规则，怎么你一句话就变了，还有没有严肃性？"

"我们要求继续比赛，我们要求按规则对违规赛手实施扣分。"

……

看到考场要乱，坐在主宾席前排中间位置上的海校长站起来说道："主裁判的决定是十分正确的。今天上午改为成语英雄作文大PK吧。"这时，人群中仨一群、俩一伙地开始了热烈的咬耳朵活动。

"违规提问的那名男同学，是教育局长的儿子。刚上来就罚他分，他得不上奖，这学校教育质量还上得去吗？"

"规则不都是人定的吗？改就改呗，反正也死不了人，干吗惹顶头上司不高兴。过两天局长问起这事儿，咱海校长也下不来台呀！"

"散了吧。海校长一贯办事我行我素。说好了副校长的分工三年一调整，都五年了，他也没变，肥瘦不均，管招生的副校长快被双规了。"

"你是看上灰色收入了吧？同在官场多数人没这个机会。"

"行了，行了，别扯太深了。主考官和裁判有自由裁定权，校长有一票定夺权。就这样吧。"

……

按照海校长的最终决定，比赛活动间休半小时，进行场地调整，更换考生，让大家喝水、解手。海校长待众师生解手后，最后一个去了卫生间。他看见，在厕所迎面的门上，贴了一张纸条，海校长看后差点气晕，"校长同志：靠拍马屁是能升官还是能培养出有责任感、有守则意识的一代新人呢？请考生抢答。"

成语英雄作文大PK比赛开始了。六十五中所有中学生，通过班与班比、级与级比、组与组比，横向比、纵向比，男生比、女生比和男女生混比，终于选出24名作文高手，像电视节目《非诚勿扰》中的24位女嘉宾一样，英姿勃勃，登台上场。与电视节目不同的是，24名男生女生，清一色是淡妆，没有一人是涂抹红嘴、改鼻换面、装腔作态、模拟演员、咋咋呼呼、忘乎所以的。

作文比赛是一篇命题作文，要求考生抢答并现场口述。按24分至1分标准，先答多加分，后答少加分，有答就加分。考生口述作文后，由主考官和裁判老师现场打分。

主考官宣布的作文题目是《四维不张》。主考官解释："四维，旧时指礼、义、廉、耻。维指纲绳，引申为纲领。张是展开，推行的意思。四维不张，意思是不能伸张，比喻纲纪废弛，政令不行。用今天的话说，就是比喻法律、规则、制度如没人遵守，不但不能产生正能量，而且会使和谐社会受到冲击。"

为帮助考生展开创作思路，规范答题方向，学校以环保一事为例，给每名考生发了一份作文背景素材。素材的主旨内容是：有兄弟两个在父亲的传教下，学会了用硫酸搞小电镀，由于违法排污，使村里的水源、田地、空气受到严重污染，很多人，包括违法致污者的家人都受到伤害。其父临死前幡然醒悟，求子弃恶，但兄弟俩已受利益诱惑，不能自拔，最终，亲情泯灭，众诽如仇，一天深夜，公安环保联合行动，现场执法，抓人封厂，违法人受到自罚与法律惩罚。

据海校长个人讲，考题是他夜里加班，苦思冥想出来的。

24名考生拿到背景材料后，个个都像胸有成竹，并跃跃欲试地等待主考官宣布开始抢答的口令。但考生们失算了，此次作文考试，远远没有他想象得那么轻而易举。

"请24名考生把双手举起来。"听到主考官的话，24名俊男靓女，好像根本没听懂主考官的话一样，除几名考生举起右手之外，多数考生根本没有举动。

"大家不要误会，请把双手举起来后，我再宣布作文体裁和形式。"24名考生这才举起双手。主考官宣布，第一轮作文大PK，要求考生依照背景材料，现场用成语口述一篇作文。认为自己答不了的，可以放下双手弃权。经主考官这么一说，24名考生，立时有3名放下了双手。

主考官又加一句："每个成语之间均不许加成语之外的任何串联词。"又有3名考生放手。

"成语必须是四字成语。"又有3人放手。

"每句成语的第一个字必须是数字。"主考官的这句话很厉害，场上放下双手的，仅这一次就有12人。

主考官抬头看了看剩下的二男一女3名考生。然后，又慢条斯理地增加一句："必须用65个成语表达完整意思，一个不许多、一个不能少。

因为，6月5日是世界环境日。同时，六十五，也是我们的校名。"又一名男考生放下手，只剩一男一女两名考生了。

"文章开头第一段的成语叙述，还必须以一二三四五六七八九十百千万亿为序。"还没等主考官讲完这句话，那名女考生的手，先左后右，在半空中沉沉浮浮试探数秒后，也无奈地垂放下来。

"连最能编的校花都放手啦。金不换这小子会有这么大的学问吗？"

"改革之年，新鲜事儿多，先看看吧！"

"请工作人员准备录音，请速记人员拿好笔纸，请各位考官集中精力。请问校长还有什么要求吗？"校长伸出右手，在空中比划出一个向前一推的动作，没说话。

"好，请考生开始成语英雄大PK。"

众目之下，考场上唯一还举着双手的男考生，不慌不忙地照举着双手，开始作文答述：

"一夫得道，二缶钟惑，三人成虎，四方添忧，五方杂处，六亲同运，七窍生烟，八拜为交，九曲回肠，十里洋场，百虑一致，千思万想，万贯家财，亿万斯年。"

"好。请考生放下双手继续答述。"主考官大声喝彩提示后，男考生放下双手后接着PK。

"三更半夜，四乡八镇，一拍即合，二仙无道，五毒俱全，一见烦心，五日一风，十日一雨，一年半载，百孔千疮，六月飞雪，七损八伤，九霄云外，千云蔽日，万顷碧波，五颜六色，三灾八难，一言难尽，五脏六腑，五毒俱全。一年一度，一钱如命，万目睽睽，七言八语，千言万语，四面楚歌，三尸暴跳，四脚朝天，一瞑不视，二虎相斗，百思莫解，一意孤行，六道轮回，十恶不赦。五更三点，二话不说，一网打尽，一扫而光，一败涂地，一去不返，二罪俱罚，九死一生，三亲六故，三省吾身，万箭攒心，四离五散，一言出口，一字一珠，一乱一治，一语破的，百万貔貅，四维不张。"

考生语毕，场上场下，掌声雷动。

这时，一位在现场看热闹的老汉感叹道："现在孩子们上学可真不易，考试题也太偏太难了。"

"报告主考官，考生多答一个成语，请裁定考试成绩是否有效。"

"最后那个成语叫压题。别难为孩子！"

正在大家热烈鼓掌、欢呼、庆贺，并为考生说话的时候，众人发现，答题的男孩，突然哭了，而且哭得泣不成声。他是激动吗？他是感动吗？众人猜测着，猜什么的都有。此时，真正明白原由的，除去考生本人，恐怕就属坐在人后的大仙老康了。

后来听说，颁奖大会上，那位叫金不换的同学坚决拒绝接受校长颁发的奖状和奖学金，并冲出人群，朝宿舍方向跑去。比赛第三天，教研室主任告诉海校长，全校约有五十几名学生，因患呼吸系统疾病不能来校正常上课了，其中包括各班选送的5名要参加汉语听写大会的选手，比赛被迫延期。阴错阳差，我那天因陪老康说话一夜未睡，白天被迫失邀补觉，结果倒成了正确选择。

三十五

从学校回家的当天夜里，我正在看电视，门铃响了。我打开门，见是老康。他手里拿个信封，正神兮兮地站在门外向我又是点头、又是神笑。见我不语，他扑通一声，就地跪倒。

"兄弟，我是给你退钱赔礼来了。"

我突然明白老康在学校见面时，为什么总是有意回避我了，他找我退钱赔礼，是因我亲戚上过他的当。

那是四五年前，我一个亲戚得了癌症。听说老康有道，我便陪着亲戚到E县找老康去救命。老康让我亲戚在一张纸条上写了个字，写的啥字，没让我看，老康说："不能破了风水。"

老康用一个发黄的打火机把纸条点燃，然后，用手举着，在空中划圆转了三圈。纸条燃尽，老康趴我亲戚耳边嘟嘟囔囔说了几句话，然后，又大声说："回去准备吧，只要你记住我的话，一切都会好的。"路上，我问亲戚："大仙说什么啦？"她说："大仙不让我告诉任何人，否则病就没治。"我劝亲戚别听什么仙道，还是去住院。亲戚半疑半惑，回去既不吃药，也没去住院，不到两个月就死了。后来我听说，亲戚家改日送了康大仙五千块钱，换来一条所谓的神符，结果什么仙力也没发挥，人没了。再后来，我气愤地又去E县找康大仙，见他家家门紧锁着，邻居说，老康进去了，要见他，等两年。

康大仙今天找上门来退钱赎罪，我尽管还是很生气，但人家又是笑脸又是跪地，一片诚意，咱该让步。我说了声："你起来吧。"便转身先回到屋里。

老康怯生生跟进、关门，若不是我说"你坐下吧"，他还一直站着，我看清了，他两腿一只在抖动着。

"大哥，我和您说实话。您那亲戚其实已是癌症晚期，我看过医院的诊断证明，根本没救。我当时头脑发昏，您就原谅我吧。我现在已经改邪归正了。"

得饶人处且饶人吧。其实我也知道亲戚的病是肺癌晚期，他受害，也是源于自己的行为不端，再加上老天不饶他。

老康很诚心，他不仅退还了五千块钱，而且按银行年息标准，加零补整，给了整整两千块钱的利息。我似乎被他的行为感动了，顺手给他倒了一杯凉白开水。我俩一直聊到半夜时，话题渐深。后来，老康在得到我不再向法院举报他诈骗我亲戚钱财的承诺后，对我说："你是好人。你不知道，我在公安局、检察院和法院，只交代了部分罪行，若是全说了，判我十年也不多。"

我问他："你不说，法院不会调查吗？"

他说:"老百姓不懂这些。你出钱找我消灾,我煽呼煽呼,碰上正如你意,你就得感谢我。碰上不如意,你也怪不了我啥。特别是癌症晚期的,我不让他对外人讲收钱这些事儿,人很快死了,根本没人来讨要、去告状。只要我不说,谁也不会知道。"

后半夜又过了两小时,我把老康的凉白开水换掉,给他单沏了一杯茶。老康开始给我讲起了他痛改前非前后的故事。

三十六

老康是C市E县农村有名的假大仙,懂易经,会算卦,会拆八字,还会看风水。

他经常手指家中墙上那张有一米多高的大照片当证明,吹嘘自己是国际著名风水大师谁谁谁的门生,是谁他不说。他标榜自己曾参加过国际易经峰会,并被授予"高级风水师"称号,有荣誉证书。他自诩能提前预知世间大事、人的生死,可帮助他人闯过生死关,重新获得幸福。如有恩师现场指点,他还能用仙术攻克癌细胞的发展,不用吃药,即可治愈。但很多被确诊的癌症病人,给老康送过礼后,求他请"恩师"上门,但直至病人相继去世,也没见他的恩师露过面。老康解释,全世界得癌症的大官比我们县的人口总数还要多N倍,费用少了,大师根本请不过来。

由于天地太小,又加之他的恩师从不露面,老康的能量持续多年也没有得到正常发挥,所以,他最多是帮人看看风水,预测一下灾祸。三乡十里,平日里每逢哪家儿女有定亲嫁娶、垒墙盖房、店铺开张等大小私情之事,都要摆桌酒席、送些礼金,请老康上门定时、定向、定位、定调。老康自吹,连当地火化场搬迁,也是先请他看了风水定位后才敢兴建。每当有人请,老康都会神神叨叨地穿戴整齐,然后抻一抻右脸巴子上特有的两根"猫须"，漫不经心地闪亮登场。临出行，他还不会忘记一件事，把一个黄色的旧打火机装到兜里，在自家门口用打火机点着两个二踢脚，不年不节的放炮，目的是广而告之，老康又出山有营生了。

老康虽从不明着坑谁，但他吃这碗半蒙半直的仙饭，背地里也常让一些明眼人议论是非。

老康的二姨父姓殷，与盼姐的父亲是担挑，早年还一起在盼姐家开过小电镀，后来回家单干，并把技能传给两个儿子，也就是老康的两个小舅子，还是双胞胎，大小舅子叫殷非，小小舅子叫殷埋。

老康的老丈人早年先去了，是闹"非典"那年。他先是感冒，后就没救了。老康破例免费给老丈人算了一卦，说是"非典"所致。其实，医院的诊断证明比老康说得复杂，只是老康把诊断证明装兜里，没直接说。回家后，老康还神神秘秘地对妻子说，是老丈人不该给老大起名带个"非"字，否则，也不会招致老丈人亡于"非典"。妻子似信非信，但心里总是挂着个阴影。还是有点信了。夜深人静之时，妻曾多次这样问老康，二弟的"埋"字不会再出什么事儿吧？老康安慰妻，不会。埋字用得好，可以把什么样的不祥之事都"埋"下的。妻这才心安。

说也巧，一晃十年过去了，两个小舅子虽都安详，但万万没有想到的是，龙蛇交班之年的那个雾霾除夕之夜，老康的丈母娘偏偏又突死零时。听说就是一口气儿没喘上来，当夜就死了。老康没在现场。

初一凌晨两三点钟，天阴地暗，老康接到小小舅子的报丧，和妻子摸黑骑车风风火火赶到丈母娘家。先是问些情况。两个小舅子都解释说，当时哥俩儿都在院里放鞭炮礼花，开始还看到娘站在窗边，打开窗户看热闹呢。哥俩儿像是和街坊们赌气一样，一气放了半小时的鞭炮。回屋一看，满屋是烟雾，比院里烟还大。是小小舅子先见娘仰面朝天躺在地板上的，地上还淌了一片血，明显是摔伤了头颅，已经不行啦。事儿很怪窍。大小舅子马上用手机打了120。急救车出发挺快，却堵在了一公里外的村口。原因是各家各户都想着在平房改造时多捞几间楼房，把个街道全都盖上了房子出租。晚上大家又都把私家车放在自家门口，头车不动，谁也进不来出不去。该娘倒霉呀，前后两个来小时，宝贵的抢救时间失去了，人死了。

殷家住城乡接合部，独门独院。平日里老康的大姐夫带着两个儿子，把大门锁得紧紧的，在院里偷偷做着小电镀的营生。电镀用的硫酸等化学药剂，把整个院子搞得气味刺鼻难闻，煤气四散，污水还从墙洞流向街面。不仅街坊四邻怨声四起，告状接二连三，老康的老丈人和丈母娘也深受其害。老康的大姐夫在去世前已经意识到违法排污的危害，又担心他死后两个儿子会因违法吃官司，决定不再干这坑人又害己的行当了。停了一段，老殷病了，兄弟俩就趁机又重操旧业。

小电镀投入不高，用个铁皮池子一架，煤火一烧，通上电就开干。公安、环保部门查封多次，挨罚多回，但罚得太轻，根本不顶事儿。加之前两年打击违法排污法规制度不够健全、不够硬气，环保执法几乎形同虚设，所以，殷家兄弟仍是不听父劝，死不悔改，只想挣俩昧心钱，给父亲治病、盖房子娶媳妇用。结果，钱是挣了些，但乡亲们都骂这哥俩儿干这一家发财众人受害的营生缺德黑心不干净，不会有好报。所以，三十多岁了，哪个也没讨上媳妇。更可恶的是，两兄弟不但自己偷着干黑心事，还拉上自己的表弟，在邻村又开了一摊子小炼油，干起了联合经营。时间不长，老丈人体质不支，"非典"一来，没能顶住。

老丈人死前就曾骂过两个儿子别再当"败家子儿"，劝儿子趁年轻干点正事儿。死前留下的最后一句话更让人刻骨铭心。老爷子两眼直勾勾盯着两个儿子说："我死了别用那赃钱给我买棺材，我怕到阴间阎王爷不收我，把我打入地狱，在村西口挖个坑，让我站着，埋半身、留半身，我要看着你们俩改邪归正再娶媳妇。"可骂归骂，营生却没停下来。

后来，老康的丈母娘也不明不白地患上了很严重的哮喘病，就怕见风见烟见凉见气的。年前有一次炒菜，被油烟呛了一下，就差点没了命，在医院又打针又输液，住到腊月二十三才回家过小年。哪承想，这大年三十的又不行了。难道是开窗户着了凉，人就死了？恐怕不足以服人。老康神兮兮的劲儿上来了。他在屋里屋外左右转，来回看了十来趟，还掏出打火机，借着光亮，把卫生间坐便下边的螺丝都摸了一番，也没找出个符合仙规的说法。只是看到有两只黑乎乎的口罩放在椅子上时，才多问了一句是干什么用的这么脏。大小舅子说，这是平时干电镀活时戴的，夜里放鞭炮时哥儿俩也戴过，火药气味太刺人。口罩下压了张医院刚给的死亡通知书：猝死。老康明白了许多。

忽然，老康借着窗玻璃，看到雾气蒙蒙之中，院内大杨树上有两个散了架的喜鹊窝。老康顿生疑惑。

喜鹊窝是两只大喜鹊十多年前忙了一春一夏一秋又一冬，东叼西凑忙了一年多才搭起来的。搭窝第二年，两只大喜鹊又孵了两只小喜鹊。不久，两只小喜鹊各自招亲，在老鹊搭窝的大杨树边上的另外两棵杨树上，也各自搭窝成家。父一辈子一辈，三窝喜鹊相邻而居，相互照应。每天太阳还没露面，喜鹊们便早早起来互致问候，呱呱呱，呱呱呱，很是喜气。当年老康和妻子结婚时，到老丈人家来接媳妇，老康还亲眼见到两代三窝喜鹊挺立树梢，呱呱呱，齐声道喜的情景。

尽管天空阴气雾霾，但天还是亮了。逢着过年，今天喜鹊们怎么还没出来拜年呢，难道是喜鹊们知道老丈母娘出事儿了？老康疑惑着。

这时，大小舅子阴沉着脸说："爹死前一年，就有一窝喜鹊搬了家。爹说是硫酸烧死那树造成的。闹'非典'，爹去世那几天，我们哥俩照习俗，按爹去世时的年岁，一气放了六十挂千头鞭炮，六十个二踢脚。没承想，二踢脚冲上天，有几个炸到了喜鹊窝上。一窝起火，还烧死了两只喜鹊。另一窝被炸破散，两只喜鹊连吓带呛，当天就全搬家了。"

老康听罢，如梦方醒。

天哪，这是伤了神灵了。冲喜必得丧呀！

"殷非呀、殷埋呀，这是咱自个造的孽呀！和霾也有关系呀！"

妻急问："你不说二弟这'埋'字没事儿吗？"

老康答："埋霾相克，不出事才怪！"

小小舅子一听老康这样说，急了，"爹死了，你说是'非典'造成的，娘又死了，你还不说是雾霾造成的？"

埋——雾霾——酸毒——烟毒——霾毒——哮喘——呛晕——摔伤——堵车……！老康的脑子里生出了一条生死链。"非典"不是人为的，这霾、这烟、这毒……老康心里这样想着，不由自主地打了个哆嗦。难道世上真有这么巧合的事儿？一家人都愣在了那里。

此时，老康的两个小舅子急了，"姐夫，你不是大仙吗，怎么早没算出今天的祸？你算一算，这样下去咱家还会出什么祸事？"

老康顿时无语。

办过丈母娘的后事，老康总觉得心里堵得慌。他无聊地追忆着自己当大仙二十几年的"罗曼史"，后悔自己在当上殷家姑爷后，没能事先卜卦出老丈人和丈母娘会双双有灾祸。更后悔不该对忠于自己的爱妻说假话，施仙话。他恨不得抽自己几个嘴巴，让自己变成真能事前先知先觉的诸葛亮，还了这半生的假仙账。

这天夜里，老康晕头晕脑入睡后，立马入了梦。他梦见一个长着大喜鹊翅膀的真大仙从天而降，送给他一本天书后飞走了。老康迫不及待地打开天书，上面的英文老康根本不认识。正急之时，忽然，第65页的汉字映入老康的眼帘：

纯朴才是真的高贵，生态才是美的魅力。生态环境与你们每一个地球人的生命相互定义、息息相关。当你们站在是要

158

无度追求金钱、破坏环境，还是要追求长远幸福；当你们是要沿袭旧俗，还是要健康欢乐的十字路口需要选择时，这个命题的严肃，已经让你们的无知吃尽了亏。它会让你们深切地感受到，在环保中所发生的道德、伦理上的种种病变，已使多少原始的生态与善良的心因被戕害而颤抖过、哭泣过。人啊人，千万不要成为一种复杂的、矛盾的，既能善行，又能自我作恶的两腿动物。充满无限潜力的人啊，快快尊重自然、珍爱自然吧！因为，大自然具有万物万有的多样性，它能赋予人类百福，但它也具有两面性，你们尊重它，它才会尊重和满足你们，否则，双刃剑会立即翻脸，失去的，还会再回来吗？

老康惊愕。大仙在天空飞舞着又向他怒吼道："你再看看12369页。"老康还没动手，天书却自动打开：

"非典"猛于虎，雾霾似癌魔。人算不如天算呀！哈哈哈……

当夜，老康的梦，一直持续着。天快亮时，他又做了一梦。开始是梦见两个小舅子干活时掉进了电镀用的硫酸池里，正烧得撕心裂肺地嚎叫时，有两只喜鹊飞来，把两个小舅子叼出了硫酸池。命虽保住了，但两个小舅子下肢双双致残，还失去了传宗生育的能力。两个小舅子遇难生急，一前一后把老康按倒在地，一边紧紧掐住他的脖子，一边恶狠狠地说，叫你骗我，我掐死你。"啊呀——"老康吓出了一身冷汗。

后来的一天凌晨，环保公安一起执法，抓了殷家违法排污的现行。但因老康的梦已变成现实，两个小舅子确已双腿致残，生活不能自理，最终因犯污染环境罪被判三年徒刑，缓期四年执行。老康也因犯诈骗罪被判刑两年，是实刑。但老康说，他犯事不是因小舅子这边的事儿。公安、环保当时不知道兄弟俩还与他人合伙办小炼油厂的事，是因为他小舅子的表弟那边又犯事儿后才引发的。

两年后，老康出狱，他和两个小舅子在痛定思痛后，真的开始了痛改前非。他亲手揪掉了右脸巴子上的两根猫须，砸烂了用过多年的那个黄色打火机，不再当什么大仙了。他和两个小舅子一起在村口菜市场租了个摊位，卖起蔬菜。老康和妻子腿脚好，骑着三轮车负责进货。两个小舅子坐着轮椅车，换班卖货，两年下来，挣了几十万元。他们还在老丈人家院里院外栽种上了几棵鲜花盛开的桃树，立马招来两只大喜鹊，不停地在桃树上空飞翔，像是想把家重新搬回来，又像是来殷家保亲的媒婆，呱呱呱叫个不停。望着欢叫的喜鹊，两个小舅子摸摸下身，经常发出撕心裂肺的悔叹："早知今日，何必当初啊！"

三十七

听着老康的讲述，我突然想起来，那天在六十五中开展的成语英雄作文大PK比赛上，发给考生们的那篇背景材料，与那名叫金不换的考生所叙述的由66个成语组成的作文，怎么与老康刚才讲述的故事是那么的相似呢？我向老康提出这个问题，他似有所难地说："为表诚意，您一定保密。"我点头，他告诉我："比赛题和比赛规则，全是我出、我定的。但对外讲，都说是海校长亲自干的。海校长是我亲外甥。他相信我。"

"老康，你喝咖啡吗？"老康摇头。

"有苦茶最好。"

"抽烟吗？"老康这次没摇头。他说："原来抽，从进监狱起，戒三年了。"老康说着，顺手从上衣兜里掏出一张纸，递给了我。上面密密麻麻，写满了芝麻粒大小的文字：

实验证明，吸烟污染空气：实验选在20平方米的室内空间进行，一台方形机器被置于房间中央，以实时记录室内PM2.5浓度变化情况。仪器稳定5分钟后，显示无烟情况下，室内PM2.5的平均浓度为0.052毫克/立方米。随后，针对二手烟雾的测试开始，吸烟人员开始在房内吸第一支烟。第一支烟刚刚点上，烟味便开始扩散，检测仪数字也瞬间由0.05毫克/立方米上升到0.07毫克/立方米，吸完时，距离吸烟者2～3米处检测到的PM2.5浓度达到0.251毫克/立方米，整个过程仅用时4分钟。而这个结果也大大超过我国室外PM2.5的国家标准0.075毫克/立方米。实验又对两支烟和三支烟同时点燃的情况进行了检测，同时吸两支烟检测到的PM2.5浓度达到0.648毫克/立方米，同时吸三支烟检测到的PM2.5浓度达到1.454毫克/立方米。此时房中烟味呛人，仪器数据显示PM2.5浓度也超标，那么是不是等烟味扩散后，相关数据会符合标准？

为了解答这个疑问，实验结束后，吸烟人员离开室内区域，室内未开任何通风设备，仪器继续测量，10分钟后PM2.5浓度达到1.13毫克/立方米，20分钟后PM2.5浓度达到1.035毫克/立方米，30分钟后PM2.5浓度虽有下降但仍高达0.872毫克/立方米。此次实验结果明确显示，二手烟对室内PM2.5浓度变化影响极大。

老康说，中央"两办"专门下通知，要求各级领导干部带头戒烟、不让在公共场所吸烟，我看不仅仅是从减少空气污染方面考虑，恐怕还有更深层的来头。

我点头。他微笑。老康喝茶。我也端起一杯白开水。

三十八

我俩一夜未睡，老康讲完他连亲戚一起骗的故事后，接着要讲他被抓被判刑的经历。我插话问他："你连老丈人和小舅子都骗，你妻子没骂过你吗？"

老康沉语片刻答："我告诉过妻子，咱不赚自家亲戚们的钱，但要防着他们向外泄露天机。说了实话，谁还给咱们送钱呀？妻表面上点头默认，但没想到，第二天她动真格的了。吵吵闹闹，折腾了一天，说我坑蒙骗人，得不到好报，闹得鸡飞狗跳，一直争执到快天黑了，最后终于达成了离婚协议。可当俩人到民政局办离婚手续，民政局已经下班了。回家的路上，在村西口，突然窜出来一条大狼狗。"老康说，"我一把就把妻拉到了我身后，结果妻安然无恙，我被狗咬了大腿。晚上妻心疼地对我说，就在你拉我的那一刻，我知道了我根本离不开你。"其实老康心里也明白，他离不开妻。可是，老康的欺人行为，还是时常引发妻的愤怒。为此，诡诈的老康和弱善的妻私下订了个合约：妻气急了时，可以提出离婚，但一定要等到天傍黑再提。

"为什么等傍黑提呢？"我问。

老康答："天黑了，民政局就又下班了。"说完，老康和我同时会心地笑了。

"但老丈人和两个小舅子出事后，妻几次威胁我要离婚。我也是多次跪地求饶才有今天。"老康告诉我，两个小舅子被抓后，妻和他吵了一架。这次她又怒气冲冲地翻脸了。她说："这次我绝对要和你离婚了。"妻说完，老康回头看了看墙上的挂钟，五点多了，老康担着的心又放了下来。但他还是担心这次妻是要和他玩真的。

晚上妻不做饭，还不让他上床。老康暴脾气上来了，好歹也是一家之主，怎么能由老婆摆布，他霸气地对妻喊道："只要不离婚，不吃不睡没关系。"说完，他自己先乐了。

"后来呢？"

"涛声依旧了。"

"你挣来的钱，你妻子全清楚吗？"我有意避免面对面的尴尬，故意把"蒙骗"表述为"挣"。

"当然不是，我也是经常藏些私房钱，偷着去按摩、泡脚，有时也和邻居们顶牛、推牌九、扎金花。但我从未因此被妻抓过、罚过。我每次藏钱时都写张纸条，写上给老妻的压发钱、生日礼物钱、美容费等，老婆每次发现了，不但不会发火生气，还被感动得稀里哗啦流泪。"老康讲得很是得意。

说到得意之处，老康告诉我："其实我很怕她，我怕她揭我的老底，我怕她离婚，我更怕她那火爆的脾气。"

老康告诉我，前几天他和她刚刚过完结婚20年纪念日，在燕青饭店请客吃饭时，有个亲戚问："您二老结婚这么多年，从来都没吵过架，是怎么做到的？"老康战战兢兢地回答道："当初，你大姨嫁进门那天，家里的狗因雾大没看清她，对着她吼叫，她平静地说，这是第一次。没想到，第二天又有雾，狗又对着她吼叫，她说，这是第二次。第三天雾还没散，当狗又对她吼叫时，她抄起菜刀就把狗砍死了。我急了，对她吼道，你神经病啊？她平静地看着我说，这是第一次。"

我听后，不得不笑，但马上提醒他讲讲犯事儿的经过，这才是我最关心的。"那天犯事全怪我不够谨慎，不识时务，指挥不利。不然，要不是把事闹得太大了，我也不至于被揭底、判刑。"老康一边若有所思地回忆着，一边又叙述开来。

三十九

自从三十年前E县勘探出了石油，夜间偷石油就成了当地仨一群俩一伙的营生之道。偷了原油没处去卖，小炼油厂随之诞生。老康的外甥有个姑表弟，叫童欣，是和殷非和殷埋合伙营生的哥们儿。因为每天穿一身脏得不可救药的衣服炼油，被人戏称油葫芦。炼油厂就开在自家的承包地边上。一个灶膛、一口大锅、三个油桶，连个厂棚都没有，就干上了。别看设备简单，但很是来钱。炼油本身占地不多，但废油遍地，经雨水冲带，足有半亩地，寸草不生。周围的沟沟塘塘，全是炼油剩下的沥青、煤渣。塘边的树，死了不下千棵。白天不干晚上干，一点火，一刮风，满村乌烟瘴气，臭油烟子味时常让人咳喘不休。

几年前的一天，两名自称是电视台记者的人深夜来访，又是录像，又是取证。把油葫芦吓得够呛，跑来向老康讨教应对招法。

老康问："他们录像后怎么说？"

"说是给钱可免灾，不给钱明天上《焦点访谈》。"

"要多少？"

"十万。"

"给那么多，我半年白忙活了。"老康眼珠一转，计上心来，"肯定是假记者，真的不会明着要钱。"

"那怎么办？"

"打他王八小子。"

油葫芦给老康交上两千块"咨询费"，找了仨哥们儿，抄上铁杵木棒子，二话不说，把两名记者打得东逃了一个，西窜了一个，还把摄像机给砸瘪了。等天亮了油葫芦才看清楚，那摄像机是塑料的，根本

164

没有镜头。事后，好长时间，风平浪静，油葫芦便买了好酒好菜，又专程到老康家答谢说："康叔，你就是大仙、神算，那俩人真的是来敲诈的假记者，不然，早把公安招来了。"说着话，又给老康补送五千块钱奖金。老康假意推辞，油葫芦说："您这一句话，让我省下十万，该奖您的。"

又过一段时间，油葫芦那儿又来了两名记者，照样是扛着和上次那两名假记者扛的外表一模一样的摄像机，身边还跟着两个年轻人。油葫芦见后心想，又多来了两个，人少了怕打不赢啊！他用手机打电话悄悄告诉了老康。老康说："多找人。方法照旧。"老康坐两年牢，就是因为"方法照旧"这四个字和那七千块钱。油葫芦一杠子下去，摄像机不但没瘪，还把他和另几个哥们儿殴打记者的场面全录了下来。结果是以妨碍执行公务罪、故意破坏公私财产罪、故意伤害他人罪，数罪并罚，被判刑八年。老康怕我听不明白，解释说："那时候环保法还没有今天这么严，污染环境没有直接造成人体伤害的实例，判刑无法可依。若是现在，至少判十年。"油葫芦故意伤害他人，支招的人是老康，加上老康还收过赃钱，虽然进去后没有群众揭发他诈骗，但也是两罪并罚，判刑两年。老康自认便宜，赶紧伏法。

出狱后，老康借助过去骗来、唬来、诈来、蒙来的钱，和妻子及两个小舅子租摊卖菜，几年下来，家底攒得还很殷实。

"怎么不卖菜了？"

"虽然有钱有吃有喝了，但我心里总是感到愧疚与不安，日子过得挺纠结，也很担心。"

"担心什么？"

"我表弟是医生，听他讲，一个人生病最重要的原因是心态不好，忧虑，苦闷，焦躁，纠结，这是最容易让人生病的。包括癌症，癌症病人患病之前往往有一段忧郁的时期。所以，我想尽快解脱这种天天自责与纠结的生活。"

"那你准备怎么解脱？"

"一年多来，我已退还13人四万余元不干净的钱了。"话至此，老康抬头很不自在地看了我一眼，接上说："不包括你亲戚这份。我还向环保志愿者协会捐了三万元，支持他们开展大气污染治理爱心奉献活动。我还主动到我外甥的学校，做敲钟的义工。我想天天用钟声为环境污染行为报丧钟，向污染治理行动发警钟，提醒人们保护生态环境，尽快减轻雾霾侵害。"

"义工？不要工资吗？"

"是的。是我主动找海校长要干这差事的。我不要学校一分钱报酬。我是在给自己洗罪。每周一至周五，每天从早晨起床开始，出操、下操、洗漱、早自习、吃早饭、预备上课，直到晚饭、晚自习、预备熄灯、熄灯，加上中间每天6节上下课，正好每天敲钟24次，每次敲12下，共计每天敲288下。"

我略算了一下告诉老康："你可能算错了，这个才23次。"老康又开始从早向晚捋着数起来。"噢，我刚才忘了在下午放学时敲的那次安全警钟了。"老康解释说，"有些同学不住校，有骑自行车的，有家里人开车来接的。这遍钟主要是提醒大家半路上别闯红灯。我每天坚持按点敲钟，没误过，我要争取用好的规则，好的心态给自己养生。也希望通过人们的共同觉醒，用法律、用制度、用规则，让地球得到养生。"

"你为什么把悔过选在了学校？"

"学校是教书育人的地方，学生也是国家的未来。过去污染的，除了恶人恶行之外，有好大成分，也是社会经济发展的结果。像我、像我姐夫、像我外甥这样的人，如果都觉醒了，都从善了，都按法律、规则办事了，剩下的污染，也就好治了。"见我端杯给他递水，老康礼貌地喝了一口，接上说，"一个时代有一个时代的使命，一代人有一代人的责任。一个时代的一代人，都该做好应该做好的工作、承担应当承担的责任。什么是责任感？这个只有你在社会生活中，对自身的社会角色，以及应当承担的责任有所认识和有情感后才会体验到。增强责任感，才会弃恶扬善。在我们这一代，环境出了问题。我们可以从现在开始，用法规、制度来保护与治理。我们也可能会把没完成的任务交给下一代，但我们不能把下一代培养成像我原来一样，无视法规制度和见利忘义、规避责任的人，那才是悲剧。"

天亮了，开了一夜的灯还没有灭。我正要向老康寻觅他讲的规秕、规瘪、规避是何意，他站起身，说了句"我该赶回学校敲钟去了"，便告辞了。

老康走后，我忽然想起来，六十五中今天上午还要按计划开展比赛活动，但与昨天不同的是，今天我不是被盼姐和大侃"扯"着去，而是海校长专门下了请柬的。聊天没困停下却困了。我把手机关了。睡了。

四十

世间的事就是这样，没有永久的仇人。我和老康产生了"一夜情"之后，他几乎成了我的常客。一个周末的晚上，他又来了。他进门就解释说："今天我专程来和你谈一件事。"

我说："别急，你先坐下。"然后，我直接给他沏了一杯热咖啡。

老康坐下来说："有件事我很是生气。我亲外甥女婿，在E县环保局工作，前两天因为他手下人受贿被县纪委双规了，他也被叫去配合调查，后果难测。"

接下来，老康告诉我，他最怕他那些吃官饭的亲戚犯罪犯错误。他早年就以"不听我话会丢饭碗"威吓外甥，鞭策他要机灵、要有特点、有特长，真能担起责任，否则，会遭天谴。吓得海校长半辈子，什么事儿都听他的。话至此处，我提醒他，快讲事儿吧。于是，老康开始像讲故事一样有声有色地给我讲起了事情的原委。

社会是发展的，文化也是发展的。祖先用了几千年都没有感到不方便的东西，到了现代人这里就抛弃了的事情多得很。祖先点油灯，现代人用电灯；祖先坐轿子、坐马车，现代人坐汽车飞机。国家需要革新，现代人交流方式同样需要和正在革新。

信息时代，手机短信大面积替代了书信往来，甚至冷待了座机。男男女女，老老少少，不会用电脑上网的人仍有不少，但远隔万水千山，会用手机发短信，从而把天涯海角的亲朋好友拉成零距离的人太多了。

用手机联络感情、联系工作、邀客吃饭、传信儿约会，只用一两个字的回复，就可把千言万语的意思表达到。不算数不清、堵不尽的垃圾信息，一年到头收发个千把条正道信息，早已不算鲜事。

"马队长，上午我晚一会儿到单位，儿子拉肚子。"徐八荣短信。

回复："好的。"

"二哈呀，今晚六点白鹿原二〇六雅间见，别失约呦。"郑前短信。

回复："好的。"

马队长就是老康的亲外甥女婿，是县环保局环境监察二队的大队长，全名马二哈。大哈是谁，二哈也没见过，听奶奶说，过去听马季说相声，有个祖先叫马大哈，听着好玩，就让孙子排着叫上了二哈。二哈是收发短信的高产户，每年绝对不下万条。

其实，老康讲的这位马二哈，就是的哥郝大侃梦中在一起工作并当正副搭档的马二哈。

二哈回复短信与众有同，多是两个字："好的"。简单、明了、快捷。"好的"用多了，有时也闹出笑话和误会。

有一次，有个违法偷排污水的企业老板为了堵二哈的嘴，发信息说："我送你五万块钱，你放我一马。"二哈当时正给局长汇报工作，手指头一摁，固定了格式的"好的"发出。结果，直到送礼的真的上了门，他才"哎呦"一声，毅然拒绝，差点背上个受贿的罪名。为此，有人和二哈开玩笑：你那"好的"，可以申报汉语回复吉尼斯世界纪录了。二哈哼一声道："好的。"

二哈这些天工作很忙，带着人在乡下查堵非法小电镀，遏制违法排污排酸。其中有一处敏感点，已经把三五个村连片的水源地糟蹋得不成样子了。

徐八荣是二哈的副手。曾用名叫徐王荣。全社会倡导"八荣八耻"那年，为跟时髦改的名，自吹是兴荣反耻，实际上他有时是荣辱不分。有人背地里给他起个外号：糊涂八。

郑前是马二哈的同学，村里人明着称他地下企业家，暗地里有人给他起了个日本名字：绝孙断子郎。正是因为郑前偷着在自家院里违法搞小电镀，往地下偷排偷放，才有了那几个村地下水连片污染的事实。

二哈因工作连轴转已经三天三夜没回家了，和妻子的联系也是短信交流。很多时候，妻子发来短信，马队长正在给违法企业做笔录，也是连看一眼信息都没顾上，就直接把那条备用的两个字回复了。

上午十点，妻来短信。

"二哈，今晚能回家吗？我仙舅说给你算一卦，看你什么时候能当局长。"

"好的。"

"我仙舅还说，宁可去骗钱花，也不能在官场受贿。现在考个公务员难死了，今年A市报考人数与录用人数是258比1，珍惜吧！"

"好的。"

"二哈，小哈哈拉粑粑了，你晚上回来吃吧！"

"好的。"

小哈哈是妻为家里养的一只京巴狗起的宠名。妻明白了，二哈肯定忙死了。看着"好的"，妻噗嗤一下自己笑出了声。

马二哈虽然名叫"二哈"，其实办执法的事一点也不二、更不哈。啥事该干不该干，啥饭该吃不该吃，啥友该交不该交，很有原则性。为此，不仅全局上下对他十分敬佩，马年初春，二哈还被省环保厅评为环保执法先进个人。

在有省领导参加的表彰大会上，二哈站在主席台上，放开喉咙讲道："环保从严执法，已经被架上了清廉执法的高压线，退不得、碰不得。作为一个小字辈，我们永远成不了拯救世界环境危机的英雄。但我们谨守正知、正行、正念，可以高声回应社会：作为环保人，我半生未曾不仁不义、不善不正。我盼望为下一代看守和守望未来，让我们每一名环保人生活在尊严、自由和快乐中，活出我们梦想的精彩。"

掌声自然不用说了。回家后，妻夸他："好的。我仙舅说他早给你算过了，早晚能当上局长。"

二哈是执法英雄了。郑前在同学聚会时不软不硬、不阴不阳地夸奖二哈："好的、傻的。"

碍于面子，逢年过节郑前组织同学聚会，二哈有时工作不忙也去。但自从听说了郑前违法排污的事儿后，二哈总是找茬回避。他不愿吃他那赃钱换来的饭。

其实二哈也明白，郑前的非法行为，全是靠有他二叔这么个后台，没人敢管，否则早被灭了。他二叔是县财政局负责给党政机关拨发款项的副局长，别说环保局，就是再有权有派的单位也让他三分。

下午四点，妻又来信息了："二哈，中午徐队长带你那个姓郑的同学来家里送了一大纸箱子半生不熟的甜瓜蛋子，还反复叮嘱上边的不熟底卜的熟，千万别送人。他们走后，我看到箱子底下还有两万块钱。"

二哈先是一惊，他担心的事可能真的发生了。

上午，二哈去市里开会，走前安排徐队长带几个人去查封郑前的小电镀。他知道徐八荣这个人手脚不太干净，爱占小便宜，而且吃了拿了人家的后，办事就没个分寸。所以反复向他交代要依法办事，不留情面。

二哈看过短信，立马拨通了徐八荣的电话。

"徐队，郑前的黑企可是群众多次举报，上级环保部门领导有批示，明令要立即铲除的，咱执法可不能含糊啊。"

"马队长，我们上午去查了，他最近根本没干。"

"那送的什么瓜？"

"你回家一看就明白了，都是哥们儿弟兄老同学嘛。"

二哈一气之下，不冷静了。

"放屁，你这样干，早晚会出事儿。我劝你快找纪检室把事儿说清楚。"

二哈放下电话，马上又给郑前发了一条短信："钻进钱眼很危险。把箱子取走。回头是岸。"

一个多小时，郑前也没个回音。

晚上六点前，二哈先是回了趟家，后又去了趟局里，再后才去赴约。

到了白鹿原饭店，已是七点有余，二〇六房的客人他居然一个都不认识。一问服务员才知道，上午订餐的郑先生中午在这里和几个人喝高了，晚上过点了没来人，饭店已经把包间让给其他客人了。

二哈站在饭店门口暗自疑惑着，正想给郑前打电话问明原因，手机蜂鸣两声，短信来了。

"马队长，你在哪里，请你马上去县纪委。我等你。"

二哈又是一惊。信息是县局一把局长发来的。

"好的。"

二哈回了短信，开车直奔县纪委。

出事了。出大事啦。

二哈到县纪委一看，那阵势有点吓人。局长偷偷告诉二哈，"你那姓郑的同学中午喝酒大醉，开车撞伤了人，交警办案给他做笔录时拔出萝卜带出了泥。徐八荣涉嫌受贿已被双规了。你看你……"

二哈听罢，激灵一下，心想，今天这事要是让祖先碰上可就坏了，没汽车、跑不快，再没这信息举证，谁能帮咱洗丑啊。

二哈正欲开口解释什么，环保局长和县纪检监察局李局长的手机同时传出收到信息的鸣响：

"两小时前，马二哈把一纸箱甜瓜和两万元钱送到局纪检室，他说是一个叫郑前的同学送他的封口礼。请组织对他的执法情况进行调查。"

信息是环保局纪检监察室的白主任发来的。

当晚，县纪委让马二哈停职反省，配合调查，听候组织的调查和处理决定。

老康正讲到此处，他的手机响起来。手机那边传来了一个女人的声音："仙舅啊，您别跟着着急生气了。刚才县纪委让二哈回家了，说是经调查，他是清白的。局长让他明天上班，正常履职。您算的就是有准儿。"

放下电话，老康长长舒了一口气。然后看我一眼说道："你先休息一下，我发条短信。"不一会儿，我的手机传来有信息的响声，我打开查看：

渎职的人最容易被问责；渎法的人最容易受到法规的追究。

走好自己的路。

短信落款是：爱你的仙舅丈。

"老康，你把信息发给我了。"

老康说："哟，我发错了。"

我说："也不算错。你再发一次吧。"

172

四十一

今天是个大晴天。在六十五中操场边上，我第一个见到了盼姐。我发现，深藏在盼姐眼神中的忧伤依然还在。我不由得直截了当地问了盼姐。盼姐悄声悄气地告诉我："老猫死了。"

"怎么死的？"

"霍副局长的夫人上周末和儿子一起回国了，还从日本带回几大袋冷冻食品。好像她知道她不在家时，老猫受到过什么委屈一样，晚上回来后，抱着老猫又是亲又是跳。然后，把老猫抱回家，一晚上竟让老猫吃了不下二十个大饺子。第二天早起，她用哭腔给我打电话，说老猫死了，可能是撑死的，也可能是日本的饺子有毒。她正准备找个地方去化验一下。我说，不会是你们从福岛带回辐射了吧？她说，这我不懂。回国前，在日本看电视，叽里呱啦的我也听不懂，也从未听说过福岛的辐射有什么危险。但有一个传闻很令人生畏。说是日本福岛核泄漏后，突然有一群来路不明的野猪闯入当地。当地人把野猪抓住宰杀后才发现，野猪已受到了严重的核辐射污染，猪肉根本不能食用。我说，前几天中央电视台还说福岛的辐射物已经危害到美国了呢！她说，那倒是好，他们总在一起搞小动作，留点教训也好！"

说到教训，正好赶过来的大侃问盼姐："日本上层不守规则，没有信义，折腾钓鱼岛，野心很大呀。霍夫人讲过什么没有？"

"她说日本人的环保意识很强。但他们都夸中国人善良。其实，言外之意是中国人的钱好挣、人好骗。"

"中国人在国际上就是太善良、太友好、太容易上当。两国说好了把钓鱼岛问题搁置争议、留于明天，但他跟他妈农夫救的冻蛇一样，活过来就咬人，什么东西！"大侃忍不住骂道。

"现在咱们国家也应该改变一下策略，把治霾的钱先省下来，造武器，打他个狼心狗肺的东西。"

"钓鱼岛问题也好，大气污染问题也好，都不能搁置了，丧失领土没法向后人交代，留下无法生存的环境，也没脸交予子孙。德行醇厚，器量弘深一点，制止侵略与防治雾霾并重吧！别以为善良是被人欺负出来的。"

"你说得对。其实咱中国人也不是百分之百人人都那么善良，否则的话，这么多、这么重、这么边治边污的恶行是哪来的？"

"怎么说，人和蛇也不完全一样。人也要让法规制度来管。蛇属哪类畜生，说不清楚。"大侃正专心和盼姐说着话，大辛发来信息说，昨晚上中央电视台有两条新闻很让人感到新鲜与震惊。一条说，美国球星罗德曼第四次赴朝举办美朝篮球友谊赛，目的是为金正恩庆贺生日，受到朝鲜民众热烈欢迎，但却遭一些美国人攻击。罗德曼说，世界的天空是每一个人的，人是可以共存的。另一条说，日本有许多冷冻食品发现含有多种致命毒素。有一种冷冻食品毒素超标达二百六十万倍，人和动物食用后，可以直接致命。专家分析，毒素的来源既有可能是农药的残留品，也不排除是有人故意添加的。信息的结尾是几句段子：

> 中国的保险——全险不全包，全险不全报，全险不保"险"，"霸王"不进"款"；日本的食品——毒素超标二百五，一倍（辈）一倍（辈）骂安倍，毒源哪来说不清，靖国神社闹战鬼，一朝当权乱东亚，世界咒骂惊鬼悔。

大侃把大辛的信息递给我和盼姐看过后，盼姐似是无可奈何地对我说："老猫我是完璧归赵了，死在她自己手里，怪不着我啥，但我心里就是放不下，老猫嬉戏、打狗、拆鞭炮的情景，总在我眼前晃。"我告诉盼姐，"我在老康家看到有一只大黄猫，胸前也有一块又圆又红的

174

毛，和你说过的那只猫很像。"盼姐听后突然惊喜，"是吗，说不定是那老猫的儿女。"

"我看也有可能。"

"你说你去过老康家？"

"是呀。"

"你到他家都见到什么了？"

"大仙们的合影没了，但墙上挂了一张你的照片。"

"你别闹，其实我就是想问一问，他那张大仙照还有没有。"

"我真的在他家看到了一张你的照片。"

我正和盼姐说话间，大侃笑着问盼姐："哪天喝你姑娘喜酒啊？"

盼姐先是一愣，继而反问道："你信息可真灵通。谁告诉你的？"

"是胡县长，他说他是大媒。"

"胡县长是顺风媒人。女婿是霍副局长那个公子。"盼姐说，"俩人是异国网上追情恋，回来后又自诩叫什么生态治理绝配恋。"

"还挺会起名的！"大侃说。

提到了胡县长，盼姐问大侃："他虽是霍家请的媒人，但只是和我通过电话没见过他人。他现在还好吧？"

大侃说："县长职务被贬后，他也不像以前了。"大侃告诉盼姐，官场就是这样虚伪，人一下台，立马树倒猢狲散。以前他家里门庭若市，熙熙攘攘，现在变得门可罗雀；以前鞍前马后的部下喽啰们，再见面立刻变得形同陌路，满面桃花变成冷若冰霜。这时他才明白，以前人家对他毕恭毕敬，顺情说好话，甚至，看着他办错事还推波助澜，原来看的都是他手中的权势。他很后悔错对了当初的吕局长。他说，做官是一阵子，做人是一辈子。搭班子、用部下、正儿八经干事，还得找吕局长这样的人。

盼姐听后，深情地说："一个人如果能把罩在心灵上的'霾'驱散了，心里头一定会是豁亮的。"

大侃说："对。盼姐，其实你家雯雯就是一个心胸豁达的姑娘。"

盼姐说："算是吧。回来后，雯雯报名当了村官，去了E县那个土地面源污染和小电镀污染最严重的段家屯，当上了村委会主任助理。那是个半拉子城中村、半拉子农业村，也是老康的老丈人家。"老康不在场，我想，老康若是在场听着，他此刻的心情该是什么滋味呢？盼姐接上说："克克说他不想当公务员，也不想介入什么官场，更不想走他爸爸走过的老路，他想做点实业。"

"为什么呢？"

"他说公务员工资太低，每月2000块钱，还不够养车加油的。还说官场太复杂，你争我斗的，他没那个心思，没那个官瘾。再说，天天让人管着，这个禁令、那个问责的，活着不潇洒。"

"他去做什么了？"

"你还没听明白吗？他的职业肯定是和雯雯他俩自诩的'生态绝配'有关了。她在农村抓规划治理，他开公司提供技术设备支撑，两人一拍即合。哈哈哈……"一阵笑声过后，盼姐更加兴奋地说，"这几天俩人正忙着布置新房，想成亲呢，结果克克的几个同学来了，都是外国人，有日本的，有法国的，有荷兰的，有德国的，还有一个非洲的黑姐。他们要搞什么环保志愿者国际同学会，专题攻关农村土地硬化，农村垃圾、污水处理课题。"盼姐话毕，已笑得合不拢嘴。但她的眼中，仍存忧思。我会观察女人的每一个眼神。

盼姐虽不算是农民，但她毕竟生在农村，她不仅对农村的环保问题很关注，而且，她还很支持女儿和半拉子女婿立志做农村环保这件事。盼姐告诉我，她一方面听老家来的人讲，一方面听广播电视报纸宣传，特别是雯雯和克克热心农村环保这件事儿后，她越来越感觉到霾与农村环境现状息息相关，脉脉相连，而且，农村面临的污染，直接关系到每一位需要吃粮、需要生存的人的舌尖上的安全。

"近些年来，老家的乡亲们得癌症的人越来越多，除去其他的因素，多数的癌病是吃出来的，是因为我们吃的粮食重金属含量太高了。而造成食品污染的直接原因是源头污染。"

盼姐说这话时，语调沉重，令我有一种心闷的感觉。

盼姐告诉我，老家的亲戚们有的种粮、有的种菜，但他们大都不知道国家明令禁止使用的农药和售药目录，至少有一半的农民在使用农药时没有农业技术人员指导，只是凭感觉用药、兑药，一药多用现象也很是普遍。还有的亲戚，受利益驱动，打过农药的蔬菜还未过休药期即采摘上市销售。很多蔬菜上市前都没有经过产地检验，很大一部分种植地和养殖地周边环境存在污染源。

"这种从根本上经过重金属污染，从茎叶上施过禁用农药的粮也好、菜也好，根本不能食用。"盼姐惊呼一般告诉我，"因为土壤和农药的污染最终会通过食物进入人体，从而危害人体健康。我听克克讲，过量的化肥使用已经导致农产品源头污染和土地硬化，未被吸收的化肥残留在土壤中，还污染了地下水。尽管很多田地和菜地使用了速长剂和生长剂等植物生长素，结果还被冠以'高效农业''绿色产品'，真是有点欺世盗名了。"

话到此处，盼姐突然提出一个让我意想不到的问题："趁老康不在家，咱们现在去他家看猫好不好？"我答道："好啊。"话毕，三人同上大侃车，半路上仁人才想起来，把应邀而来，参加汉语听写讲大会比赛的事给忘了。

四十二

路上，我有意将手机上的一个段子递给盼姐看：

心是个口袋。什么都不装时叫心灵，装一点时叫心眼，装得多时叫心计，装更多时叫心机，装太多时叫心事。把很多事闷在心里，就是霾，是病，把心事讲出来是药，是清洁生产，是战胜雾霾。

盼姐看过这个段子，语重心长地对我说："你是看出我的神情不对劲儿了？"我如实告诉盼姐："是的。我看你像心里还藏着事儿一样。"盼姐答："是的。"受老康给我讲马二哈故事的影响，这几天我一说话，张口就答个"是的"。没想到，盼姐学得也如此快。

盼姐告诉我，"E县的环保近一段时间让某报社一个网站的女记者给盯上了，原因是女记者提出要以E县环保工作取得新成就为题材拍部纪录片，条件是收十万块钱制作费。E县环保局连局长，就是接任吕局长的那位连局长，听说收费，当场就把女记者顶了回去，说是有钱也不会做这种虚头巴脑的宣传，不要这个虚荣。女记者又把电话打到吕副县长处，吕副县长说，E县环保还有很多不尽人意的地方，吹不得。再说，县里治理雾霾，正在等钱，花十万块钱去沽名钓誉，这不合规则。女记者一气之下威胁说，那好，不报成绩，难道曝光你们点阴暗面还不容易吗？你们等着吧。老吕过去从不和我说工作上的事儿，这回他气得无意中也和我发起了牢骚。这叫什么事？正规媒体也搞小动作，太让人不可理解了。"我告诉盼姐，"和吕县说说，别怕，环保问题哪都有，只要我们真抓实干，有人说三道四有时也是好事，只要上级能一分为二地看待媒体监督，别把什么官办、私办的黑媒曝不曝光当成市委文件就行了。"盼姐说："那个女记者三番五次打电话、要钱、威胁的过程环保局长都录了音，闹起来，她肯定没好下场。昨晚上中央电视台说，中国记协刚处理和法办了几名借污敛财、假公济私、违法乱纪、败坏媒体道德下限的记者。"

说话间，大侃的手机来了信息。大侃把手机递给我说："肯定是大辛发段子来了。"大侃猜得果真是对：

权利的底线是制度，制度的底线是法律，法律的底线是公平，公平的底线是正义，正义的底线是清廉，清廉的底线是良心，良心的底线是善念，善念的底线是廉耻，廉耻的底线是自律，自律的底线是忠诚，忠诚的底线是责任，责任的底线是表率，表率的底线是人格，人格的底线是信仰。

我心里暗暗叹服。

　　车至E县城北，前边浓烟滚滚。走近一看，原来是一老年男子开的一辆代步车突然途中起火。幸免于难的老人正站在路边向围观的人们急而气愤地念叨着，"这车就是名字起得好，一点不听使唤。不使劲儿，拐不了弯，拐了弯，它就打滑，刚翻车，就着了，差点让我把命搭上。"

　　大侃告诉我，"这种老年代步车，没标准、没考试、没驾证、没牌照、没合格证，还没人管，出了事，连保险也没有。平时在路上跑的很多，经常让我们左躲右闪，说拐弯就拐弯。整个中国都快进入老年社会了，对老人谁还敢说三道四的，那不是显着咱太没德行了吗？但老人的安全，是不是也该考虑周全？"

　　车进县城刚走不远，是个十字路口，有红绿灯。黄灯闪，绿灯亮，大侃直行。正这时，路右侧一胡同中，有一辆电动车飞驰而出。此时，大侃如果不急刹车，很可能是电动车被撞，后果难测，但大侃直行无责。如果大侃刹车，电动车也刹车，电动车可能会摔倒，也可能会与大侃的车相撞，但这样大侃会承担主要责任。千钧一发，大侃反应迅速，刹车替对方保命。果如大侃所料，双方同时刹车，但奇特的是，骑电动车的人摔到了大侃的车后。虽然大侃基本没责，但大侃还是毫不犹豫地停车、下车，迅速跑到车后，把摔倒在地的男人扶起。男子应该算是一位年轻的老人了，六十出头。我担心，大侃这回吃上"碰瓷"了。

"大爷，对不起，我停车太急吓住您了吧？您动动腿脚，看看有什么不适的，我送您去医院。"大侃态度极为和善与真诚。

"你是直行，我出路口有点太快了，不能怪你的。"大爷被大侃的真诚感动了。

"出门在外，都是亲人，责不责的好说，别伤着您就行。您看要不要到医院查一查，您别忍着。"

"小伙子，我没事儿，一点也不痛。你不用担心，就是有问题也不该怪你，再说我还有医保。快送客人去吧，别误人家的事儿，让人怪了。快走吧！"这种侥幸的刹车结果，这种和谐的对应场面，让我和盼姐，都惊感意外。

大辛就是段子多，只要你碰上点啥事，新段子肯定会如期而至：

> 疫苗不应成为"疑苗"，发展不应成为"发晕"，制度不应
> 成为"致堵"，民生不应成为"民怨"，网恋不应成为"网乱"，
> 环保不应成为"患保"，代步车不应成为"带命车"，医保卡不
> 应成为"侥幸卡"。

老康家到了。老康在学校，只有老康妻子一人在家，三人中，自然由盼姐先行去敲门。门开了，盼姐和开门的女人刚一照面，二人就同时惊住了。此时，我和大侃也都惊住了。这两个女人长得太像了，除去年龄，简直就是双胞胎。大家把来看猫的事都给忘了，进屋就热热乎乎地拉起了谁大谁小、娘家婆家、儿时的 大摊子话题。大黄猫出去抓老鼠了，没在家。盼姐看到了我说的墙上挂的那张像她的照片。真是太像了。临走时，盼姐说先让我和大侃出去等一下，她和老康妻子说句私话。大侃照直下楼去了，我却站在门口没远走。

"大妹子，最近听说了吗？日本的辐射飘到外国了，可能会伤害人

和动物。明天我约你一块儿，到医院体检一下，有病也好早治，没病更好。"

"好啊，前天闺女还从城里打电话说让我定期检查一下身体呢。"尽管二人话音不高，但因没有设防，我还是听得清清楚楚。

"咱俩一块儿去体检的事儿，你谁也别跟他说，也别让老康和闺女知道。八点我来接你。"

"大姐，您这几句话过去我听得太多了，我心里不踏实。"

"我来接你，我花钱，你放心。"我也有点担心盼姐了，怕不是她也要当大仙吧？

四十三

从学校到老康家，又返回学校，来回总共两个小时。但六十五中的汉语听写讲大会才刚刚开始一会儿。原因是主考官昨晚陪海校长一起招待上级来人喝高了，所以今天没能按时起床、按时到校、按时开始比赛。也因为是陪校长和上级领导才喝多误事的，所以，此事不足为过。海校长打圆场说："重在参与，重在入脑入心，比赛早会儿晚会儿问题不大，再说，上级也有明确要求，雾霾天气学生迟到、旷课不做处理。学生和老师一样吧！"

见我来了，海校长马上递给我一张答卷。他告诉我，经过主考官和裁判审评，这张答案获得了上一场讽刺与幽默作文、故事会比赛最佳作品和表演奖。我仔细阅读起来：

　　一屠晚归，车厢肉尽，只有剩水，掺杂血汤。途遇大郎，
肉也卖光，只剩烧饼，芝麻飘香。屠夫先语，称赞大郎：与时
俱进，无驴有羊，牛肉涨价，骡马充当，煮肉加硫，快熟减

商，苏丹红美，可配老汤，吃死西门，金莲安芳，实名在外，作假无妨，老牌老店，时代飘扬。大郎听罢，心里发慌：吾心有愧，义不该忘，若比屠兄，毒没我强。注水猪肉，畜生肚涨，污泥浊水，灌满肝肠，缺斤短两，欺骗客方。请兄择时，寒舍一叙，联合创业，船大稳当，上市公司，花钱大方，若有雅趣，买地盖房，小出大进，保赚不伤，楼盘出事，政府担当，东窗吃紧，外逃别慌。

雾与霾、污染与发展、发展与治污、造污与犯罪、造假与毒食，这可真是诞生"双胞胎"的年代。孩子们的作文充满讽刺与幽默，暗含无奈与憎恨。

经过三轮比拼，场上5名参赛考生得分相差无几，最后一轮比赛还剩两道试题，对决定考生名次已经至关重要。主考官宣布：下一轮比赛由抢答改为笔答，而且还要求考生要联系社会现实，现场解答词语的含意。

"各位考生请听题：污染环境罪。"主考官连续重复了三遍后，考生现场抢答。

"污染环境罪，是指违反防治环境污染的法律规定，造成环境污染，后果严重，依照法律应受到刑事处罚的行为。该罪具体的内容包括：违反国家规定，排放、倾倒或者处置有放射性的废物、含传染病病原体的废物、有毒物质或者其他有害物质。"站在三号考生席的男生丁冬冬，在主考官同意后，十分流利地答道，"我还愿意进一步解答此名词，请问主考老师是否同意？"

"同意。时间不超过五分钟。"

"污染环境罪罪名，原法律名称叫重大环境污染事故罪。2013年6月8日，最高人民法院、最高人民检察院《关于办理环境污染刑事案件适用法律若干问题的解释》出台后，改为现罪名。这个罪名的修订，放低了环境污染罪的入刑门槛，加大了环境执法的工作力度，更加有利于打击各种污染环境犯罪。听我爸说，这是国家针对日益严峻的环境保护形势，着眼打击严重、恶意的环境违法甚至犯罪行为，而采取的法律举措，目的是要让违法者付出他承受不了的代价，确保公众的环境权益不受恶行侵犯。"

"好，答得好！"顺着叫好声方向看去，老康见一名长相白净的中年男子，正兴奋异常地给考生鼓掌。与此同时，大侃也一眼就认出来，那名男子，正是那天在雾霾中坐他的车、给他讲解雾霾知识的那位环保局科长丁德柱。大侃兴奋之余，直接把丁科长介绍给了海校长，海校长更加兴奋，"同学们，老师们，这位是咱市环保局的法规宣教科科长，欢迎他给咱们讲一堂环保课好不好？"掌声中，"好"成一片。尤其是刚才答题的那名男同学，更为兴奋。他跑过来大声喊道："爸，快上来，站我这儿来讲。"噢，大家明白了，这是父子俩。

"目前，我国保护环境、打击污染犯罪的法规制度基本健全，但还不够完善与有力。据统计，早在上世纪九十年代末，环境破坏给国家造成的经济损失就已经令人咋舌，平均每年超过两千亿美元，相当于二十个唐山大地震，堪比其他任何刑事犯罪的总和。不宁唯是，与经济损失相比，环境事故对人类健康的威胁更是触目惊心。仅2005年11月至2006年4月的半年间，就发生以水污染为主的重大环境事故76起，平均每两天一起。近几年，各地大气质量又频亮红灯。其中尤以2013年的A市雾霾事件为甚，彼时A市上空PM2.5数值一度逼近1000，微粒浓度超过健康标准75倍。据悉，PM2.5每立方米增加10微克，呼吸系统疾病住院率就可增加3.1%。重大环境事故的频发，不断向我们发出警醒，我国已进入到一个环境犯罪最高发时代。"

"您能给我们介绍几条刑法关于污染环境犯罪方面的条文吗？"有学生举手提问。

"好的。刑法第三百三十八条，规定了污染环境罪；其罪名构成含义，刚才丁冬冬同学已经讲过了。很正确。触犯了这一条，轻则处三年以下有期徒刑或者拘役，并处或者单处罚金。后果特别严重的，处三年以上七年以下有期徒刑，并处罚金。刑法第三百三十九条，还规定了非法处置进口的固体废物罪：违反国家规定，将境外的固体废物进境倾倒、堆放、处置的，处五年以下有期徒刑或者拘役，并处罚金；造成重大环境污染事故，致使公私财产遭受重大损失或者严重危害人体健康的，处五年以上十年以下有期徒刑，并处罚金；后果特别严重的，处十年以上有期徒刑，并处罚金。第三百四十六条还规定了《单位犯破坏环境资源保护罪的处罚规定》：单位犯本节第三百三十八条规定之罪的，对单位判处罚金，并对其直接负责的主管人员和其他直接责任人员，依照本节各该条的规定处罚。同时，刑法还对环境执法人员设置了第四百零八条，叫环境监管失职罪：对负有环境保护监督管理职责的国家机关工作人员严重不负责任，导致发生重大环境污染事故，致使公私财产遭受重大损失或者造成人身伤亡的严重后果的，处三年以下有期徒刑或者拘役。此外，放火、决水、爆炸以及投放毒害性、放射性、传染病病原体等物质或者以其他危险方法危害公共安全，尚未造成严重后果的，也都有相应的有期徒刑的处罚，具体罪名，大家课后可以系统学习刑法和环境保护法规。"

耳听着丁科长的娓娓宣讲，我的思绪因信息的到来飞向大辛。C市的霾让许许多多的市民南逃而游。手机信息数日静悄悄，就是因为大辛刚刚才从云南旅游归来。人还在半空上，他的信息就先到地面上了，大侃立即转发给我：

美丽丽江，因假导游上岗而失"美"；古城大理，因导游的强购而失"礼"；多姿的版纳，因快递无信而难以让人接"纳"。美好云南，空中虽然少霾，但如此这般的旅游环境，还能把游客引进香格里拉吗？

我和大侃同时变成"低头族"，看完信息后，我俩对视无言，片刻，又重新把期待返回到现场。刚刚出台不久的旅游新规，难道在一些地方已经不起作用了？

"C市打击环境犯罪有什么成果？"一名女生向丁科长提出的新问题，同时引发了我的兴趣。

"仅以2013年为例，"丁科长肯定地答道，"C市境内环境犯罪案件主要是严厉打击了非法小电镀生产涉嫌的环境犯罪和倾倒危险废物涉嫌的环境犯罪。全市环保系统共向公安机关移送涉嫌的环境犯罪案件101件，移交的案件，公安机关已全部立案。涉嫌环境犯罪人员中已捕获71人，网上追逃26人；抓获的71人中，刑拘35人，批捕19人，取保候审15人；检察机关已对71人中的30人提起公诉。省市媒体已有专题报道。"

"国家法规那么严格，为什么仍有人铤而走险呢？"又一名男同学提问。

"过去的刑罚，对待污染犯罪过于宽和，造成许多企业从污染中获取的利润远高于需付出的法律代价，使得他们不惜屡次铤而走险，再犯可能性更甚于一般过失。他们宁交费认罚，也不愿投资治理污染。因此，刑法也在不断加大对排污企业的处罚力度，在危险结果出现之前，就对其进行打击。"

"环保法中讲的有毒物质，指的是哪些物质？"又有同学问。

"危险废物，包括列入国家危险废物名录的废物，以及根据国家规定的危险废物鉴别标准和鉴别方法认定的具有危险特性的废物。还有剧毒化学品和含有铅、汞、镉、铬等重金属的物质，都含有毒性物质。这些物质对空气、对土地、对水体、对人体，都可直接造成较大的严重危害。"

汉语听写讲大会，临时让海校长变成了环境知识讲座，师生们提出的问题越来越多，我看一时半会儿结束不了，比赛肯定又要再次延期了。基于此，我干脆直截了当地向海校长提出了一个建议，建议等环保局的丁科长讲完环保法规课后，请大侃给师生讲一讲环境风险群体性事件，让同学们早一点认知环境风险与社会发展、社会转型、社会稳定的关系，从而正确认识社会矛盾，正视现实问题，从人生观、价值观上形成社会责任感。海校长满口答应，并把我的建议引申一步说："现在社会上各种群体性事件频发，有些学生，受家长的影响、受网络的影响、受事件外在表象的影响，辨不清事件的本来面目，有的还抱着一腔热情，参与到了一些事件当中。听听专家的分析见识，一定会有好处，有益处。"大侃听后说："我可不算什么专家，我只是社会经历多一些，认识也不一定深刻，但我愿意献丑。"

过了一会儿，在海校长热情洋溢的介绍后，大侃在毫无准备的情况下，登上台，就开始了他滔滔不绝的演讲：

"目前我国已经进入了经济社会急剧变革和巨大转型的时期，群体性事件多发频发成为一个不争的事实，成为影响社会发展的重大不确定因素。在各种群体性事件中，与环境问题关联的群体性事件，日益呈现出相对独特的类型特征。近年来在中国很多地区不断发生针对环境污染问题或与环境相关的群体性事件，环境类群体性事件发生呈现不断增多的态势。从诱因上看，环境风险群体性事件，往往并非由于直接利益受损而引发，而是由于民众对未来风险的感知、忧惧和防御所引发。

"从参与者构成来看，环境风险群体性事件参与人群更广泛，具有超性别、超年龄、超职业、超阶层等属性的广覆盖特点。在传统的群体性事件中，参与者高度同质。例如孟连胶农事件中，其参与者多是利益受损的胶农。与传统群体性事件不同，环境风险群体性事件参与者的成分更加多样，并且往往是跨阶层的。厦门PX事件充分说明了这一特点。厦门PX事件参与者构成的多样化以及跨阶层性，是以往群体性事件所不多见的。

"妥善应对风险冲突事件，需要在科学把握风险及风险冲突的建构规律的基础上强化风险沟通。以往政府方面告诉公众什么，公众就信什么，公众高度认同政府的决策，社会也形成了这样的思维定式——民众就不应该对政府的意见有怀疑，不应该有不一致的意见，就应该听政府的。如今，民众通过网络、手机短信等各种非正式渠道对政府的风险认定意见明确发出了反对的声音，并借助集体行动表达不同意的强烈诉求。"

大侃讲得正起劲儿，从操场北边，传来了当、当、当、当的洪亮敲钟声。该放学了。这是老康在按点提醒。

"我最后还要和同学们说一句，大家还是在长知识、学本领的时期，需要了解社会，也需要参与社会管理，但在参与方法上，一定要讲沟通、讲和谐，要回避社会上少数人那种消极的做法。将来，我们中有些人会进入政府或相关部门，有的还要担当不同层面的领导责任，夯实今天的思想和知识基础，至关重要。谢谢大家！"

持久热烈的掌声，让大侃根本没有预料到。我也没想到，大侃的理论根底、社会实践知识这么丰富。

趁大侃演讲的时机，我和环保局的丁科长坐到一块儿。我是有意要和他坐到一块儿的，我想借此次的接触与他接近，并想从他那里"套"出点环保人前些年在执法过程中的困境与酸甜苦辣。因为，他在刚才讲解环保法规时，反复讲到"过去环保法规不够健全"这句话，言语间的困惑与无奈，我体验到了。他一定能说得上来这期间的故事。我直接向他提出了我的问题，他告诉我，"这可不是一两句话能说清楚的事，就像说我们今天雾霾之重的成因与说何日能寻回蓝天白云一样。咱们约个时间长聊吧，C市的环保史我还是能讲清一些。"

四十四

得到爱的人，肯定付出过爱。真正得到公众大爱的人，他一定是被公众所推崇所敬佩所赞同所需要的人，否则，金钱与利诱、美言与欺骗，怎么会在真诚与奉献、无私与担当面前显得那么渺小呢？

初冬的E县，雾霾时来时去，已经到了贯以常态、常出丑态、随时变态，让人琢磨不透的境况。

"俗话说，病来如山倒，病去如抽丝，污染容易治理难。其实，在E县，制造污染，也并不十分容易。几代环保人，拿着国家的俸禄，吃着民众端给的饭食，用着纳税人交上的防治费，大家凭着良心，时刻与来自各方面，各基层，各种表象，各种形式的违法违规的污染排放行为进行着不懈不惧不畏的抵制。但就像今天雾霾形成的原因，并非一朝一夕、一人一事所致一样，靠哪一个人，哪一个地方，孤不伶仃地就想防治好大气污染，那是绝对不可能的事。但需要在认清雾霾防治艰巨性、复杂性、长期性基础上，要真正克服无所作为。"这是C市史上第一任环保局长马前行，留给后人的几句话。

在雾与霾相互交织的那个傍晌，E县发生了一件至今让人回味有情的假火化案。

盼姐当时还在E县民政局工会主席岗位上就职，这件牵扯民政局的蹊跷事，她当天就听说了。

事情的起始、来龙去脉很复杂。那天，丁科长在老康领路引门下，应邀到我家后，很快把我们带入了追忆C市环保史的轨道。

C市第一任环保局长马前行去世了。他的儿子马二哈，是在他咽气前的两小时赶到市医院肿瘤科的。马局长78岁时体检查出得了肺癌，医生说，已过中期，时日不多了。但马局长却奇迹般地又活了七年。

其实，马局长这七年中的白天，大部分时间是在公园广场上度过的。他和几十名离退休老同志，在广场中心地带的一个花坛边上，设立了一个老年环保志愿者之岛的展台，宣传环保知识，给市民们答疑解惑生态环境问题。

马二哈在县环保局担当环境监察大队副队长、队长这么多年，工作压力这根弦始终是紧绷着的。正因为他是环保局老局长的儿子，所以他的压力才更大，比别人的要求才更高。马局长的病情一天天加重。每天陪伴马局长、伺候马局长的，都是市县的环保志愿者，而且大部分是学生、老家的发小和离退休的老同志们。马局长是C市的第一代环保人，也是E县的第一代环保人。他先是在C市政府环保办公室工作，后被派回到环保任务最重的E县环保局担任环境监察大队队长，再后来，组建E县环保局，他直接当上一把局长，再后来调回C市环保局任局长。当时的C市环保局是副处级单位，所以马局长由正科提副处，顺烟顺火又顺风。当时对二哈队长的风言风语，之所以有一句当官祖辈传的话，就是因为老马局长当年也当过这个角色。用内部知情人的话，二哈随他爸随得太邪乎，从脾气性格到干事认真的作风，都是淋漓尽致，如同一人。早年，环保法规可操作性不够强，处在那个特定时代，可以理解，但今天看来，与"两高"新举有天壤之别。

说到此处，丁科长端杯喝了口茶，然后突然起身，说："那时执法能把人气死。上级让搞环保执法专项行动，老马队长带人去取缔小电镀，结果你猜怎么着？按现行法规，你环保局最多只能下达限期整改、限期取缔、经济处罚的通知单。人抓不得、设备动不得、罚款不交，你也怎么不了人家。有一年，殷家屯有个老先生在家里办了个电镀厂，把全村水源、空气污染得不成样子，群众一下子举报到了环保部。副部长亲自督办的案子。老马队长带人去了，一气之下到那儿把电镀设备三下五除二全给拆了，用车拉走，租存到了县里一家工厂的一个破旧库房内。因为按那时的法律规定，像这样的小电镀污染，如果没有直接造成人身伤害的证据，根本动不了刑，也抓不了人。所以，拆了设备、下了处罚，环保的事也就算完结了，至于罚款缴不缴，又成了新层面受制约的问题了。"

"事情就这样过去了？"

"过去倒好了。没过两月，因为企业找环保局来收库租费，老马队长才想起来罚款的事，他带人上门催缴那三万元罚款，结果，小电镀的主人有个女婿，号称是知书达理的大仙。他把环保法规系统研究了一遍，最后竟把环保局告上了法庭，说环保局破坏、侵占公私财产，要求赔偿。法院一查条文，人家告状有理，你环保局就是无权动人家东西。要抓人，应该公安局的人到场，要查封，应该工商局的人到场，你环保局执法越位，行为过挡。最后没办法，老马队长忍气吞声，自己掏六百块钱腰包，付了租房费，让人家又把设备拉了回去。"

"那怎么不让公安、工商一起去联合执法呢？"

"愿意说的人说了不算。说了算的人不说。各有分工，各有上司，各司其职，奥秘多多呀。联合执法，谁牵头，谁听谁的？"

"罚款最后缴了吗？"

"罚款要上缴财政。屁大个地方，三说两找，都成亲戚朋友了，财政局帮你得罪那人干吗？"

"找县长呀！"

"找了，县长一句话就把事摆平了。"

"就是嘛，县长一出面啥事都办好了吧。"

"办个屁呀。县长说，稳定压倒一切。你环保局不去抓招商、不去增GDP，靠罚款能发工资呀！"

"是胡县长吗？"

"你以为这世上，糊涂县长就他一个吗？"

我和丁科长你来我去对话，老康此时坐在那里显得极不自然。他两手不停地相互搓捻着，脸上还冒出了汗珠珠。

"老康，你有什么不舒服吗？"老康支吾着，不知所措。

"丁科长，你刚才讲的搞小电镀那个人早已经死了。他是我老丈人。"

"啊——要那么说，那个出主意的大仙就是你了？"

老康羞愧地"嗨"了一声，头半天没抬起来。

"马局长的后事后来处理好了？"

"怎么算好呢？那天二哈因为省厅来了急查案件，他攥完罐，带人出去执法去了。就这不到两个小时的工夫，出事了。"

"出什么事了？"

老马局长去世是在那天凌晨，二哈半夜赶到医院，亲自帮他爸闭上了双眼。父亲咽气前，二哈说："爸，我没照顾好您，没尽到孝心。"老马局长张张嘴，想说什么，却没有发出音。他用手指不停地指着头部，二哈明白了。二哈看到，在父亲头下的枕头下边，放着一张报纸。

"是要它吗？"父亲点点头，伸出右手把报纸从二哈手中接过来，然后又慢慢悠悠地递回去，递到了二哈胸前。二哈正要接报纸，父亲又猛地对着二哈的胸部轻轻拍打了三下，然后，带着慈祥的微笑，去了。

按照当地的习俗，老人无论去世在哪里，都要送回到他出生的那个家去办后事。而且要大丧三天，接待吊唁。二哈出生在县城，小时候回过马庄村多次，因为那时乡下还有爷爷奶奶，姥爷姥姥。上学上班后天天忙得不亦乐乎，回老家没多少熟悉的人，二哈自然很少回去。平时没事还可以，这轮到人去家丧正需要用人的事上，把老爹送回老家，会有人肯帮这个忙吗？二哈心里七上八下，他真希望有人来帮他，但来的人大都是城里人，只会说客气话，办不了乡下的事。

让二哈今生永远也不会忘记的事，在二哈正忧心忡忡之时发生了。那天天刚刚亮，马庄村的李支书就来到了医院，见了二哈，李支书语重心长地对二哈说："孩子，车在下边，咱一块儿把你爸爸送回家去吧。"十几个人用推车把老马局长的遗体运到楼下，二哈看到，运尸车旁围满了人。甚至，有的人还手举鲜花，眼泪汪汪。

更让二哈意想不到的一幕出现了。车至马庄村口，鞭炮声就开始响起来，听响声，尽管鞭数不多，但足以表达亲情。从村口到老马局长小时候住过的家，足有一公里，全村人老老少少都站在寒风中目视着老马局长的归来。在马家院内，乡亲们早已自发地帮二哈搭好了灵棚。灵棚下，一口厚重的棺材，早已架放到了两条板凳上。

"各位叔叔大爷，各位父老乡亲，我二哈给您磕头啦！我和我爸谢谢您了！"

一位足有七八十岁高龄的老奶奶走来，拉着跪在地上的二哈轻声说道："孩子，快起来，快起来。你爸他从小离家，为大家伙办了一辈子好事，大家伙做的，都是应该应尽的。"

"时至今日，二哈始终把那位他叫不上名字的老奶奶的话都原词原句地记在心里，并且原汁原味地落实在敢于担当的行动中。"丁科长讲到此处，已经泪眼模糊了。我和老康，其实也和他一个样。

"二哈出去办案这几个小时，家里出的事，倒让二哈成了外人一样。"丁科长说。

老马局长的遗体送回村的第三天中午，按当地风俗，午饭后，遗体就要到马家坟地掩埋。头一天下午，亡人要入殓进棺封棺，装棺后，除非人又活过来，否则是不能再开棺的。因为，那样会是很不吉利的事。马家就要给老马局长出殡了，这时县民政局来人了。来人说接到群众举报，马家亡人不火化，要全尸装棺土葬，这是绝对不能允许的，必须要火化。

"你别胡说八道，偷着埋的人多了，你怎么不去找？"

"民不告，官不纠。"

"烧他这样的善人，我们不答应。哪个王八告的，你说说。"

"我也是执行公务。大家有意见可以到纪委或法院告状、起诉，但法规必须执行。"

"李支书来了。"有人大喊。

"烧过了，烧过了。棺材里装的是骨灰盒。"李支书说着话，从大衣袋里掏出一个信封，信封里装着的是医院给的死亡证明、火化场给的遗体火化证明、公安局给的户口注销证明，还有全村至少六百名老老少少，用自己大名小名签名的骨灰盒入殓现场情况证明。

　　在事实面前，民政干部的心里仍存很大疑惑，但他还是马上改口说："那就甭开棺检验了。我说嘛，老马局长英雄一生，最后一下不会不守法规嘛！好，我给老局长鞠个躬，回去交差。"

　　"谁敢开棺，我他妈和谁玩命。"一名壮汉听错了民政干部表达的话语，赤膊着冲上叫道。李支书见状马上骂他道："你耳朵塞上污霾了？快一边吃饭去。"

　　民政干部吓得躬也没鞠，赶紧走了。民政干部走后，出殡的时间也到了，二哈正携妻带子趴在父亲的棺材前痛哭不止，李支书把二哈拉起来，悄悄告诉他："要哭到你家坟地去哭吧，你爸遗体在你昨天出去那阵子就入土了。这口棺材是我儿子给我准备的。"

　　二哈听后立时惊得目瞪口呆。二哈跑到坟地看到，在他父母合坟的地块上，圆形栽种了十一棵杨树，围在中间的，是一棵松树。二哈记得，那是十年前妈妈去世后，他父亲亲自栽种的。

　　老马局长真的火化了吗？至今还是个谜。

　　棺材是乡亲们捐资买的、客席是乡亲们轮顿办的、下葬是乡亲们背着二哈办的。反正各种手续、文书都齐全，至于到底是否火化了，爱他的乡亲们心里有杆秤，连二哈都被蒙在鼓里。

　　"其实，没火化，我去火化场查过。李支书手里那套手续是花钱找办假证的人办的。"老康说。

　　"老康，你怎么会知道这事。"

　　"话说在前边啊，那时候我外甥女还没嫁给二哈，我们还不是亲戚。我向民政局举报二哈，是为了给我老丈人、小舅子出气。"

　　"老康啊老康，怎么这么多缺德的事都和你有关系呢？"此时，我的心肺都快气炸了，但丁科长却像根本无动于衷一样，还起身给老康续水。续水后，他才慢条斯理地对老康说："幸亏你良心发现，没有再告，否则，乡亲们非把你撕成肉干不成。"

丁科长不再言语，我的嗓子眼也好像被什么东西堵着。老康怯生生地对丁科长道："请你给二哈捎句话，请他原谅我。还有一件事，也请他原谅我。那年他和我外甥女吃订婚饭那天，上边安排他去监察一个小炼油企业涉嫌违法排污的事儿，他因为车胎突然瘪了，没能按时赶到现场，错失了取证良机，导致犯罪嫌疑人逃跑，为此他还挨了处分。你告诉他，他那摩托车的车胎，是我用钉子给他扎破的，因为那家企业的老板和我是亲戚……"

四十五

老康话后，我们三人对坐了足有二十分钟，全场无语。后来，还是我又打破了沉静。

"老丁，你刚说老马局长咽气前给二哈一张报纸，这里有什么用意？"

"噢，那张报纸上刊登了整整一版马前行老局长带领C市环保人勇于担当、敢于担当、善于担当的事迹。我认为，老马局长既是在向二哈交班，也是在给他临终嘱托。"

后半夜，丁科长和老康走后，我一直没能入睡，我把丁科长留下的报纸复印件，从头到尾看了一遍又一遍。在那篇以《环保的脊梁》为题，占据两版，足足用两万字编织成的C城环保战污魔的报道中，记者以马前行局长和C市环保人的典型事迹为出发点，热情讴歌了默默耕耘在全国环保一线的中国环保人。

40年，近15000个日夜，数十项耀眼的殊荣与C市的蓝天碧水交相辉映，40年里，马前行的团队，在创先争优中没有一个人掉队；40年，千万次项目审批，数十万次环境执法，C市环保团队，以马前行为标杆，行得端，行得严，行得廉，没有一个人在各种考验面前打败仗；40年，马前行和他的团队一条心、一股绳、一股劲儿践行中国环保精神，践行环保承诺，在默默奉献中，没有一个人落伍。他顶撞过他的上司，他拒绝过上百亿元的污染项目入境，他给父老乡亲们许过愿也道过歉，他还向错误地批评他、指责他的领导，委曲求全地做过检讨，但他始终坚持，可以谦让自己应得的荣誉，可以谦让升迁进步的利益，可以谦让和放弃除去一个环保局长该担当的责任之外的一切东西，但面对环保法规制度，一个字也不能谦让。在马前行局长心里，一切谦让都意味着自己人格的升华，唯有渎职，才是最肮脏的。为此，他赢得了部属的支持，赢得了公众赞同，也赢得了组织的信任。

我看到，报道后还配发了报社记者以《不要亏了老环保》为题的一篇"采访手记"。这篇手记，写得比报道还精彩，文字十分犀利，但也入情入理。

手记写道：

采访马前行，笔者的脑海里始终闪现着一位深受人民群众信任、拥护、欢迎，深受部属敬佩、赞叹、崇拜，用忠诚对待组织、用宽厚对待同志、用正直对待企业、用奉献成就事业的环保带队人的高大身影。

"C市是国家的一片小地方，但整个国家是由成千上万的小地方组成的，一片一片的小地方都尽到了环保责任，整个国家就好了。"马前行朴实的话语、朴实的认知、朴实的责任感，令记者折服。

十年没动职，创先争优的劲头却始终没有减、没有动摇。这在成百上千的基层环保局长中不是新鲜事，也不值得大惊小怪。然而，放到像马前行这样的每一个具体的人身上，却又让人疑端丛生。去采访马前行那天，他住院了。他不愿见记者，不愿宣扬自己。但听了局里人对马前行朴实无华的介绍后，记者还是掉眼泪了，我自责，眼皮底下这么一颗珠玑，过去为什么没有看到它的闪光！

是他能力不行？否。成绩已经说明一切。是他感情的基础不行？否。他忠厚质朴，谦虚待人，群众敬之无疑。是没有机会？否。领导曾找他谈过话，而他说，C市生态城市创建还需要他再一鼓作气干两年。

一个个问号，有的能得到解释，有的还令人不解。但组织上确实是想重视他了，是想重用他了。

C市的马前行，组织上没有忘记他是"老环保"、环保功臣。其他地方如何？

现如今，基层很多像马前行这样功绩卓显的"老环保"却不像马前行那样有人关心。也许有人说："好同志是好同志，但由于种种原因，并不一定要提升或奖励了才是重视了他。"是啊，提升、荣誉，并不是衡量一个干部思想、作用、能力的唯一标准，但它毕竟象征着组织、领导、机关对一个干部的关注和肯定，让马前行这样的"老环保"付出的和他所得到的不成正比，难道这是正常和公允的吗？这究竟是为什么？

为什么？因为"老环保"不再"鞍前马后干"！他行在马前，担当的是牵马领路的重任。路不对了，他会去扭，因此，顶得住的人站不住、提不了！

一连串的"为什么"谁能添写出一个完整的答案、谁又能为基层的"老环保"们呐喊、撑腰，给予真正意义上的关注与关心？

环保的基础在基层，而基层环保事业又是通过大量的环保人、老环保们来言传身教来影响来带动来牺牲来奉献来支撑的。关心基层的痛苦困难，倾听他们的要求呼声，给有贡献的"老环保"以政治上、思想上应有的帮助，给他们职务上、待遇上应得到的东西，这不是能使他们真正地挺起脊梁、激发基层环保队伍更大的战斗力吗！

探索中国特色的环境保护新道路，建设生态文明，为中国的科学发展、持久发展服好务、担好责，需要"老环保"。关心基层、重视环保，不要成为一句空口号，制定方针政策时，千万别忘：不要亏了"老环保"。亏了他们，纠结在群众心中的"霾"，永远也不会散去。

四十六

天快亮的时候，我竟躺在沙发上睡着了。睡梦之中，我手机急促而连续不断的响声终于把我叫醒。

"老康啊，有事吗？"

"有啊。夜里边我从你那儿回家来，二哈两口子还在我家等我，他说在医院清理他父亲的遗物时，发现老马局长枕头下边还有一封遗书，二哈说问问你写东西时能不能用得着。"

"遗书内容是什么？"

"又像日记又像文章，又有体会又有希望，又有私事又有公事，又有企盼又有梦想。"

"好，你拿来我看看行吗？"

"你等着，我送去。"

没多大工夫，老康就到了。从时间上看，在临终前的数月内，老马局长写了不下百页十六开纸的文字。其中，除了有家事心事身后事是写给二哈本人的嘱托外，多数内容是马前行老局长对生态环保事业的所思所想。从时间上的断断续续，从字体上不规则的大大小小分析，我断定马局长写这些东西时，已经是心有余体力却不支了。但他在生命的最后时刻留下的字字句句，在我看来，都是那么的充满欣赏，充满期望，充满期待，充满激情，令我坚强的心灵受到十足的震颤与激荡：

二月二日　霾

我的时日可能不多了。我今生最大的遗憾是我不能再与我的环保同仁们一起继续前行了。但我同时也很欣慰，我欣慰环保事业的新一代人赶上了可以大刀阔斧施展正能量的天赐良机。我坚信，2013年注定会因为"五位一体"的诞生，大力推进生态文明建设和环境保护工作。

战略已定，方向已明，二哈呀，接下来需要的是你和你的同事们披荆斩棘，破浪前行了。

从国家到C市，从尊重自然、顺应自然、保护自然的理念，到节约优先、保护优先、自然恢复为主的方针，令人耳目一新。

这中间，很多新理念、新思想都是社会各界长期希望中央予以明确的，很多新提法、新表述都是外界没想到的。境界之高、决心之大、变革之深，超乎预期。

与经济、政治、文化、社会等领域的建设相比，生态文明建设的复杂程度、艰巨程度、敏感程度，丝毫不逊色，对执政能力的考验和挑战也丝毫不逊色。

没有现成经验可循，没有成功范例可鉴。建设生态文明，需要科学严谨的顶层设计，需要巨大的政治智慧和勇气，更需要千千万万个C市同心落实。

十月三日　重度雾霾

我记得，习近平总书记在全国组织工作会议上强调过，要既看发展又看基础，既看显绩又看潜绩，再也不能简单以GDP增长率来论英雄了。

我记得，习主席在纳扎尔巴耶夫大学回答学生提问时表示过，既要绿水青山，也要金山银山。宁要绿水青山，不要金山银山，而且绿水青山就是金山银山。

我记得，中共中央政治局就大力推进生态文明建设进行集体学习时，中央政治局常委会专题讨论《大气污染防治行动计划》，国务院常务会议多次设置环境保护议题。

我记得，全国人大常委会先后第二次、第三次审议过《环境保护法修正案（草案）》，"两高"也出台了司法解释，降低了环境污染定罪量刑标准。

踏石留印，抓铁有痕。从党中央到最高行政机关、最高立法机关、最高司法机关，中央层面连续发出了生态文明建设强音。

"求木之长者，必固其根本，欲流之远者，必浚其泉源。"发展中出现的问题，要靠发展来解决；而发展本身的问题，则要靠改革来解决。我们越来越清晰地认识到，环境问题是发展中出现的问题，同时也是发展本身的问题。推进生态文明、解决环境问题的根本途径是改革。

如果说党的十八大确立了生态文明建设的基本方向和目标，党的十八届三中全会则进一步明确了生态文明建设的基本途径和方略。那么，我肯定地认为，一个新的改革周期会由此启航。生态文明建设和环境保护从来没有像现在这样，凝聚成如此广泛的社会共识，汇聚起如此强大的推动力量。二哈呀，这些你都体验到了吗？

十一月三日　雾霾

"历尽天华成此景，人间万事出艰辛。"

即将挥手作别的2013年，堪称中国生态文明建设史上最为提气的一年，也是环境质量遭受非议最多的一年。

提气，是因为生态文明建设和环境保护在这一年引起了上上下下前所未有的重视；非议，则是因为环境质量改善的速度赶不上群众期待提升的速度。

这一年，用一个关键词总结环保工作，是大气；用一个关键词概括矛盾焦点，还是大气；用一个关键词表征群众期待，依然是大气。

大气污染，成为群众最急、最忧、最怨的突出环境问题，反映最为强烈，问题最为突出。

群众的关心，有埋怨，但更多是鞭策；群众的期待，是压力，但更多是动力。生态文明建设和环境保护赢得了难得的历史契机。

当前是环保工作有所作为的最好时期，也是解决新老环境问题的关键时期。环保工作所处的这个历史阶段。是人类无法逾越的。二哈呀，我去了以后，你把我的话转告给胡县长。

民之所望，施政所向。频繁的重度污染，犹如记记重拳，在犹自反省、蹒跚转型的经济巨人背上猛推了一把，在接棒起跑、蓄力改革的地方党委、政府身上猛推了一把。

治理，没有后路；转型，别无他途。

我们必须做出抉择：

绿与黑之间，何取何舍？

好与快之间，谁先谁后？

质与量之间，孰轻孰重？

在这些重大抉择上，新一届政府战略上一定要清晰、方向上一定要明确啊。

十一月四日　晴

中央高层一系列明确表态，不仅直接加快了大气污染治理的进程，也有助于引导地方党委、政府转变观念。

根据之前的制度设计，生态文明建设和环境保护是政府的事，党委一般不用担责。然而，新上任的汪书记将生态文明建设上升为政治任务，把党委纳入环境保护责任范畴。

我看到了报道，市委会议和政府常务会议，专题研究部署大气污染防治，大气污染治理成为C市专题民主生活会的重要议题。因为常有六七个城市位列全国空气质量排名"最差前十"，每位省委书记都有一种脸红、出汗、坐不住的感觉，"抬不起头来"；我从C市新闻中看到了市委书记对生态文明建设的部署明显增多，市委常委大气污染专题调研明显增多。按照以往的发展逻辑，在经济下行周期，环境保护一定程度上要为经济发展让路。然而，在新一届市委、政府注重提质增效的背景下，环境保护在决策和制度设计层面得到强化。于是我看到了，C市各县区纷纷调低经济增速目标，主动为转方式、调结构留出更大空间和余地；将大幅削减钢铁、水泥、矿山产能，以加快大气污染治理。

根据以往的执政思路，地方换届之初，新任职干部希望快出政绩，盲目追求高指标。然而，新一届党中央明确提出，既看发展成果，又看发展成本与代价。于是我们看到——

新官"三把火"更多地"烧"向质量与效益，而不是规模和速度；新任职干部更多地选择环保部门为上任调研第一站。他们选择以环保问题为主攻方向和突破口，这是多么大的明智。在化解严重过剩产能的硬性要求面前，C市正在用端正与炸平，尽力消除发展带来的后遗症，并努力避免产生新的后遗症；在依旧严峻的环境污染形势面前，C市已逐步从追求"又快又好"向强化"又好又快"转变……

十一月五日　半阴天，有雾霾

从用药量看，我可能过不去这周了，我也可能写不了字了，但我还在做着一个生态文明之梦——

历史地看，生态文明建设和环境保护从来没有像现在这样，寄托着人民群众如此之多的期待，承载着整个社会如此之多的憧憬。

——我期待，生态文明制度改革的路线图更具体一点。自然资源资产产权制度怎么实施？自然资源监管体制如何完善？自然资源及其产品价格改革怎么推进？生态红线如何守住？这些层面改革的推进，既需要加强顶层设计，也需要基层摸着石头过河，既需要尽快明确时间表，也需要抓紧制定路线图。二哈呀，你告诉吕县长，让他多提些建议。

——我期待，政绩考核改革步伐再快一点。政绩考核是引导干部行为的指挥棒，影响着地方党委、政府的工作重点、发力方向。既然是"五位一体"，考核体系就不能偏颇，不能为了强调经济指标而忽视生态指标。

中央虽然明确提出不能简单以地区生产总值及增长率论英雄，加大资源消耗、环境损害、生态效益等指标的权重。但这些规定对扭转单纯追求GDP的片面政绩观有重要作用，还需要地方真正贯彻落实，阻力也不小啊。GDP规模及增速排名，在体制机制上容易破除，但要想真正在领导干部心中消除，恐怕还需一个过程。

——我期待，生态文明法制保障再实一点。我可能看不到正修订的《环境保护法》出台了。但我期待大气、水等领域的法律法规修订能够更快、更实，以保证在生态环保问题上，不能越雷池一步。

——我期待，环保投入增加的幅度再大一点。严峻的环境形势和长期艰巨的治理任务，使环保投入需求增加。尽管今年C市的环保预算比去年增加20%，但依然不能满足治理要求。从投入结构来看，当前的支出主要用在了节能工程、调结构、治污设施建设等领域，在能力建设、科技创新、保运行等方面投入不足。从投入比例来看，目前的投入一定程度上能够消化污染增量，但对于还清历史欠账明显不够。

——我期待，转方式调结构的动力再足一点。转方式调结构，我们已经提了很多年，C市各地也做出了不少努力，但坦率地讲，成效并不尽如人意。一些地方把转型升级挂在嘴上，但一到具体工作，还是想着上项目、抓投资。与粗放式发展留下的经济后遗症相比，粗放式发展留在主政者心里的后遗症可能更难消除。在强化转型升级外部动力的同时，我们期待，在激发地方政府转型升级的内生动力方面有所突破。

二哈呀，水之积也不厚，其负大舟也无力。上述期待很难在短期内全成为现实，但并不影响我们为之付出努力、寄予期待。绘发展大计，兴复兴伟业。中华民族伟大复兴的中国梦，当然包括天蓝、地绿、水净的环保梦；美丽中国的画卷中，自然少不了蔚蓝的天空、清澈的河流。梦想之门已经开启，追梦之旅却绝非坦途。传统观念的束缚、发展模式的惯性、利益格局的羁绊，每一项都必须认真对待，都面临严峻考验。

二哈呀，我去后一定要火化，一定不准烧纸、放鞭炮，一定不能堆坟头，但一定要在埋我的地方种上几棵树。还要把我给你妈栽的那棵松树围在中间。我这一生，最对不住的人就是你妈，因为工作，我陪她太少了，因为我工作上得罪了人，她深更半夜挨了坏人一闷棍，她去得太早了。我内心有愧呀！

我一口气读完了马前行老局长留下的所有文稿、日记，我的心真的让他抓去了。

通过各种关系，我把整理好的马局长日记，递送到了新到任的市委汪书记的办公桌上。让我始料不及的是，第二天，日记竟全文在C市日报头版的中心位置全文发表了。马局长的临终日记，立时在C市引发了一场无法用现有成语表达的振动与震动。

后来我听说，汪书记在我递送的文稿原件上，写了好长好长一段批示，批示的核心内容是：对C市来讲，治理大气污染，既是一项非常突出的政治任务，又是一件关系民生的大事。我们不要带"血"的GDP，我们不要带"污"的GDP，我们更不要带"腐"的GDP。最后，汪书记还用粗壮之笔写了十八个大字：先辈霾中含笑乘风去，后生莫负九泉追梦人。

四十七

自从那天我和环保局丁科长相识，此后，我们多次相处相谈，在我已经了解了许许多多C城环保史实后，丁科长那天异常兴奋地给我打电话说，环保局正编写C市环保文化丛书，要把四十年的珍贵资料、环保文化，系统编辑成册。他说，想请我做编委会顾问，已经报告局主要领导同意了。我听后也和丁科长一样异常兴奋，因为我正四处搜索素材，想写一篇与环保密切相关的小说呢！

当了顾问，我就有了名正言顺地常进环保局机关的机会。有一次，我带大侃来环保局查一些环保历史资料，大侃对我说，刚才他在环保局机关见到一位女同志，他明明认准了她就是那天他在燕青饭店认识的服务员，但大侃主动和她打招呼，她却一声没吭，还似有慌张地扭头走开了。大侃说："我后来在多家大饭店都见过她。她见我都是扭头就走。"我逗大侃，"你可是有家室的人了，别老盯着人家。"大侃一笑又说："她好像在那儿工作也不安心。"我说："你快安心查资料吧，别疑神疑鬼的。"

当了顾问，我还有了直接索取、直接索要、直接索看环保各类文史文件材料的方便条件。古人说，近朱者赤，我对此感触颇深。经过不足半月的身临其境、心入其境，我的身心，已完全与C市的环保情结融为一体，这种感受，推促我对C市环保的昨天、今天和明天，进入了实质性的思考与追问。

我是土生土长在C城的娃子。在我才10岁的时候，当时也稚幼的C城，还不称为市，但伴随着中国环保启蒙的春风，已开始有了环保史。

那是1973年。此时虽是"文革"动乱时期，世界开始追求生态文明、追求环保觉醒，中国也不例外、C市更没落后。有位叫丁星星的男士（已去世），开始在C城卫生防疫站，负责环境保护方面的事。再后来，组建C城环保办公室、组建C市环境保护局的时候，城市就变大了，我也早成年了。

到我50岁的时候，C市环保编写环保史，让我担任顾问的时候，雾霾早已成灾了。

40年前，我才刚刚学着懂点事、记点事。

40年后，在我开始用满腔的热情开始追忆C市环保40年史实的时候，中共十八大吹响了建设生态文明、建设美丽中国的冲锋号。也许，这是我本人与共和国环保事业心悸相融、惊人相通的地方。

俗话讲："三十而立，四十不惑、五十知天命。"已入不惑的C市环保，四十载确有诸多弯枝之果、辉煌之惑。而我已五十了，所知"天命"最深刻的，当数似乎是刚刚从真正意义上兴起的、共和国生态文明建设的汹涌涛声和那已经泛出红云的、生态文明映衬出的美丽中国、幸福C市。也许，这是即将临近的景象。

40年，C市环保留予历史的辙痕，此时已成为一曲华夏文明的慷慨壮歌。时间，不仅有壮阔、繁复，也有悲曲交杂的乐调，远远超越那些我所读到过的历史言说与世俗想象，成为今天、今人，绕不过去的文化情结。

文化，是社会科学的组成部分，环保文化也是以揭示事物的本质与规律为目的。

丁科长说，自他从军营转业，走入C市环保局大门的第一天起，他就时常被他所看到、所听到和感观认知的人和事感动着，思想感情的潮水，随着五年来对这个单位、对这些兄弟姐妹的更深认知，始终在浩荡奔流。作为顾问，我也时常以一个环保人的身份这样问自己：

C市环保的前人们，为今天奠定了什么？

今天的C市环保人，在向前辈学着什么？

给明天的C市环保，我们该留下些什么？

参加工作前的18年，家在近郊农村的我，先是父亲用自行车带着，后是和小伙伴和初高中的同学们，先后十数次到过当时面积本就不大的、所谓的C市区。一晃又是一个小18年。50年，我有36年生活在C市。对C市的整体市容和生态环境的变化，应属略知一二。

记得写《高山下的花环》的军旅作家李存葆说过，人有五官：耳、目、口、鼻、身。与这五官相对应的是听觉、视觉、味觉、嗅觉、触觉。谁能想到，"五觉"都是见异思迁，随遇而安的家伙。耳可以被五音所乱，目可以为七彩所迷，鼻可以因香风所醉，人之身一遇舒适，也常会寡情薄义，乐不思蜀，飘飘欲仙。味觉虽愿恋栈原始，拒绝遗忘的天物，在当下，诸多食品、蔬菜、瓜果，都溜走了它们的原汁原味的时候，我们也只能一边追寻舌尖上的记忆，呼唤舌尖上的故乡的同时，为守护这最后的空气的原汁原味，而不得不如狂般呐喊。所以，单个儿的五官都不足以为证，只有五官聚心，感知才会全面、真切地看待生态与环保。

先前，我见过的大土壕、黄沙岗，早已变成今天的人民公园，满眼绿洲；

先前，我见过的冒着黑烟的大烟囱，早已无影无踪；

先前，我闻到过的，酿酒、酿醋后残余的、刺鼻的高粱壳发酵后的味道，在空气中消失了；

先前，家里吃饭不敢开窗户，怕的是让灰尘涌进，委屈了舌尖；

先前，那一坑一洼、让人崴脚脖子的土路、泥泞，变成了又宽又平的油板、水泥路；

先前，那满是蚊子的臭水沟，变成了步行购物的街店乐园；

先前，我总听到的百姓的许多骂声，变成了今天的赞许；

先前，太多的先前，已经在不知不觉中变得又绿、又净、又美、又舒心养目了。

我在C市环保协助工作这几个月，看到的是一个有着十名局领导的大班子。从班子成员能够空前团结、合力谋事去思考，你就不难总结出这个单位的人为什么能那么和谐，为什么能不断在接力中超越历史、超越前人、超越自己，创先争优，创建辉煌。

单位的荣誉将会回答我许多的追问，更会向人展开她诞生的这个环保局，已经取得的辉煌荣誉，数不清、道不尽。恰似一棒又一棒的接力，在超越中冲刺前行。

中国的老百姓善良，甚至善良到同情曾经坑害过他的人。这样的老百姓，当他们面对违法排污、破坏环境、影响他生命、甚至危害他健康的情形后，不但不会去举报，甚至会担心违法者在收回投资之前，千万别撞上执法部门来人查处。在这样的执法环境中，环保执法该有多难，可想而知。君可见，时至今日，尽管是污水处理厂县县有、垃圾车乡乡有、垃圾池村村有、垃圾箱处处有、教育课校校有、环保书籍家家有、环保知识人人有，但在有环保知识，没有环保良知与责任的少数人纵容下，"十五小"还是久打不绝、重金属污染依然存在、污水仍在到处直排，这样的环境形势下，环保部门壮大、存在的价值，是多么的尤显迫切。

一切污染问题的答案，往往不是事物的中心。生态平衡已成为人类现今的世界难劫。

什么时候老百姓对违法排污有了真正的"零"容忍；什么时候基层政府、部门和有权、有钱的人，都觉得不为保护环境干点实事，就是对后人的"犯罪"，环保法规才会有真正意义上的权威。

没有人能在需要与奢侈、明智与热切之间，画出一条明显的是非界线。包括现今的环保法律法规，也时常让执法者左右为难。时常在怎样才算"以人为本"，而又要严格执法上为难；时常面对"不对""不知谁对"或是"怎么办才对"。但有一点是很少有人去想到的，后天却血淋淋地让人体会到了。当人们用双手紧紧握住金钱和财富的时候，偶尔伸出手掌一看，一些固有的美好与美丽、应有的健康与品位，已像烟雾一样悄悄飘散了。造物主从来没有欺骗过人类，欺骗人类的，恰恰是人类群体中的私心者与糊涂虫。

童年的滋味，我记忆中的原始感观，许多已经渐渐朦胧了、渐渐远去了。40年的C市环保人，正在努力地想把美好与美丽、健康与幸福追回、留住。事虽至此，谁又何言；天下苍生，又能何言。每一位环保人，可能都会在追问环保史实中，体验到一些"难言"。

做为顾问编环保丛书、看这套书，我自始至终被许多人、事和文稿所打动：因为，我们去还原历史的真实、寻找历史的答案与轨迹，这是一个真实的过程。

从81岁的老环保宋大姐，大冬天顶着寒风，让人搀扶着，坐公交车行程数里到市环保局参加党小组生活会的情景；

从二十年前就被国务院表彰为全国先进环保工作者的、90岁的老环保，面对她的后人们的赞许，始终保持的谦虚与自信；

从前任一把局长，为求忠孝两全，请护工帮助自己照顾重病弥留之际的老父亲，而自己像勇士出征一样，含泪奔赴治污疆场，用行动，带出一个优秀团队的感人事迹；

从现任一把局长上任半年多，没有休息过一个双休日、节假日，带领他的团队在战雾霾中砥砺前行的身影里；

从几名环保干部，大年三十到省会为企业跑项目手续，深夜归来遭遇意外，险些车毁、险些人亡的细节；

从环境监测站、环境监察人员，日复一日，寒风去、酷暑行，提样、查污的不辞辛劳中……

数不胜数的感人的情节，令人叹服。

丁主任告诉我："有人说，你们太能吹了，怎么登那么多新闻表扬稿？"他说："我听后很伤感。为什么？他们误会了宣教人员的责任心。面对公众仍存的那么多不了解、不理解，我们该正面应对；面对这么好的一个群体，面对那么多感人的事迹与同仁，我们的宣教工作者，要想少留愧疚，只有多尽责任。不宣扬，还等个啥？"

历史是什么？十口为古，古事即为史事。十口相加为古，因此，要证明历史，就得找众口来追求，并把口述逐一记下来。这就是历史了。这套文稿，是多人说的、多人记的、多人写的。二百多号人的环保局，几乎人人加入了编史大军，男女老少、在岗的、离退的，全上阵，这恐怕在很广泛的世间里，也是独有的。既然人人各异，看待问题的角度都不一样，因而对于人与事的理解也不一样。但对于编史，大家都惊人地异口同声地支持和参与。

看环保丛书，作为顾问，我是想让读者喜欢。因此，首先就得考虑可读性。既要让大家最直观的感觉是史、也是书，也要让大家感觉既不完全是在编史、也不完全是在写书，而是书和史的融合物。是尊重历史的可读性。

历史不是可任人打扮的。你抹一把，我抹一把，历史就五光十色了。如果没有了真实可言，历史就是故事、小说、演戏了。台上台下两码子事，那就失去环保人要编史的真正意义和目的了。所以，在歌功颂德的同时，还必须认知：环保从动乱时期的艰难起步，到改革初期的艰难前行，从求"快"发展阶段的艰辛、忍耐，到谋求科学发展后的艰巨挑战、十八大后提出的更艰考验。各个时期，环保始终是在各种各样的"不健全""不尽如人意"的雾霾与困境中，向着阳光挺进，其艰辛，就如一次一次智取华山。

环保的一席之地没人能够动摇，但环保发挥职能作用的"权"与"力"，时常受外力的作用闹着小地震式的摆动，令人诚惶诚恐。听一位知名作家讲，有C市之外的环保志愿者这样描述过，说：七十年代，饭都吃不饱，有人管环保；八十年代，开放迈大步，污染没停步；九十年代，鱼肉装满肚，环保执法难进步；时间进入新世纪，环保该上哪里去；党中央开了十八大，环保法根还较差。这些表达，在一定程度上、在一定范围内，有很大的片面性，但也是一定程度和范围上的事实。所以，编史时，这些内容一定会涉猎与收集。

问传承，更待前行。编环保文化丛书，我的"顾问"观，首先是建立在历史的记载上。当然，这也并非我个人的感受。我们的国家越来越走向开放，再加上"老人"多有健在、井喷式的网络与手机信息，激活了我们几代人一起寻找历史细节、让更多历史细节与真实浮出水面的冲动。所以，传承不是问题。记载一个客观、丰满的历史，在大家的包容中，也不该是问题。

前人的敢于担当、乐于奉献、拼搏进取、艰苦创业、创先争优之精神传统，在今人融会贯通中发扬光大。团结、厚德、守纪、创新的环保文化精神，随着今天的不懈践行与长续弘扬，伴随着形象、荣誉、传统、精神的与时俱进，汇集成无尽的能力、动力与力量，她将成为一代又一代C市环保人不断进取、不断接力、不断超越、不断续建新辉煌的坚强斗志。

如此、如此、如此，无不激发我的信心与追史欲望。

好在40年，C市环保、C市环保文化、C市环保文化精神，经过秋雨的滋润、冬雪的护盖、春雨的浇灌、夏风的熏陶，它的生命之季里浸透过霜的清冽、露的晶莹、月的明丽、星的璀璨、日的辉煌，已被环保人视为高贵的象征。留下精华中的精华，也能慰藉许多心愿。

C市环保文化丛书，展示的是C市环保40年，紧盯生态文明建设脉搏，不断向新目标、新辉煌冲刺超越的波涛史卷；映示的是共和国环境保护事业，不断在中国特色环保道路上深深探索、阔步前行的壮观缩影；映耀的是新时期，C市环保人在建设美丽中国、幸福C市的新征途上，必将迎来光辉前景，探索新的发现的一朝曙光。

敬重和传承C市环保文化的历史使命，挖掘、记录是责任，发现更是一种可贵的责任。

而基于当今社会的开放、包容，我想，是允许建设性的多元解读和表达的。

作为读者、作为当事人，你也许未必认同某个个体人物和事件的选择，但有必要保持平等、尊重的态度。如此，历史才是大家的，人物才是生动的、丰满的，而不是编者、作者个人意志的符号。这样，才会清除史实与现代读者之间的隔膜与误会。

"以人为本"是历史与文化传承永恒的追求。我认为，文化既要传承集体，也该弘扬个体生命的价值。再宏大的历史，都是建立在人的基础上的。读者通过倾听当事人的讲述，扑面而来的，应该是入心的享受与感受，而不仅仅是接收什么理念和思考。

追问感观上的C市环保40年，写到此处，本该停笔，但我的"第六感官"——心和脑,突发灵感,突然飞驰,有了新的发现。我记起,在我还没有出生的时候,上个世纪五十年代,发生过抗美援朝战争。当时,有个名叫魏巍的军旅作家,写了一篇纪实文学,叫《谁是最可爱的人》,结论是:那些勇于牺牲的志愿军战士是最可爱的人。

在那个特定的年代,志愿军的出征与牺牲,追求的是维护世界和平与人类安宁。今天,40年的几代环保人,追求的是什么?是生态文明与人类幸福。其实,绿色国防与绿色环保,"根"和"本"最能体现"人"为"本"的一致性。不同的时代、不同的牺牲、不同的奉献,有不同的解释。但为人民、为国家、为幸福,是代代炎黄子孙共同的、天理的追求。由此,我不得不说,环保人,在生态文明时代,也是最可爱的人。当然,这里少不了世世代代、男男女女、C市环保的每一个人。

我还发现,生态文明、美丽中国、幸福C市的呼唤,已让C市环保的千余组"五官",此时都在高速运行:

眼在犀利:不能让环保法规变成一纸空文;

耳在张廓:不能让公众的呼声与诉求搁浅;

鼻在扩孔:不能让碧水蓝天在我们手中变味;

舌在呐喊:不能让污染的食品再来侵犯;

身在厉行:我用奉献求无悔、还民愿。

是要绿色的GDP、还是要黑色的GDP,无疑已成为当今世界一个极为严肃的命题。只要良知还没有泯灭,只要我们的五官功能依然敏锐,就能深切感受到,在环保中所发生的道德、伦理上的种种毒素与病变,已使多少原始的生态与善良的心因被戕害而颤抖过、哭泣过。

人啊人,千万不要成为一种复杂的、矛盾的、既能善行,又能作恶的两腿动物。充满无限潜力的人啊,快快尊重自然吧!因为,大自然可是具有万物万有的多样性,它赐予人类需要的五官百福,简直达到了极为豪奢的程度。但它也是具有双重性格的伟大生命,你尊重它,它才会尊重和满足你,否则,双刃剑会立即翻脸的。作家李存葆们的呐喊，始终在我耳畔回旋。

人生不过百年，环保人的工作经历原来也很短暂。凡是吃官饭的，按现今的官场规则，不升至省级，你的工作经历都很难达到40年。现今的C市环保人，没有一个人在岗位上经历过40年的全过程。看看今天的环保老头、老太太，他们都曾年轻过、奋斗过，所以，今天，总结历史，他们没有一丝懊悔。我想，一代代的环保人，在不同的时期，让环保的各种理念，从吵嚷和装扮中逃出，滤净心胸，腾空而起，静静地遨游于落实中，并成为寄托者、企盼者和实践者。试想，40年，如果没有了他们，今天的霾，会严重到何种程度？

环保，不能再是等待。环保人践行的，该是一面坚守，一面呼唤，一面前行。否则，失去的，还会再来吗？不该来的，还走得了吗？

四十八

雾霾的缘故，心情的缘故，奔波的缘故，我腿累身累心更累，谢客三日，关机闷床睡大觉。有两个晚上，我明明听到了有人按门铃的声音，但因为我家的门上没有门孔，又怕是热气公司来人向我讨要采暖费，所以一忍了之。热气公司去年因为供暖推迟、开暖师傅工作失误和暖气管道破裂，先后缩短供暖达十八天之多，我所在的小区基本都是同等天数的受损者。但热气公司拒绝道歉、拒绝退款，还拒绝在新年度交费时打折。矛盾引发后，今年小区三栋楼房二百多户，集体拒绝交暖气费。霾，让人心里发闷。由此，我担心，会不会引发出什么次生矛盾呢？

周日下午，我闲读大侃日记，看到这样一段好像是报刊文稿摘录一样的文字：

医疗事故、交通事故、城管执法、环境执法，已成为当今酿成突发事件，特别是形成网络暴力的高危行业。每有事故发生，一些不明真相的人、别有用心的人、乐行炒作想借机出名、捞财的人，便以网络媒体为基本载体，以语言霸权的形式发表具有攻击性、煽动性、歧视性和侮辱性的言论，直接或间接对他人使用谩骂、诋毁、蔑视、嘲笑等语言，使他人人格尊严、精神世界和心理健康遭到侵犯和损害的行为。网络语言暴力具有随意性、简单化、非理性和情绪化等特点，实质上是一种社会"软暴力"，是语言暴力在网络上的延伸，它比传统语言暴力拥有更大的影响力和更强的攻击性，严重影响当事人的精神状态，破坏当事人的工作、生活和学习秩序，严重污染了整个网络的舆论环境。一般来说，网络语言暴力现象主要是散布谣言等虚假信息；粗暴的谩骂和攻击性言论；恶意滥用的人肉搜索。网络语言暴力的产生是由多种主客观因素合力造成的。是网络传播者的理性缺失；是网络把关人的职能缺位；是网络管理者的制度疏漏。解决网络语言暴力现象，必须从文化、法制、道德、管理等多方面着手，多管齐下，对网络语言暴力现象进行防范和治理。这是我和栾大V交流网络责任与社会责任问题时，谈到的核心话题。

　　噢，我明白了。

　　周日晚上，又有人急促敲门，第三灵感提示我，怕不是老康来了吧？果真是他。"我来过两趟，反复敲门你不在家。E县的事你听说了吧？出大乱子了……还牵扯到了盼姐，公安局把她带去了。"

　　"你怎么不早点给我发信息或者打个电话说呀？"

　　"公安把网络都控制了，我怕被监听，又怕构成传谣犯罪。"

　　我诧异地看了一眼老康。他真的变成规矩人了？

214

唿哨风波

　　水灾、火灾、风灾、荒灾、震灾，一般被人称为"五毒"大灾。古今中外，谁也不愿狭路相逢，与它遭遇，更没有人花钱请大仙或烧香拜佛，开门揖盗，求"灾"光临自家之门。灾害也和世间万物万事一个样，有上下左右、高低凸凹、公母雄雌、先后主次之分。一般来说，每当台风、洪水、地震发生后，紧跟着会发生次生灾害。洪水过后的瘟疫，地震之后的泥石流、堰塞湖，台风过后的海啸，有时甚至比灾害本身造成的财产损失、人身伤亡、社会影响和天灾人祸更吓人、更危机、更险恶、更麻烦、更厉害、更严重，原因当然是防不胜防、雪上加霜、落井下石之故。雾霾之下，C城的人们用体质经受了污毒的洗胃又洗肺，一些人还在阵痛之下，洗心革面，弃恶从善，顺应大势，加入到了同呼吸、共命运的保命行动之中。但也有看似聪明、实则糊涂之人，把雾霾当成了捞钱谋财的罪恶机遇，在金钱的利诱之下，心灵发生扭曲，迷失做人良知。老康急着找我要讲述的，正是这样一系列借雾霾、借辐射，闹风波、造闹剧的事儿。这些霾的次生灾害，就像世间许多矛盾的产生、发展、爆发都会有深刻的历史、现实、社会、主客观原因及不可预知的天地风云一样，不是偶然，透着必然，它此时在E县袭生而来，也含着许多令人深思的弦外之音！我和吕副县长的几次倾心长谈，证明了我的判断。

215

四十九

化解社会矛盾、创新社会管理，必须及时了解、回应尊重公众要求。矛盾不可避免，但矛盾也不可怕，可怕的是回避矛盾。通过大众传播使公众了解环境形势，提高环境意识和自我保护意识，是创新社会管理，处理好环境、发展与公众关系的有效方法。有些地方面对社会矛盾习惯采取捂、盖、压的方式，导致矛盾进一步激化。有了问题不能回避，也无法回避，尤其是在网络信息高度发达的今天，在处理一些群众关心的问题，特别是一些突发事件、突发问题产生时，要知道多少披露多少，满足群众知情权，尊重公众的意愿权，及时回应群众的关注。用及时采取尊重民意之法，换取民众长久参与环保之行，信任政务之果，这才是当下之时的明义之举。

——吕副县长语

"你是殷云吗？"

"是。"

"请你看看我的证件。请上车，到公安局去协助对证一桩造谣诈骗案件。"望着警车呼啸着扬长而去的背影，盼姐和正在排练文艺节目的环保志愿者们，都感到有些蹊跷。

"殷云能涉及什么造谣诈骗案，怕不是老康又旧病复发犯新事儿，公安搞错了吧？"

"听人讲，殷云是传过谣言。前几日那场海带丝闹剧，与她有关系。"

时间不足两小时，刚才那辆警车又返回探春小区。在大家都认为是殷云已脱掉干系，警车送她回来的时刻，还是刚才那位小警察，还是刚才那一套问话、看证、讲明原因、扶着上车的程序，所不同的是，这次被警察带上车的是盼姐。大家立刻惊呆了。盼姐是谁？是C市著名的环保志愿者，是E县吕副县长的夫人呀，怎么能说带走就带走了呢？

"肯定是公安局已经掌握了什么真凭实据了。"

"盼姐天天和我们在一起，她去造什么谣了？她会去骗谁什么呀？"

"肯定是有人栽赃。要不然就是吕县长得罪了什么人，人家动不了他，便拿他媳妇出气。"

"前几天闹海带丝风波时，咱们小区像世外桃源，受到市长表扬，是不是谁有意给咱们抹黑，让盼姐当了替罪羊了？"

……

盼姐被公安局请去，而且一去不回，听说还进了看守所，这事儿实在是让探春小区的老老少少理解不了的。老康急着来找我说这事时，盼姐已进去两三天了。吕县长夫人可能是E县海带丝闹剧案造谣生事第一人的传说，把整个E县，乃至C市吵了个沸沸扬扬。但人们同时也看到，吕副县长好像什么事也没发生一样，每天照旧是忙忙碌碌地奔波在抗击雾霾攻坚战的第一线。其实，那是外人不了解内情，夫人涉案，做丈夫的会无动于衷吗？更何况自己是一县之长，众目睽睽，众说纷纭，但只要公安机关不找上门来了解情况，作为领导干部该怎么做，吕副县长心知肚明。老康找我来，不仅仅是他妻子在里边，也不仅仅是他妻子又拉出了盼姐，他是想让我动用一下社会资源，对盼姐和他妻子实施帮助。老康说："最起码的，公安局应该让咱当事人的家属，知道是怎么回事吧？"我劝老康："别急，一切都会清楚的。你先把前边的事儿说说。"老康说："好。"

我说："先等一下，有个信息。"

最悄无声息的灾害——地震；

最神秘的事件——万头死猪江中游；

最让人心酸的事——房价；

最残忍的事件——摔婴；

最低调奢侈的称呼——土豪；

最受欢迎的男女嘉宾——高富帅、白富美；

最担心的问题——延迟退休；

最头痛的天气——雾霾；

最匪夷所思的战略防御措施——吃海带丝。

大辛今天肯定是休班呢！眼是看着信息呢，但我的心早就飞E县去了。

五十

C市的E县与沿海的B市M县，是地连地路连路水连水树连树的毗邻。两县的环保局长，过去时常因大气污染、地表水污染打嘴架。M县说，一下大雨E县的污水就变成了M县的污染源。E县说，一刮东南风，M县的烟尘就帮E县人敷面洗肺。两县的环保局长还经常互发短信息，全是些相互挑逗讥笑逗闷子的段子："听说你们县长昨天因雾霾太大，车堵在家门口，在高速上待了两个多小时，最后气得把超他车的蜗牛敲得粉碎，一边敲还一边骂：我忍了你很久了，上次上高速你就追着我来回跑，不交费是不？"

"老兄啊，听说C市要求八桌以上规模饭店都要安装油烟净化装置，贵县落实怎么样了？市区上月可有三家饭店安了净化装置运转不正常啊。另外，C市环保局一份调查材料表明，百余家工地至少有二十家土堆苫盖根本不到位，我市又要陪着受扬尘委屈了。"

"你敢保证你们B市都百分之百落实了吗？"

"我这里肯定没问题。最起码我们不会像你们C市一样，选个的哥给区长当秘书，他能出什么高招呀？另外，昨晚十一点，你们市长在西外环路暗查拉土车时，因为撒土依然，气得市长打电话把执法局的人骂了，你那儿没跟着也沾光呀？"

"那是B区的事，与E县没关系。"

"老兄啊，贵县也很有创新呀。听说你们借霾搞活市场，把我们县的海带全低价买、高价抛出去了。太有市场头脑了。还听说副县长夫人亲自制造市场信息，小舅子在一线搞直销，搞得真红火啊。"

"别瞎说啊，公安局还没查清楚是怎么回事呢，你怎么远隔百里，什么都清楚呀？"

"是不是，自己心里明白就行了，别急着让我兜贵县老底儿全对外人讲喽。"

……

多次信息互传，不仅让E县的环保局长心生疑惑：难道B市在C市安插间谍了？他把自己的想法对市环保局长讲了，市环保局长说："哪有那么复杂，好好干事。"

其实，前几天发生在E县的那场海带丝闹剧，始作俑者是高家庄的杨嗯哨。

嗯哨，本是E县人对能侃善说会忽悠的人的一种称谓。在东北的赵本山嘴里叫忽悠，在E县，就叫嗯哨。杨嗯哨小时候本来有个大名，叫杨庆武。后来因小小年纪就学着大人的样子，把手指放到嘴里，猛劲一吹，各种高低调门的声乐，就像吹哨子吹口琴一样，忽悠悠出来了。特能吹哨，特能侃大山，被人改叫嗯哨。杨嗯哨名声在外，杨庆武随之被人忘掉了。杨嗯哨上学时，因爱吹哨子在外有名，所以，校内只要有哨子响，大家就认为是他吹的。一天，老师正在讲课往黑板上写粉笔字时，班上一个调皮的同学，突然发出嗯哨声。老师扭过头，不问青红皂白，一把抓起杨嗯哨，把他推出教室，任凭他怎么解释，老师死活认定就是他了。为此，学校还把状告到了杨嗯哨的父母那儿。杨嗯哨一赌气，初中没念完，学不上了，和做小买卖的父亲干起了卖菜的生意。很多人知道杨嗯哨文笔还不错，惋惜他的失学。

种菜、倒菜、卖菜三个环节，是挣大钱的人在中间。收菜时多少钱一斤，是倒菜的定；批发时一斤菜多少钱，摆摊零卖的人也定不了。所以，杨嗯哨从小就十分羡慕倒菜的。卖菜的空当，他还和同学栾大宝，在网上搞起了网上传销，被工商、公安打击后，他联络几个哥们儿，强行在本镇的一个市场上垄断了蔬菜的大部分进货渠道。他每天都在做着一个梦：挣钱，挣大钱，不能让考上大学当上军官当上老总的同学们看不起自己。有一天，他要让他们到咱五百平米的别墅里现场看一看，退学、没文化，不影响发财过好日子。

自从杨嗯哨占据上倒爷的利位，他和他带的几个人很快在几年内发了小财。发小财，根本不是杨嗯哨的目标，但他忽视了一个问题，在他的团队里，是他一言堂，论能掐会算，谁都不如他，他出的主意，就是决策，这种结构与机制的搭伙，很容易出现失算。去年春节前，杨嗯哨就失算了。他考虑春节期间各家各户炖肉时爱放海带，又听传说讲，C市属缺碘地区，他认为这是个好商机。哥儿几个一拍即合，从邻县海边进了上百万元的海带丝，足足装了几十大货车。但他万万没想到，他的货还没卸完，就听到了另一个新的传说，C市人因食碘过多，很多人得了病，这个地区不宜多食碘盐和含碘量较高的海带等食品。

砸了，砸了，上百万块钱的海带丝，不但一分钱没赚回，每月还要交租用仓库的费用两万元。雾里去、霾里回，辛辛苦苦几年挣的钱，在一夜之间变成了没人要的积压资产，杨嗯哨一下子变成了杨哑巴。

为了拢住跟随他打拼多年的兄弟，杨嗯哨故意找办假证的贩子，办了两本共计上百万元的假银行存折，吹呼道："跟大哥干，别担心，有本钱、有机会，早晚挣大钱。"嘴里说着，杨嗯哨手里还晃着，故意让大家看到里边的数字。谁知当天晚上哥儿几个喝完酒，回到家大嗯哨就发现，兜里的假存折少了一本。第二天，他又发现，有人把存折撕成两半，扔到了他家门口。杨嗯哨正分析，到底是谁揭开了他的骗局，同村同姓同学同伙被人称为"后备干部"的杨庆武，此时却给嗯哨打电话，说请他喝酒。嗯哨说："昨晚上喝吐了，改天我请客。"后备干部一听这话，扑哧一声笑了，"你也会请客？几十年来，除了你结婚那天，你请过谁呀？""行了行了，烦着呢！"放下手机，立马来了信息。嗯哨一看，是后备干部发来的《酒场烦心事》：

> 叫他他不来，来了他不喝；
>
> 从来不请客，还老装大哥。
>
> 桌上有女人，立马话就多。
>
> 一喝他就醉，醉了就胡说，
>
> 叫走又不走，走了往回折；
>
> 回来瞎吹牛，海带进六车；
>
> 脸红舌头短，闹着去唱歌；
>
> 兜空折没钱，还要去按摩；
>
> 终于送家去，最后吐一车。

这小子乘我背气，偷我存折，还敢公开奚落我。嗯哨拿起电话打过去，只说了句："你还想不想竞选村干部啦？"啪，挂了。这一来可把后备干部吓坏了，为什么呢？杨庆武之所以被人称为"后备干部"，就是因为他一心想当村委会主任，但因他心行阴损，连续多年参加竞选，都以不能入围而失意。为此，村主任还防着他，说他是小人，成不了事。后备干部也有优点，会灵活处事。他在公开场合见了村里人，无论大人小孩，都是假惺惺乐呵呵相迎，有时还在五元以下标准内，适时对困难户实施相助。特别是对嗯哨这样身边有伙人，说话不负责任的人，更是十分小心。此时，嗯哨打来这样的电话，又把电话一关，后备干部担心害怕，忙了手脚。最后，他灵机一动，想起了住在城里，和嗯哨关系最好的网络大V栾大海。

嗯哨还真给了栾大V面子，他答应栾大V晚上一起吃饭，让后备干部赔礼。

晚上三人在饭店见面不足一个小时，三瓶白酒加六瓶啤酒就腾空了。借着酒劲，嗯哨抓着后备干部的耳朵叫喊着说："你听好喽，想当村干部，你得有人脉。人脉不是看你帮过多少人，而是看你能利用多少人；不是看有多少人在面前吹捧你，而是看有多少人在背后称赞你；不是看你辉煌时有多少人奉承你，而是看你在落魄时有多少人愿意帮助你。最后我告诉你，人脉不是你认识多少人，你和多少人打过交道，而是看有多少人从骨子里认识了你，有多少人还愿意再和你这样的人打交道。"嗯哨讲话是恶狠狠的，后备干部的回答却是比孙子都可怜："大哥，有机会，一定将功折罪。"看着这一切，栾大V始终是不知真醉还是装醉，直到嗯哨把气撒完，他才调侃道："杨兄话有理。同学朋友都一样，今天看人脉，明天看下场。去年我们同学聚会，有工作的一桌，没工作的一桌。今年我们同学聚会，已提拔的一桌，没提拔的一桌。看这阵势，明年我们同学再聚会，就是发横财的一桌，发牢骚的一桌了。"嗯哨提醒道："悠着点吧，今年我们同学聚会，是被拘留过的一桌，被双规过的一桌，估计明年，就剩保外就医的一桌了。"

五十一

以互联网为代表的新媒体，日益成为各种信息的集散地和社会舆论的放大器，日益成为思想舆论交流、交融、交锋的重要场域。随时全面掌握舆情，实时研判舆情，加强和改进舆情工作，着力提升网络舆情质量，就成为一项重要而紧迫的任务。如果面对突发事件的时候，政府缺席或者说谎，政务网络平台的公信力、影响力就会丧失殆尽。

——吕副县长语

后备干部的短信又灵验了。酒后，后备干部还请杨嗯哨泡了脚才说回家。杨嗯哨又是半路上吐了酒，所不同的是，没有吐一车，而是吐了自己一身又吐了后备干部一身。栾大V借故醉了，早回家了一会儿，才没沾上脏东西。嗯哨是在后备干部搀扶下，坐出租车回来的。他没敢把酒吐在车上，是因为的哥有言在先，车上吐酒，另付车辆清洗费八百元。

把嗯哨扶上床，后备干部自己才晃悠悠回家。后备干部走后，嗯哨的妻子一边帮他脱换脏衣服，一边劝说道："这几天可别老上外跑了，听说日本广岛的辐射已经借雾霾辐射到沿海的邻县了，咱们这里也有不少人和家里的宠物被辐射后病了、死了。"

"你胡说。你瞎说八道。日本那么远，辐得过来吗？射得死人吗？瞎说。"尽管是醉着，但嗯哨在市面上跑腾了几十年了，也有些阅历，有些头脑，一般的事，骗不了他。

"我可不是骗你，这事儿可是内部消息，是……她再三叮嘱我，不能再向外人传了。"

"天哪，我的老婆呀，咱家的买卖，这回可有救了。"嗯哨听了妻的叙述，满脑子的酒精一下子全没了。他像突然发疯了一样，一边大声叫喊着"我要发财了"，一边从抽屉里翻出了几张白纸、一支碳素笔。

第二天一大早，天还摸着黑，坐落在E县中心地带，框架厂棚结构的卫民市场便热闹起来。

"快来看呀，有重大新闻了。"随着喊声，一大群人很快围到市场门口处那个公示栏前，上面贴着一张纸，纸上写满了语言通顺、文笔惊人，但字迹却是既歪歪扭扭又错别字连篇的"办公室紧急通告"：

  各位贪（摊）主，小日本昨夜把广岛和（核）电站的辐射，通过东北的雾霾转射到了华北内海地区。日本鬼子的野心，旧（就）是想把我们中国人害死，他抢咱钓鱼岛，进而抢占东北三省，重演夜目（幕）下的哈尔宾（滨），再来一次浸（侵）华占（战）征（争）。我们不能死，我们要健康，我们要抗日，我们要生存。据专家偷（透）路（露），吃芹菜、吃胡萝卜，特别是吃含点（碘）量高的海带，最能有效以点（碘）抗霾独（毒）、抗辐射。目前，我县已进入冬季，芹菜储备不多，海带就更为稀缺，除去卫民菜市场，几乎无获（货）。为了您一家老小的生存，快买海带丝，吃海带丝比吃海带片效果更家（佳）。此通告请大家不要外传，以免让外县人、外地人抢了大家发才（财）的机会。

"这是真事儿吗？"

"办公室通告还能假呀？"

"怎么没落款，没盖章，也没说是哪个办公室呀？"

"上边不是说了吗，保密。快买海带丝去吧。一会儿就卖光了。"

……

很多熟人发现，在人群中，因大量进购积压海带丝而几个月不言不语的杨嗯哨，此时一个人，像打了酒精针的公鸡一样，红头涨脸，异常活跃地回答着来自多人的提问与疑问。

"哎呀，刚才进市场时没见着通告，一大车芹菜全低价批发出去了。"

"杨哥呀，你家不是压着大量的海带丝吗？"

"是呀、是呀。不过我现在不能卖了。"

"为什么呀？"

"货压了快一年了，连本带息。再加租库费，早翻几番了。我卖多少钱一斤合适呀？别让人说我借机发国难财呀！"

"这已经不是钱的事儿了，保命要紧呀。有价就行。"

"那只能批发卖，我不零售。"

"好，咱们都学一学杨哥，不吃黑，谁也别吃独食，各摊分一分，大家都赚点家底钱。"

听到有人赞扬他，杨唥哨更来劲了，他站到货台上一本正经地说："早不就有人说过了吗，人生一世只需10袋米，有人却在为20袋米烦恼、为30袋米痛苦、为40袋米犯罪、为50袋米走向刑场。适度的贪婪为追求，无度的追求为贪婪。"

话毕百余摊主一拥而上，来到杨唥哨存海带丝的库房，以每袋八元钱的价格，少的也批发了一千袋以上，多的有五千袋。人们看到，一库房的海带丝刚批发完，后备干部就带着三辆货车到来了，货直接卸到了各位摊主的车上。与此同时，大家还发现，整个市场上的芹菜，也都是从杨唥哨妻子那里批发出来的。

"杨哥，我真是有眼不识泰山，早晨路上我还担心咱这货卖不出去呢，我多了个心眼儿，少拉了三车，刚才又赶紧打电话给M县，让他们马上送货。"

"你小子净耍小聪明，民众有难，你不好好表现，你还当什么村干部？"

"我已经让他们马上再送货了。M县库房也空了。"

"够了够了。我的意思，你还不把信息向村里的乡亲们透一透，也可乘机提升你在乡亲们心里的良好形象是不？"

"对呀。大哥，我马上立功赎罪，回村广播一下。"

没过半小时，高家庄村的大喇叭就传出了后备干部的声音："乡亲们哪，我是庆武啊！出大事啦。日本人把福岛核电厂的辐射通过雾霾传到咱们县来了。办公室通知了，要多吃带碘的东西防霾防辐射，快

225

去市场抢海带丝吧，多贵也得吃，不然就没命了。大家先别向外村人传这个信儿，我也是偷着告诉大家的，否则，犯了保密错误，乡亲们就是怎么支持我、拥护我，我也不能当村干部为大家伙儿干好事了。乡亲们哪，快去买吧！赶紧去买吧！"

后备干部的大广播，一遍紧连一遍。

高家庄村是镇政府所在地，喇叭高，声音大，传得远，在后备干部还高喊着保密的时候，他散布的消息就通过座机、手机、短信、微信、彩信和互联网传遍了全乡镇、全县域、全C市。整个E县，芹菜价格由两元一斤，猛升至八元一斤。海带丝半斤一袋，由两元一袋，猛涨五倍。

发了，发了，杨嗯哨利令智昏，仅用一天时间，就由菜市场上的破落户，变成了暴发户。但让他万万没有想到的是，杨嗯哨半夜里因受他儿子制造的另一场闹剧之害，在市医院的急救室里，被公安局的人给他们一伙逮了个正着。两场闹剧只历时一天半夜，就全都彻底覆灭了。

五十二

其实，在因环保问题引发社会不稳定因素趋升的特定时期，尊重公众意愿，不仅仅可以激发环保正能量，还可以延伸到化解社会矛盾的更深层面。化解社会矛盾、创新社会管理，必须充分汇总公众意愿。公众意愿是推动工作的第一动力。当前，环境保护已经成为保障和改善民生的重要内容，环境质量怎么样，群众最有发言权。群众对于环境质量的良好期待和愿望，不应成为政府的负担，而应该是动力。今年以来，面对来势凶猛的雾霾天气，各地超前发布环境空气质量监测数据，就是一个尊重公众意愿、顺应群众要求的良好成果。

——吕副县长语

杨嗡哨的儿子叫杨像，脾气性格秉性都跟他爹完全不一样，平时很少说话，更不会打嗡哨，大学没考上，早早的就到当地一家金属制管厂打工，后来还当上了技术员。制管厂生产小钢管。在铁皮卷成铁管之前，有一道工序，需要通过使用测厚仪，把薄厚不够均匀的铁皮，压延成薄厚程度一致的半成品。这个测厚仪，是一枚带有辐射的放射源。人体长时间直接被其照射后，会产生头痛、呕吐、浑身无力等较重危害。

性格内向的杨像，平时很少与人交往，说准确些是因他本人性格孤僻又暴躁，与人交往易生事端，别人大都躲着他。杨嗡哨制造海带丝闹剧那天，厂里来了一批急活，却偏偏碰上杨像没能按时上班。合同签好了，产品做不出来，违约就要受损失，这可急坏了高厂长。厂里就两个能操作放射源的技术员，一个还在异地休假，杨像不回来，合同就泡汤了。高厂长打了一天电话，杨像直到傍黑才开机。后来，到公安局破案后才知道，他那天是把工作丢到一边，和后备干部一起，到M县拉海带丝去了。再后来，又才知道，杨像和后备干部一起去拉海带丝，是他爹特地安排的，是杨嗡哨对后备干部不够放心，怕他在进货中间做手脚、捞小费，因此，让儿子专程去盯梢后备干部。高厂长一气之下，宣布扣掉杨像半年工资，并炒了他鱿鱼。杨像气愤至极地说："我给你打两年工，你欠了我一年半的工资，好不容易盼到年底了，你一句话，我又半年白干了，这合情合法吗？"

高厂长答："你一天没来，我五十万没了，扣你半年是轻的。"

杨像当场气得脸色铁青，激动地回敬道："你欠我们农民工的债，早超一百万了。"说完，气呼呼离开了制管厂。但两小时后，工厂一名电工在夜巡时发现，生产车间的大门被撬，一枚五类放射源不见了。高厂长立即报案，公安局、环保局很快来了两车人，把院里院外方圆两公里地界上的草丛坑塘，全都用仪器监测了一遍，也没找到源去何处。确定被盗后，市县两级环保、公安，立即启动放射源丢失应急机制，一边寻找、一边询问、一边采取相应措施控制丢源信息传播。那天，吕副县长是最忙的。他是分管环保的副县长，海带丝闹剧正在破案，需要他和分管政法的副县长一起处置，这边又出了放射源丢失案，照样他俩还是搭档。案件排查至深夜，公安局长的一个电话，让吕正天副县长备感兴奋："吕县长，两个案子全破了。我们已在市医院把杨嗯哨拘捕了。偷源的是他儿子，也在医院，一块抓了。"

吕副县长听后好像有点糊涂了，怎么把两个案子的犯罪嫌疑人办成爷儿俩了？

原来，杨像被高厂长辞退后，并没有回家，他知道工厂丢失放射源的后果是很严重的，于是他心生诡计，精心谋划了一场蒙面偷源敲诈案。天黑后，借助雾霾天灯光的阴暗，他用个黑塑料袋子把头部套得严严实实，只在出气和看东西的部位抠出几个小洞，翻墙入院，轻车熟路地找到工具，把一枚靠门口最近的放射源，从车间压延的机器设备上拆了下来。然后，又人不知鬼不觉地带着放射源翻墙而逃。

当天晚上，杨嗯哨猛发了横财，和妻子、后备干部一起，一人抱着一大纸箱子钱，回到自己家。杨像没在家。仨人抑制不住罪恶心情的兴奋，坐到床上大把大把地数起钱来。杨嗯哨数钱正兴奋至极时，手机上忽然收到一条短信。他心不在焉地左手抓着钱，右手打开了手机：

小吃补营养，大吃损健康，多吃卧病床；

小喝是享受，大喝是忍受，多喝准难受；

名气小有福气，名气大心难净，图名利易不幸。

杨嗯哨看过短信骂道："康大仙学会装他妈正经人儿了。"骂完了，又一段信息更让他感到不快。

钱的忠告：劳动的钱，使你幸福坦然。援助的钱，使你

228

感到温暖。集资的钱，使你力量无限。奖励的钱，使你加倍实干。积蓄的钱，使你珍视勤俭。偷来的钱，使你胆战心寒。贺喜的钱，使你加倍偿还。恩赐的钱，使你变成懒汉。挪用的钱，使你有借难还。诈骗的钱，使你贪得无厌。

这条信息是栾大V发来的。杨嗯哨看完后，气得把手机摔到了地上，"看人家挣钱也他妈眼红，什么东西。"脏话刚出口，突然，杨嗯哨感觉自己屁股底下好像被什么硬物硌了一下，抓起一看，是一个与皮球差不多大小的铁疙瘩。他拿在手里翻来覆去地看了一遍又一遍，也没闹清是个啥玩意，便顺手递给了后备干部，自己又紧忙数起钱来。

零钱太多了，三人数了三个多小时，钱还没数完，杨嗯哨就感觉到心慌意乱，头痛恶心，手脚发麻。开始，仨人都以为是忙一天半夜，挣钱数钱累的，但很快，杨嗯哨就开始了呕吐。杨嗯哨闹得正欢，后备干部也和他症状一致地闹了起来。这下可把杨嗯哨的媳妇吓坏了，怕不是真的把辐射招家来了吧，怎么闹得这么重啊。此时，杨嗯哨已开始脸色发黄，大汗淋漓。人命关天啊，她马上拨了120。

人是送到医院了，尽管又是做心电图、又是照CT，甚至，后来又做了核磁共振，但值班医生仍没敢确诊杨嗯哨和后备干部到底是得了什么病。仨人在一起，同吃同喝同数钱，两个男人病得很重，一个女人却啥事儿也没有，这很是让值班医生心生疑窦：怕不是钱财作祟，故意制造伤害吧？值班医生多了个心眼，悄悄报了案。公安局的人来了，恰巧杨像这时也来了。看了病例，又见了人，公安局的人顺手从口袋里掏出了几张照片，看看照片，又看看人，立刻就把杨像的双手铐到了一块儿。

"他俩可能是被辐射了，快救治吧。"

听公安人员这么一说，杨像急不可待地问道："你俩是不是用床上的铁疙瘩照自己了？"

"是呀！"

"该倒霉呀，是被辐射了。"杨像说这话时，脸上显出了千万个无奈与追悔。

原来，晚上杨像把放射源偷回后，放到了床上，用毛巾一盖，就出去给高厂长发信息敲诈钱财去了。他怕用自己手机暴露身份，便假借买东西，跑到村口的一家小卖铺，偷了店主的手机，给高厂长发了信息，要求高厂长准备五十万元现金，马上放村东口的垃圾桶里。不许报案，否则，别想拿回放射源，让公安局、环保局把你厂子封掉。信息发出，高厂长马上报案，公安局立即锁定了机主。公安人员到小卖铺后，把时间、细节一比对，杨像很快被划为最主要的嫌疑人。晚上十一点，公安刑警去高各庄村抓捕制造动乱的杨嗯哨扑了空，大家还以为杨嗯哨和后备干部是畏罪潜逃了呢，万万没想到，值班医生一个电话，把两桩案子一起，轻而易举全都告破了，而且都是人赃俱获。后来到了看守所里，后备干部放风时见了杨嗯哨，还无不讽刺地说道："大哥，这可真是聪明反被聪明误，引辐射上身罪有应得呀。因为没手机，我只能亲口对您说了。"杨嗯哨听后气绿了脸，答道："全怪我那个不争气的儿子。"

"你要不让他去盯梢我，也不会惹出这后来的倒霉事吧？"

"嗨，全他妈怪这雾霾。"

老康给我讲得正在兴头上，大辛又开始搅局了：

　　夺命最快是洪水，夺命最险是飞机，夺命最痛是火灾，夺命最重是地震，夺命最黑是煤矿，夺命最伤是化工，夺命最残是提速，夺命最怕是农药，夺命最乐是歌手，夺命最香是鸡瘟，夺命最稳是电梯，夺命最损是快递，夺命最多是癌症，夺命最慢是雾霾。

五十三

政府与公众的关系，是利益诉求与利益满足的关系，会在一致与冲突，和谐与震荡之间两端摇摆，最终应是建立起一致与和谐的关系。

——吕副县长语

由杨嗯哨和他儿子分别导演、操纵的海带丝闹剧、偷源敲诈钱财闹剧，在县委县政府和县领导们的高度重视下，很快通过媒体正面宣传、网上辟谣和各村张贴公告、家家发传单，得到有效控制。但闹剧引发的二次次生灾害，仍在延伸、在扩张。从县城到C市，所有商场的碘盐、海带、虾仁、芹菜等都已被抢购一空。E县靠近海边的两个乡镇，还有上千户人家，收拾东西，正想长途大搬迁。卫民市场上百个摊主，上访县政府，要求退货，否则上访罢市。

E县这次发生海带丝闹剧的信息传到网上后，表现最冷静、最负责的，要数栾大V。他不仅负责任地向市直相关部门咨询网络传言的真假，而且还及时在网上向公安机关和当地政府发去举报信息，为政府和公安部门能及时收集证据，妥善处置闹剧，并在第一时间控制闹剧，有效维护市场秩序和社会稳定，作出了重大贡献。

老康讲到这里时，突然加了一句话："栾大V和我同住一个小区。他这样做，我都感到光荣。"

我问老康："杨嗯哨是怎么暴露的？"

"市场门口有录像，纸上有笔迹，市场上有事实。他怎么跑得了。唉，出这样的事儿，一方面怪咱老百姓太好骗，一方面怪咱基层政府缺少作为。"

"为什么？"

"其实杨嗯哨的骗术，并不高明。一张白纸，歪歪扭扭的一堆错白字。电视里经常讲防雾霾、防辐射的知识，没几个人认真看，他一张破纸，连哪个办公室都没说清楚，居然闹起了抢购风暴，这说明什么？用吕副县长的话说，就是基层政府缺乏公信力，才让别有用心的坏人有了可乘之机。"

当夜，老康在极其复杂的心境之下，说话有时也是东一段西一段，但他讲的许多话，我都记在了本上、记在了心里。

老康说，海带丝闹剧发生的当天晚上，高各庄村卫生所还进了贼，正赶上公安局的人来抓杨嗯哨，不认路，到村部找人带路时，偷东西的人仓皇而逃，可一出院门，那人竟然在刑警的眼皮子底下失踪了。后来找了好半天，才在路边的一座装修精良、有门有窗、琉璃瓦灌顶的小房子里，把贼找出来。警官疑惑小房子的用处，用手电一照，发现上边写着一行字——农村环境综合整治示范项目：垃圾箱。警官乐了，问小偷："偷什么了？"小偷答："偷了一瓶碘酒，想回去熬汤防辐射用。"真是笑话。老康说："以我多年的观察总结，罪恶总是与愚昧为伍。"

"罚款和创收在一起，听证和涨价在一起，义诊和卖药在一起，咨询和推销在一起，矿难和官股在一起，红包和医术在一起，讲座和广告在一起，打折和陷阱在一起，罪恶和愚昧在一起，污染和GDP在一起。"英雄所见略同。此时，大侃转来大辛的信息证明，他们与老康的许多观点，极其接近。

老康妻被公安局请去了，家里就他一个人，我也是光棍儿，晚上老康就住我家，说着话睡着了，睡醒了继续说个不停。到天亮时，老康认真地对我说："今天你一定得托门子打听一下，你嫂子和盼姐到底有事儿还是没事儿。"

"对了，你要不说我还忽视了，盼姐她们进去与海带丝闹剧有关系吗？"

"有呗。听说就是杨嗯哨她媳妇把我妻拉出来的，我妻又交代说是听盼姐讲了什么。"

五十四

听了老康的话后，我的头如五雷轰顶，嘣的一声，差点犯了高血压。雾霾——辐射——死狗——去老康家——盼姐约老康妻去医院体检。"我明白了，我明白了，这场闹剧确实是与盼姐有关又无关，无关又有关。"我突然冒出的这句话，把老康吓住了。正这时，老康的手机突然急促地响起来。电话是她女儿打来的，爷儿俩足足讲了半个小时，而且是女儿一人讲，老康一人听。我只听老康最后说了一句话："国家有法律呢，你不用为你妈的事儿着急。把孩子带好，把工作干好。别再出事啦。"

放下电话，老康对我说："真是祸不单行。闺女在一家银行上班，姑爷在市医院上班，平时孩子都是你嫂子给看着。这几天孩子没人管了，闺女和姑爷也因她妈的事儿心烦意乱。姑爷给一个小孩打疫苗后，孩子突发高烧，傍晚就死了。到底是药的问题还是其他问题，说不清，医闹正组织孩子家属闹着呢，姑爷被医院停职反省了。闺女那儿也一样，昨天上午在班上，一名男客户来支款，和站他前边排队的另一男子发生了剧烈争吵，谁劝也不行，乱拳当中，还误把我闺女打伤了脸。情急之下，闺女把制伏抢银行罪犯时才能用的催泪瓦斯给客人使上了。结果警报一响，防暴警察把银行戒严了，很多客人正在办业务，结果被瓦斯熏得又流泪又咳嗽，很多人还传言，是日本辐射真的传来了。为此，银行正让她停职检查。昨天下午，银行在对账时，发现ATM机上多给一个客户吐了一千块钱。银行打电话讨还，结果客人说他上午在银行被瓦斯熏晕了，还在医院诊治，如果想要索取那一千块钱，银行就得像客户去银行办业务一样，讲个程序，讲个制度。随后，银行收到市民网上回复：一、请在一个政府确认没有雾霾，不会启动雾霾重污染天气应急机制的日子，在我规定的时间到我家来取。时间是早上八点至九点，晚上九点至十点，其他时间我休息；二、到我家后请在门卫过道口取号，然后在二楼与三楼楼梯过道等待叫号，原则上站在我家门口黄线以外位置；三、请提供你的有效证件，在我岳母那里领取申请表，填好后签名，盖公章，如果盖模糊了，要重新来；四、你问我取了多少钱，请先交五元钱咨询费，自备零钱，不设找零；五、手续全部完成后，需缴纳取款手续费，每笔仍是五元。最后，请别忘记留下手机号码、单位座机号码、私家车或公车牌照号码，我会把资料提交我老婆那里审批，然后在20个工作日内到我家来取钱。提醒您记住，雾霾日，我有可能不开门，但过时、过期，后果均需自负。行长看后，把气转到我女儿头上，说市民如不还款，就从她工资扣。"

我说："这也是海带丝闹剧的次生灾害。"

提到次生灾害，老康似有所悟，他急慌着说："次生灾害当天就出现过了。M县公安局早带着当事人找后备干部来了。"

老康介绍说，那天杨嗯哨在市场上自导自演海带丝闹剧后，积压的海带丝很快一抛而空。从M县押货正往E县急赶的后备干部听到信息后，马上按杨嗯哨的旨意加货、加货、再加货。后备干部给M县供货的朋友大刘打电话，要求再送两车海带丝，由于当时雇车已很困难，再加上后备干部催货急，大刘便让一个叫老阚的师傅加个载，捎上两吨货。老阚说："超载可要挨罚的。"大刘说："撞个运气吧，兴许没事。"其实，货车超载不是什么新鲜事，只要你和运管协调好，睁一眼闭一眼，就过去了。老阚是超载老手，他和县界管理站的熊站长早有私下不成文协议，只要每月给兄弟们补点夜餐费，超载的事，夜间没问题。

老阚的车超高超宽又超重，尽管雾大霾重，但毕竟是大白天，过关卡，他心里实在没底。他给熊队打了电话，熊队说，一码是一码，

234

白天别找我。走近检查站，老阚把前后车牌子都扒了，在过卡的一瞬间，老阚不顾检查人员举手拦车，右脚一踩油门，大挂车飞速冲向前方，巨大的风力，还差点把站在路边拦车的两个年轻人摔倒在地。老阚冲卡后，生怕检查人员追上来，在逃出两公里后，他急忙下车，又把前后车牌子套上，然后，乘风破霾，继续前行。十几分钟后，老阚突然听到后边响起了急促的警车警笛声。虽有反光镜，但因雾霾很重，他也看不清警车是不是奔他而来。正当老阚的眼睛直勾勾紧盯车后的一刹那，他万万没有想到，在他车前不足百米处，一辆货车因出故障正停在路中央，司机正躺在车下，仰面朝天修大轴，老阚根本没看见。霾太大了，心太慌了，车太快了。吭，吭当——老阚的车头奋力直撞，被硬性接吻的前车借力前行，车下的司机当场被轧死了，老阚也身负重伤。闯关枉法，车毁人亡，官司通过老阚、大刘从M县打到E县，又从E县公安局打到后备干部，最后，各种矛盾都集中到了杨嗯哨一个人头上。

"现在世上很多事儿都很难说清，公路治理三乱，结果是越治越乱，新闻中说，运管部门自身就给超载户发月票、年票，支持超载，结果是越罚越超，越超越罚，罚款成了创收，迷失了当初制定制度的方向，迷失了责任，也迷失了政府部门的形象与公信力。我有个街坊，在高速当交警，前几天被开除了公职，原因就是乱罚款、赔了一车油，还差点闹出人命。年初，上边给他们每个人都规定了罚款创收的任务。眼看快到年终了，任务还没完成，我那街坊便昏了头。他见车就说超载，见车就罚钱。那天，有一辆油罐车送油回来，空着车被他扣了，硬说人家超载，要罚五千块。司机一听乐了，你开罚单吧，写清楚点，我马上给你取钱去，车先放你这儿。一见司机挺痛快、很配合，他大笔一挥，写了个：满载97号汽油，超重3吨，罚款一万元。两天后，司机回来了，规规矩矩交了一万元罚款，还开了正规的罚款收据。我那街坊怎么也不会想到，他上套了，人家是带着律师来的。拿到证据后，人家马上翻脸了，问：'你罚我，我认。但是你们不应该偷走我的一车油。'我街坊说：'你车是空的。'司机说：'那是不可能的，你开的罚款通知单、你罚我一万元的票据，都写得清清楚楚，证据在手，你们想抵赖也不成了。归法院吧。'结果，高速交警支队不得不赔了一满罐还外加超载三吨的汽油。赔了油，他们还以为这事儿就过去了呢，人家回去后就把全过程发到微博上去了，大吵大闹半个月不依不饶，结果，经不住炒作，交警支队把我邻居开除了。听说为了给交警支队创收丢了铁饭碗，他媳妇买了瓶农药，躺到交警支队队长办公室，一口气全喝了下去。结果你猜怎么样了？"

"怎么样了，我哪知道，你快说呀！"这个老康，还学会卖关子了。

"农药是假的，喝完了，闹两天肚子没死了。哈哈哈哈……"老康喘了口气，又接上对我说，"你有空查一查《新华字典》，多少年了，无论修改翻新过多少个版本，'做'字，都是排版的最后一个字。说明什么？它告诉我们，人活着就得做事，做好事做坏事都是这一个'做'字。让人看着做呗！"

五十五

老康正发着牢骚，发着感慨，栾大宝给我发来信息：

据统计，微博的注册用户已近6亿，这么大的群体，没有好的导向，确实不行。我认为，微博大号的责任不应该是带领年轻一代去愤青、去抱怨，而应该教会他们如何适应环境、增长智能，激励创业，激发热情，培养他们正确的人生观、恋爱观……这才是真正的正能量。不知老康和你讲了没有，他可能又犯上事儿了，又犯上大事儿了。六十五中有个学生自杀了，听说与他关联密切。

认识栾大宝，是在几周前，我是在盼姐的宣传队里认识他的。我们不仅一见如故，而且还成为"微"友。但他对E县破获海带丝闹剧案所作出的贡献，他始终一字未提。老康正在走背点，此时，有些涉及他本人的丑事，他不愿讲给我听，我也体谅他，而且我尽量不去伤害他，我怕已经连续重复的次生灾害在此时把他击倒。

想到次生灾害，我想起了《西游记》。那天我和老康在看守所见杨嗯哨前，讨论过这个问题。吴承恩老先辈，在《西游记》中，让唐僧带着徒弟们西天取经，虽经81难，但明眼人仔细分析一下就会认清，81难，共历时14年，行十万八千里，捣毁妖怪聚集点48处，打击、感化各路魔王128人，但险境与灾难始终是单独生灭，一码是一码，一难是一难，没有一场像地震与泥石流、洪水与瘟疫、台风与海啸这样相继次生的灾中灾、难中难、祸中祸。如果在任何一场唐僧被捉入妖洞的灾难后边，再加上一场连妖魔也难预料、也难抵抗得住的次生灾害，又恰巧是孙悟空不在现场之时，那么唐僧会不会早被烧死、淹死、砸死、踩死、气死了。

千古传说，无奇不有，但我看古人先辈还是比今天的恶人善良得多，他们没想让次生灾害泯灭了人类良知，怕的就是大难临头时，活得还不如一只老猫吧。人与猫当然不能同论，但后来杨嗯哨这样告诉我，"人与猫一样，都要吃饭才能活，都要呼吸才能活，人虽然比猫有责任感，但猫比人活得更潇洒、更少顾及法纪、规则，做猫有什么不好？猫对人类贡献不小，灭四害之鼠，首推老猫。"谁会想到，人猫同论的结果，在这个大嗯哨的嘴里竟是这样。老康说，杨嗯哨的闹剧倒真像是演小品，甚至比小品还小品。我答，像《卖拐》《卖车》这样的小品，在春晚的舞台上让人开怀捧腹，生活中，这样的事儿也屡见不鲜。在生活的舞台上，像海带丝闹剧中这样不仁不义的杨嗯哨，用私

237

贪鬼欲之心，为了满足一己财欲，精心策划了比霾灾更可恶的次生乱世灾害。他同样也让人捧腹，但人们捧着的，是遭遇他的毒刀伤害后，从肚内流出的心肝肠肚。

那天，老康我俩在探讨《西游记》的过程中，他还给我引申讲了一段科研实例。他说，《西游记》里的孙悟空真是厉害，头砍掉了立马又冒出一个来。其实，有一类叫涡虫的动物，跟孙大圣的本领也不相上下——头切掉能新长个头出来，尾巴切掉重新长尾巴，就算将它粉身碎骨成279块，每一块都还能长出完整个体。涡虫之所以具有如此强大的再生能力，主要原因是其体内有一种类似于人类干细胞的细胞，而且这种细胞占涡虫细胞总数的25%。涡虫具有几乎无限的再生能力，在未受损伤的情况下，它能保持自己身体健康而不会死亡。这使得它成为科学家开展再生研究的一个非常难得的模型。近年来，一系列与涡虫相关的研究工具陆续开发出来，同时国际上多个顶级科研单位均建立了以涡虫为模式生物的实验室。相关成果还登上国际权威杂志。中国科学家也已从涡虫中发现了近五十个参与到再生过程中的基因。讲完了，老康非常遗憾地发出了这样的感慨："如果生态环境也能像涡虫一样任人摧残与损害，它都能折污破霾恢复新生，那我就可以当圣诞老人了。"

说到圣诞老人，我忽然想起来，杨嗯哨父子俩，制造恶作剧被抓的那个雾霾之夜，正是所谓的圣诞节前一天的平安夜。那天，应是黑色星期五。我亲眼看到，C市的大街小巷的商场充满了节日气氛。国人几乎都知道，在中国点亮圣诞树，炒作圣诞节的无一不是商家。但无论商业的力量如何渗透，无论圣诞销售指数对经济有多重要，对于圣诞的真谛，又有几个人拥挤在雾霾充斥的街头里思考过呢？

圣诞节是为谁庆生的节日？我答不上来。但我查阅了相关的资料。

若问圣诞节是为谁庆生的节日，超过10%的美国孩子会回答：圣诞老人。

在很多国家、国人想听到"圣诞快乐"还是"节日快乐"的问候，近半数庆祝圣诞节的美国人却表示，"圣诞"一词，其实并不重要。

2012年，皮尤研究中心的一项调查表明，圣诞这个西方社会最重要的节日，其宗教意义已经悄然式微，超过半数的受访民众认为"圣诞节被商家们绑架了"。

不知从何时起，商家的各种销售传单成了西方国家年终节日的主旋律。万圣节刚过，人们还没来得及收起门廊前的南瓜，感恩节的促销宣传就挤进人们的邮箱。而随着"黑色星期五"和"网络星期一"接踵而来，促销季的大幕就彻底拉开了。

"黑色星期五"在西方宗教文化中曾被认为是不吉利的一天，但随着时间推移，它早已被赋予新的意义：销售商家会用不同颜色的墨水记账，红色亏损，黑色盈利，财务报表取代旧约新约，成了这一天的主题词。而在此后长达两个月的圣诞购物季中，商家更极尽所能设置各种所谓限时限量限对象的折扣，将饥饿营销运用到极致，铆足了劲儿冲刺全年销售业绩。以至于有人开玩笑地说，"黑色星期五"之所以得名，是因为"只有在美国，人们会在进行集体感恩后的第二天，为了抢便宜货而互相踩踏"。

这并非危言耸听。今年的"黑色星期五"购物日，美国就有不少顾客偷窃商品、袭击警察、为抢货大打出手，甚至把尚在襁褓中的孩子忘在车里。美国媒体感叹，浓重的商业气息已经让感恩节变得充满"物欲"甚至"暴戾"。

美国全国零售商联合发布的调查报告显示，仅在今年感恩节假期，零售额就高达574亿美元，平均每位购物者花费约407美元。人们付出了钞票，获得了消费满足感，但也有人担心，大家在收货的同时，却淡忘了"环境变化""相互关爱"等这些需要升温的精神传统。

"给孩子们玩具"是美国一个知名的慈善组织。从1948年开始，每年圣诞节他们都在全美各地募集新玩具，分送给低收入家庭的孩子们。

他们的口号是"让穷孩子们圣诞节快乐"。然而今年圣诞节临近，该组织却发布通告，呼吁更多的人能伸出援助之手，因为"在更多的家庭需要玩具的时候，玩具捐赠量却在下降"。

这让人想起英国小说家狄更斯的《圣诞颂歌》。正是这本畅销书，让圣诞节在欧美从一个严肃的宗教日逐渐变成一个家人团聚、充满欢乐、施行仁义、关注环境的节日。打动一代又一代读者的，是故事主人公吝啬鬼斯克鲁奇灵魂的转变，他冰冷、铁石般的心肠由此变得柔软，人们的精神也得到了安慰。许多美国人反思，我们究竟是为谁在点亮圣诞树？为了商家、为了圣诞老人，还是为了家人、为了环境？也许，这就是人们深陷节日的商业狂欢时仍会陷入纠结的原因。

商业力量的渗透，圣诞销售指数对经济的重要，节日团聚的真谛。让人们感到了没什么在意。雾霾之中，许多国人一哄而上，此时有几个人考虑到了健康的重要、亲情的重要？有几个商家考虑到了他们在防霾治霾之中应该承担什么样的责任？文化无国界，霾毒病毒有国界吗？

事后，我问过环保局宣教中心的丁科长，圣诞节中，有商家在热炒圣诞老人时告诉顾客，此时拥挤在雾霾中影响与圣诞老人竞争健康吗？事后，有商家捐款资助大气污染治理行动吗？"六一"儿童节那一天，有商家给幼儿园的孩子们买过玩具吗？"六五"世界环境日那一天，有多少商家像操持圣诞节那样，打出百十条横幅竖标，走上街头，热炒保护生态环境的重要意义呢？"六五"不是环保行动者的标志，他只是365天中的一天，在剩下的364天里，商家、企业，他们又有谁会记起世界地球日、国际保护臭氧层日、世界无烟日、世界森林日、世界湿地日、世界粮食日、世界人口日和国际生物多样性日，这些与环保有关的节日，都是哪一天，他们的行动又有什么？丁科长一时语塞……

依我看，平安夜不一定能平安，圣诞节突击花钱，也不一定求得健康。

五十六

大侃告诉我，杨嗯哨和后备干部，有一次在看守所小院相遇，后备干部故意逗杨嗯哨说："你在世上多呼吸60秒，你就向死亡走近了一分钟。"嗯哨答："我每多活一分钟，就会呼吸60秒。用你的观点，还可以这样说，把弯路走直的人是聪明的，因为他找到了捷径；把直路走弯的人是豁达的，因为他同时多看过几道雾霾风景线。"大侃说罢一笑又道："人世间任何事物，都有两重性，两方面。要发展、要生存，就会有排放、有污染；有网络、有方便，就会生谣言生事端；生闹剧、生动乱，就会出新思想、新理念、新作为、新启示、新教训、新经验。"

大侃这话，一点不假。

E县海带丝闹剧那天，网络迅速生谣，把辐射说得邪乎到了极致，结果竟"吓"出了许多好事。二哈告诉我，那日傍晚，E县还有一场辐射风波，差点没闹起来，那是一件"神秘人"举报的放射源藏匿案。

霾夜天阴，遮星盖月。

马二哈队长正开车行驶在回家途中。路上的车一辆紧跟一辆，慢慢腾腾，走走停停，左插右挤，比螃蟹爬得还慢。二哈正压抑着急迫，在耐心等待中持续前行，一个陌生男人用一个陌生的座机号码打来电话。

"你是马队长吗？"

"您哪里？有什么事儿吗？"

"你别管我是谁了。我向您举报个私藏放射源的案子……"

"这是真的吗？"

"真的，我用人格和良心向你保证这是真的。我知道私藏放射源是违法的，是要出大事儿的，所以我才向你举报的。"

"您能留个电话吗？我怎么和您联系？"

"我用的是公用电话。我不能给你留电话，万一暴露了，我会被人卸掉胳膊腿的。但是，我会在暗中随时向你提供情况。"说完，神秘举报人把电话挂了。

正赶在E县发生辐射源风波，全市上下很多地儿正人心惶惶恐辐射、抢碘食，赶在这节骨眼上又发生神秘人举报一家私营企业有两枚辐射源被私自卖到域外，此事一旦张扬出去，必然引起新的轩然大波，不仅对C市，对周边A、B市、对D、E市，都会有较大不稳定影响，到那时，事情可就真的闹得太大了。

前边是红绿灯十字路口，二哈二话没说，将车掉头驶上返回环保局的路。途中等车时，他打电话向主管局长讲述了接到神秘电话的情况。局长一面要他快回局，对外严密封锁相关信息，一面向县政府汇报情况。他要求二哈连夜去企业实地调查、取证。

私卖放射源的企业距县城三十公里，黑灯半夜，雾霾蒙蒙，二哈带人心急火燎向企业赶去。正常情况下，三十公里的路，二哈半小时肯定能到，今天，车爬了一个小时，才见到那家企业门口的黄昏灯光。

"我是县环保局的，夜间突击检查，请开门。"

"厂子停了快八年了，查什么查。除了我和老谭，连刘老板都撞死了。"

这是一家钢铁压延企业。看门老头说的一点不假，厂子确实停产七八年了，停产的原因是因为违法排污被环保局多次严厉打击处罚，气得刘老板关了门。几年来一直是在吃老本、等新机。吃老本是厂子曾经红火过，改革开放初期，违法排污无成本，靠偷税漏税，刘老板大捞了一把，但后来，环保局一年让他停产整顿半年多，终于被同行挤倒了。为此，刘老板恨透了环保局的老局长马前行。刘老板所等的新的发财的机会，是想找个茬把厂区这一大块地卖掉，捞一把。厂区固定房产本身规模不大，但用破砖头圈的墙头却足有二百来亩。据说，圈地的刘老板有很深的背景，市里几次要求解决乱占地问题，他都平安过关。但遗憾的是，前几天好不容易盼到从台湾来了一位很阔气的大老板，要高价买他的这块地皮建厂，刘老板中午高兴了，和几个朋友大喝一场，当天下午便亲自驾车驶向了霾途。还真是霾途。途中，他酒兴施威，自己把车从定命河大桥上翻越栏杆，掉到了几十米深的河床。不偏不歪，不大不小，不软不硬，被甩出车外的刘老板，头部准准地摔砸到牛头大的一块石头上，当场头骨就裂成了几块。刘老板去了，平时就和他有矛盾的合伙人趁火打劫，找来几个讨要工资的农民工，趁雾大、天黑之时，打着手电，把在车间里闲了几年的车床、机电，全部拆了，送到邻县的一家收购站，卖了废铁。两枚放射源，就安在车床上，一同被当做废铁卖了。后来证明，事儿就是这么回子事儿，但二哈他们到达企业之后，却并不知道内中的来龙去脉。

"你们厂有放射源吗？"

"有啊，刘老板死了。方舍元这两天正当大拿呢。"

看门老头听错了，所答非所问。二哈听准了，反问正当时："方舍元是谁？"

老头答："是二老板。"

"能联系上吗？"二哈的问话刚毕，身后传来一个粗声粗气的声音："联系我干吗？你们是干什么的？"

二哈认定讲话人方舍元是企业现在负责人后，直截了当地拿出执法证，亮明身份，讲明事由。

"没有的事，这里哪有什么放射源。你们怕是搞错了吧？"

"你们厂原来搞压延用的放射源呢？"

"停产后交了。"

"交几枚？"

"两枚呀，这我知道。"

二哈正和方舍元对证情况，手机来了信息："交两枚是对。藏两枚被卖也是真。"看过信息，二哈打电话向局里管放射源的张科长询问这家企业的用源情况。张科长肯定地答道："2006年相关局向环保局转移放射源管理审批权时，该企业确实是只有两枚放射源的档案手续，没有证据证明该企业有过更多的放射源。而且，企业停产后，确实向省上交了两枚Ⅴ类放射源。"

难道是神秘人举报有误？二哈正半疑半惑地继续向方舍元了解情况，信息又来了："藏源的是老板。可能方某真不清楚，但卖源的是他，也可能真的是误卖。"

看过信息，二哈心生一惊，神秘人怎么信息这么灵快？他的信息好像比在现场的人都来得及时来得快。二哈左右看了一圈，尽管天黑雾重，但在灯光下，他没有看到现场的人有谁拨弄过手机。

"你下午是不是把厂内的车床当废铁卖了？"

"谁他妈给我栽赃，让我知道了我要他的胳膊腿。那是几个农民工干的，欠人家钱，要过年了，不能轻视弱者。"

方舍元慷慨激昂，人情似火。但他讲话时，明显让人察觉出他有心虚的成分。

"如果你不完全了解情况，可以理解，但是，我请你配合我们把卖源的来龙去脉调查清楚，否则，你作为现任负责人，也要负相关法律责任。"

"现在让我负责了，当初挣大钱时怎么没人这么说。他刘老板害人的账，死了也得有人找他算清楚。"

"别的事我管不了，放射源的事你要是不诚心配合，我们就要报案请公安局介入了，到时候后悔可就来不及了。"

听二哈说要报案立案，方舍元马上把说话的酒气变成了温和的暖气。开始实话实说地讲起他带人卖车床的情况，但他表示，车床上没有放射源，他确实不懂，他更没有私藏过放射源。

二哈让方舍元把卖车床、废铁的过程讲了个头透底儿明，笔录做得也十分详实。二哈正要让方舍元在笔录上按手印，他的手机又响了。电话是主管局长打来的。

"二哈呀，F县环保局、公安局把两枚放射源送回来了。你主要查一查企业的购源、用源手续，看看是不是还有新的放射源。"

"F县是怎么查出来的？"

"收购站有辐射监测设施，咱县那几个人上午去卖废铁时，那边的监测员正好家里有事上班去晚了，没能当场监测。收购站老板很有警惕性，中午把监测员找来，严密监测，终于发现了问题。所以人家顺着收据上的线索找上门来了。"

二哈带人在企业查到了深夜，关于放射源的手续，一个文字也没找到。他又派人连夜到原管理辐射源的相关局去查找，该企业的四枚放射源，从来就没有过手续。

放射源是哪来的？仅有四枚吗？信息随二哈的疑心马上到了："四枚就对了，我完全可以证明。那年买源时，还没有像现在这样法规要求那么严格。后来，卖源的那家企业都被取缔了。那年交源时，刘老板说上交一枚源还要搭上一万块钱的保管费不上算，于是就偷偷藏匿下了两枚，说是怕以后再有生产任务时，省得再买了。谁知，藏源的刘老板竟摔死了，辐射源成了无头案。"

"你是谁？你在哪里？你对你的证明能负法律责任吗？"二哈用短信向神秘人发出了询问。

"我现在是唯一的证明人了。购源时，是我和老板一起去办的。藏源时，老板只偷偷告诉了我一个人，别人都不懂这个。"

"你能出面写个证明吗？"

"你能确保我的人身安全不受侵害的情况下可以考虑。"

神秘人就在身边，二哈坚定不移地感觉到了。"老师傅，你刚才说的老谭在哪里？"

"在屋里呢，他感冒了，一天没出屋了。"

二哈半天都是背对着企业门卫的小屋站着的，此时听看门老头说屋内还有老谭，二哈猛然回头，却见屋内一个神秘的身影正蓦地转身而去，屋内的床铺立时发出几声吱吱的叫声。事先有约，此时，二哈想起了他保护举报人的承诺。

"二哈呀，我的外甥女婿呀，你可别当场把我表弟当举报人的事儿给漏了底儿呀。"信息是老康发来的。

二哈马上回复："放心。诚信守诺。下来再说。"

事后，一场清查"账外"放射源的专项集中行动，在C市全面展开。老康又立了一功，因为，他那个神秘的表弟向二哈举报老板偷藏放射源的事儿，始作俑者，正是老康，连二哈的手机号，都是他提供给神秘举报人的。

此时，二哈根本不会想到，死了的刘老板，会是他家真正的仇人。

五十七

为了帮助盼姐走出看守所，我托人找友，终于在看守所里见到了盼姐和老康的妻子殷云。她们果真是因E县海带丝闹剧受到了牵连。但公安机关已经基本查清了谣言生成的前后脉络。先是盼姐好心想拉殷云去体检，说了几句与雾霾和辐射有关的话，目的是一定要让殷云去医院。然而殷云误解了盼姐的话，第二天和盼姐一起去医院体检，但后来，医院不知怎么把抽取殷云的血搞丢了，她不得不第二次又去医院。第二次去医院时她正和杨嗯哨的妻子同车同路，说闲话间，殷云无意中说了一句，听吕县长夫人讲如何如何，结果，当天晚上就被杨嗯哨借题发挥，添梗加叶，瞎说八道，变成了海带丝闹剧的脚本。就连后备干部，也是被蒙在鼓里的人，他根本不知道那个通告是杨嗯哨设计好的圈套，他还真的以为是政府下了什么通告，所以他和杨嗯哨一阴一阳，一明一暗，一个为钱，一个为官又为钱，唱起了异梦同床的双簧。这里边还有一个难受的女人，那就是杨嗯哨的妻子。她既后悔没有听殷云的劝告，把假信息传给了丈夫，闹了个倾家荡产还要承担刑事责任，同时，也伤害了和殷云多年的邻里情缘，让人家俩人一个连一个地进了拘留所。

我见盼姐和殷云的全过程，始终有刑警跟着、听着、看着。我们之间的谈话只限提家务，不许提案情细节，因为，每一个环节的调查，都尚缺口证一致的细节来证实有罪还是无罪。我告诉盼姐，你好好想想那天在老康家和殷云说，请她第二天一起去体检的原话，我也好好回忆一下，咱俩对上口证了，公安机关就可以定夺你是否清白了。盼姐问："你怎么会知道我和殷云说了些什么呢？"我不好意思地答道："我在门口听得很清楚。你好好回忆，别添油加醋的，也别丢三落四的。"

晚上我回家后，第一件事就是把我那天听到盼姐与殷云的讲话认真地回顾、反复地推敲，并向公安局写出了证明材料。大侃听说我要去救助盼姐，第二天早上早早地就来我家接我去了公安局。盼姐在公安局留下的笔录，与我的证言，极其相似。甚至，在我证明的，盼姐那天所讲的"大妹子，你听说了吗？日本的辐射飘到外国了，可能会伤害人和动物。明天我约你……"这句话，和盼姐讲的，只字不差，完全一致。但殷云和杨嗯哨妻子是怎么说的，缺少证人。当天下午，公安局就让盼姐回家了。但走前公安局干警还反复问盼姐："你与殷云原先又不相识，为嘛一见面就那么热情地非要拉人家去体检呢？"

我和大侃接上盼姐，她上车后就给吕副县长打了电话，讲了情况，吕副县长对她说："我相信你不会去造什么谣，但我怀疑你约人家去体检的动机。"盼姐说："这一点你应该明白。回家再说吧！"

盼姐与吕副县长的电话刚停下，又一个电话马上打了进来："盼姐，听说你马上回家来啦。有件事你给评评理。前天咱小区有几户人家，合着去环保局告电信公司，说人家的发射塔辐射过大，家里有人天天头痛。结果，市里把省辐射专家请来测试了二十多个点位，均不超标。但他们还是跟人家不饶不干。办事处打来电话，让我们小区居委会依法做好群众工作，我怕因此影响咱们小区的名声，但又说不过他们，刚和他们发了火，结果，几家人冲我闹起来了，太难沟通了。"盼姐听后耐心地说："前几天接二连三地出辐射闹剧、出辐射源被盗的事，群众有担心、有忧虑可以理解。作为一名环保志愿者，与什么样的人都有接触，但做工作时千万要记住：与老人沟通，不要忘了他的自尊；与男人沟通不要忘了他的面子；与女人沟通不要忘了她的情绪；与领导沟通不要忘了他的尊严；与年轻人沟通，不要忘了他的直接；与儿童沟通，不要忘了他的天真；一种态度走遍天下，必然处处碰壁，面对雾霾不慌不乱不烦不躁，面对目前的困境，更要因地制宜，因人而异，才能让人心悦诚服。千万别把自己当警察喽。"

为了帮助盼姐做好探春小区几户居民与电信公司的辐射纠纷，老康主动打电话给环保局，找他外甥女婿马二哈，想请辐射科的专家，到现场给居民们讲一课辐射知识，从而消除大家的担心、担忧与恐惧。电话果然灵，盼姐刚刚回小区，二哈带着环保局辐射科的安泉科长就到了。经过调查，安科长发现，居民反映的电信发射塔问题，虽然辐射量是不超标，对人身体健康也无害，但发射塔的建设是违规的。为什么呢？塔上安装的发射器材虽然是电信公司的，但塔是社会上另一个公司承建的，既没有向环保部门呈报环评报告，也没有经过省环保厅审批，属于违法建设，应该立即停止使用，限期整改，如过期不履行环评审批，则应限期拆除各种设备，并由环保部门给予经济处罚。

"把发射器材拆了，打手机信号不行了怎么办？"

"那是后话，法规无情。"安科长一边向电信公司了解情况，责成公司马上到环保局做笔录取证，一边感谢小区居民的积极参与，他还当场表扬了举报的两名环保监督员。盼姐知道马二哈是老康的外甥女婿，便主动热情地和二哈打起招呼："马队长，最近忙吧？"

"忙啊！从春节到现在，一个节、一个双休日也没休踏实过，天天加班天天忙，天天举报天天查，天天从早忙到晚，天天吃饭没个准。环保局人手紧张，大气污染整治任务这么重，一下子压得大家喘不过气来。好在市县领导带头干，局领导班子成员表率作用到位，大家也就毫无怨言了。"

话题扭到辐射上，盼姐告诉二哈："大家对辐射高度关注，谈辐色变，心惊肉跳，其实原因在于不了解。你说说，这辐射源到底有多么厉害？"

"辐射源无色无味，但却很凶狠。业内常讲的一句话是：一源虽小，事关大局。一源丢失，牵扯全局，索责索官又索命。管理责任从政府到环保部门、从公安机关到企业看管人员，一旦丢了源，没话讲没路逃没任何推诿余地。一源丢失，上下揪心。事关社会稳定，事关法人命运，事关企业生存。所以，如何确保辐射源安全，始终是各级政府和环保、公安部门及企业和看管人员努力探索和十分头痛的一件大事。但是，谈虎色变，大可不必。为什么呢？只要从管理上把源看死看稳看好；从技术上按国家规定标准要求严格把关、监测到位、不留隐患，就会万无一失。"

"那怎么个管法呢？"

"从环保部到省市县，直至企业，各级都有辐射管理专门机构、专业法规。放射源从申请使用，到分类审批，层层把关都非常严格。对生产、销售、使用、运输、贮存和监测的每一个环节，也都有严细的规定，不是谁想买就能买到，谁想用就能用上，谁想借就能借到，谁想卖就能卖掉。"

"我们听说，生活中每家每户都有辐射是吗？"盼姐扭头看了一眼围观倾听的居民又问二哈。

"其实，生活中辐射源无处不在、无时不有。小到电视机、微波炉，大到电信发射塔、变电站；少到核电站、核潜艇，多到手机、电吹风机；轻到生活中的小辐射，大到核泄漏的重灾难；近到国内发生的辐射伤人一般事故，远到日本福岛的数万受害人大搬迁；从医疗、生产、勘探、教学，到蔬菜保鲜，辐射无时不在，无时不有，每小时，每一天，世人都生活在充满辐射的空间。雾霾有去有回，辐射分秒未停。管好了、用好了、防好了，辐射源就是发展'源'、生存'源'、幸福'源'、稳定'源'，否则，就成为危害'源'、致命'源'、悲伤'源'、闹剧'源'。经省辐射管理权威部门监测，目前在C市使用、管理的各类辐射源和射线装置，均无超标，都是正能量源。但管住管死管好辐射源，任务很艰巨。因为社会上还存在像杨像这样的危险分子，所以，管理一时一刻也不能放松。一切恐惧与担心都是没有实效的，科学会确认事实，事实会消除担忧。"

"听说杨唥哨儿子偷源是为了报复和诈骗老板钱财？源找到了吗？"

"找到了，找到了。因为全市每一枚放射源，都有独立编码，就像我们的居民身份证一样。每天24小时都在监控之中，谁偷源，不仅要承担法律责任，搞不好，还会把命搭上。杨像偷了工厂的放射源，是高厂长管理不严，高枕无忧之过，他不仅要停产整顿，还要接受经济处罚，如出大事，他还要承担法律责任。"

"是呗，我听公安局的朋友讲，杨唥哨就差点让儿子偷的放射源害死。"

"生活中的辐射和生产上用的放射源不属一类。工厂的一定要远离，非技术人员不能碰动。生活中的辐射，只要适当防护，都没有问题。"二哈和安泉科长在众人面前有问有答，一晃两小时过去了。天黑了，灯亮了，但众人还是久久流连在寒风污霾之中，如饥似渴，你一句，我一句，问个不停。

话语间隙，二哈话头一转悄悄对盼姐说："听说您认识一位作家？我们局里为了用正面教育激发大家干好工作的正能量，这几天专门组织了一场以'唱红歌、战雾霾、为人民、敢担当'为主题的诗歌、散文征文比赛，我写了一篇《红歌联名唱环保，披荆斩棘战雾霾》的抒情文章，什么文体都不像，想请那位老师帮助斧正一下？"盼姐听后告诉二哈："好，我帮你给他看看。"晚上，我把二哈写的文稿从头到尾看了一遍又一遍，其中的真情、感情、激情、豪情，激励我久久不能忘怀。

五十八

　　认真解决环境问题，不是靠打一场雾霾攻坚战就能做到的，要靠长劲儿、韧劲儿、实劲儿。为此，政府部门既要认真对待公众诉求，又要坚持从群众最关心、最直接、最现实的问题入手，解决好影响可持续发展和群众健康的突出环境问题，同时也要在提高公众环境意识和环境知识水平中增强理解，让人民群众在共同参与中激发正能量，共同享受发展和参与成果。

——吕副县长语

　　C城的环境保护事业，开始于上世纪的七十年代，建章立制，组建环保摊子，都与共和国同步。几代人，从看守几万人的小城环境，到今天几百万人，上下同心同德，坚守绿色发展理念，40年，用吕副县长的话说是经历了四个"死"字：从"文革"走来，百业待兴，面对国外发达国家的良好生态环境，让人羡慕死；改革开放，跨越发展，对生态环境造成的创伤，让人急死；面对违法排污，法规制度不健全，发展理念有扭曲，环保执法，让人气死；面对党中央的高度重视，科学发展的客观要求，人民群众的热切企盼，防治任务的艰巨，让人累死。他说，你可别把这话写进小说去，尽管是实话，但很偏激。应该说，40

年，C城环保历经坎坷、历有阵痛、历尽艰辛与拼搏，辉煌成果在全省、全国誉载史册。

我很同情并赞成吕副县长此时的语言与心境。C城有环保史40年了，这期间，C城人始终企盼着多出像马前行、吕正天、甄会盼、马二哈一样的坚守者、志愿者；企盼着多来些像郝大侃一样的新市民、思想者、行动者；也盼着像胡县长、江校长、老康、栾大V这样的人洗面回头快些、再快些；更盼着少出些像老康小舅子、油葫芦、杨嗯哨父子和后备干部一样见利忘义的同辈人与后生。但大千世界，芸芸众生，又怎么会都形同一人呢？

磨难砺志，危机砺心，责任砺行。现实的困惑，现实的危机，要求C城人必须放弃地域区划的狭隘观念，树立大空间意识，人不同城心同诚，同城人更该是一家人，易荣弃损。我想起，的哥郝大侃在他的日记中，有过这样的叙述："人和人的最主要区别不是在于职业，而是在于内心的境界，在于你的价值观，你是为什么活着，你把什么看得最重要。职业的区别不重要，同样职业的人，可能过着完全不一样的生活，因为他们的心灵不一样。有的人心中只有功利，那么，他是看不到功利之外的东西的。"

年轮转到了甲午年初春，C市文联要出一本反映C市环保40年奋斗历程的文学作品专集，留与后世，约我写一篇小说。我头天答应了，但第二天就反悔了。说话小心，小心说话。唱赞歌的话，哪有那么多？即使干巴巴写出来，会有人耐着性子从头看到尾吗？

我想摆脱这个制度乱象的季节，找个清静的地界，忍下来，净化一下思绪，写出让读者能品味到公平、正义、美好洁净的作品来。我下定了决心，打开电脑，从网上订购了一张夜航的飞机票。但刚刚订好明天飞往F市的机票，还不到一分钟，就听电视上天气预报说，今夜到明天，东北地区、河北中南部地区，北京、天津、上海和江苏、浙江东北部地区，有中度霾，局部地区有5至6级重度霾，上述地区已启动应急机制。其中浙江东北部地区，已持续7日笼罩在6级雾霾极度重污染之中。北京、上海、浙江三地，明天将有222次航班被迫取消。专家呼吁，雾霾已成为整个中国的敌人。防雾霾治污染已经没有退路。头痛医头、脚痛医脚的手段已经不起作用，必须着眼持久，综合治理。我要去的F市正列其中。

烦、烦、烦，真是让人烦。但我很快又镇静下来。因为，我听老康的女婿和大侃的妹夫都和我讲过，雾霾天气对人的情绪影响很大。首先，雾霾天气时，太阳光被大气颗粒物散射和吸收，使日照减少。阳光有助于减少瞌睡和抑郁感。如秋冬日照时间缩短，一些人会很快产生抱怨、瞌睡、疲劳、嗜食碳水化合物，体重增加，情绪不高等征兆。因此，也可以将雾霾天气出现的情绪问题称为雾霾天情感障碍。其次，雾霾天时天空昏暗。黑色使人感觉集中、压迫、抑制、重且低。伦敦泰晤士河上有一座桥，最初是被漆成黑色。后来发现，在这座桥上自杀的人数高于在其他桥上自杀人数的平均水平。于是人们决定把桥的颜色改成绿色。这之后，在这里自杀的人数的确下降了。此外，雾霾天气时的空气污染本身也会严重影响人们的情绪。严重的空气污染还会给人带来更多的敌意和攻击性行为，使人们的抑郁、易怒、焦虑随之出现或加重。

雾霾是社会的，身体是自己的。走不成、出不去，我突然有了想和吕副县长聊一聊的念头。盼姐打了电话，他真给了面子。晚饭后，我们相约在吕副县长办公室见了面，话题马上转入雾霾。

"雾霾伤害了我们、雾霾警醒了我们，同时雾霾也教育了我们。它告诫我们政府，必须树立绿色科学的发展理念，生态红线不能成为虚线；它告诫我们的企业家，应该将环保文化植根于企业，带头履行社会责任，实现社会效益与经济效益双赢；它告诉生活在地球上的每一个人，尊敬人权，首先要尊重人的生存权，用行动和参与尊重自己与他人共有的生存权。"

提到发生在E县的海带丝闹剧，吕副县长语重心长地对我说："这次的教训太深刻了。不仅是闹剧的本身，从社会诚信、社会公德教育、网络管理、网络应对、网络运用、严肃法规、强化制度、打击犯罪和强化应急机制建设上都可以找到不足，还可以从防止干群关系的'蛙水形态'上提示预防、重视和警惕。"

吕副县长告诉我，"E县发生的海带丝闹剧，一天时间，从县城闹到了C市，并殃及四邻市县。但在E县县城和C市许多地方，都出现了截然不同的反应。E县县城东城和西城有两个办事处，闹剧展开后，东城办事处发现苗头，及时应对，办事处的党政领导干部用平时积累的牢固可信的关系，牢牢控制住了闹剧信息的传播，没有抢购，也少见传谣。而西城却恰恰相反，面对闹剧传来，反应迟钝，抢购抢买不说，甚至有些群众都开始举家大逃亡了，办事处的领导还挤在市场抢购的人群中，无形中，鼓励和推波助澜了闹剧的汹涌。"吕副县长紧接着解释，"我刚才说的'蛙水形态'，指的就是基层一线的有些干部，把自己当成青蛙，当需要群众之水时，就跳下去，满足了自己的利益之后，又脱离群众，跳上岸来，群众的事儿少闻不问。基层干部是与群众接触最多的人，一根针串起。一个人的行为，影响整个政府。不容忽视。司法诚信是基础，社会诚信是主体，政务诚信是生命。政务诚信关系公众对政府的满意度和信任度。政务诚信越高，在风浪到来时，越能赢得公众的支持和信任，否则公共政府制度就容易遭到阻滞，在一定时候，就会让杨嗯哨这样的一条短信、一条微博、一张小纸片，把政府击倒，把社会击乱。"

话题扯回到雾霾治理上，吕副县长心怀忧虑又备显信心，"防污治霾，任重道远啊。市县最近都成立了大气污染防治办公室，上级也明确了环保部门的协调、执法主体责任。在控编制、控购车、控办公开支的情况下，县里给环保局增编相应科室编制，并把环保体制机制延伸到乡村，做到乡镇有环保所，村村有管理员。环保执法车统一换新，三九天深更半夜车熄火，把环保监察干部扔到野外，因车抛锚、瘪胎，失去宝贵取证执法时机，让犯罪分子逍遥法外的现状，将有强力好转。"吕副县长刚刚和我说完买车，大侃就转来大辛发给他的一条信息：

买德国的车，过不了纳粹主义那道坎；买日本的车，过不了南京大屠杀那道坎；买美国车，过不了美帝国主义那道坎；买韩国的车，过不了中秋那道坎；买中国车，过不了女朋友那道坎。想想终于明白了，买自行车是最明智的，省下许多油钱、保险费和各种罚款不说，还省得限号限行生闷气。既绿色环保，节能减排，还能锻炼身体保健康。

一条刚看完，又来一条：

遇到广告自动换台，遇到电视购物自动屏蔽，遇到"砖家"讲养生自动远离，遇到假记者自动骂娘，遇到雾霾天高价卖海带丝、速效雾霾救生丸、灭雾霾清洁剂，马上举报110。

"真逗。"

"我说的可不是逗，全是真格的。"

我笑了，"误会，我说的是信息真逗。"

说到信息，吕正天副县长说："现在讲雾霾的挑逗信息很多，这说明群众都在关注环境保护。因此，当前，用尊重激发民众环保正能量，十分迫切。"呷了口茶，吕副县长又心有所思地说道："当大半个中国遭受持续的雾霾袭击后，大家在渴望呼吸上新鲜空气的同时，也开始反思自己原有的生活方式和消费方式：我们有些习惯是不是无意间加剧了空气污染？过年放鞭炮本是图个吉利和热闹，但是当得知这一传统的做法会严重影响环境、影响健康时，很多人开始为是否放鞭炮而纠结，有相当数量的人干脆选择了改变习惯。这是一个不小的改变。"

是呀，近年，直至去年部分城市开始PM2.5监测后，禁放烟花爆竹让人们欣然接受似乎很难，禁还是放，要热闹还是要健康，年年春节都成为公众热议的话题。但近两年迫于雾霾环境现状的压力，为了自己和他人能拥有更好的生活环境，不少人选择了改变自身行为。这种改变会是暂时的吗？新年里的新举动，反映的不单是放不放鞭炮、开不开车、燃不燃煤的问题，更重要的是它表明了公众的社会责任、环保意识正在觉醒。而这种觉醒，很大程度上来源于政府和相关部门的"广而告之""启发诱导"和"紧急呼吁"。而这些诱导与呼吁，又恰恰迎合了公众的心愿与企盼。

前些年，我国曾经全面实施鞭炮禁放，但禁而不绝，公众偷着放的也还不少。在打、罚、压之下，还引发不少社会矛盾。其实，那个时期的禁放，同今天一样，都是为了维护公共安全与公众健康。只是"压"的强制方法与今天的"疏"和"诱"方式不同而已。

据了解，C市从春节开始就部署媒体、相关部门刊登发布为什么要少开车、少放鞭炮、少燃煤、不燃烧垃圾的公益广告，和公众信息数百万条大张旗鼓发动公众打好蓝天保卫战，成效十分明显。

"由此我们可以得到启示，尊重公众意愿，才是激发环保民间正能量的有效方法。"吕副县长说。

为体现公众的环境权益，公众在环境管理和相关事务中应有参与和决策的权利，因此政府部门在政策层面上应保障公众参与环境保护的热情和动力。一方面，要通过法律、行政、部门规章等手段赋予公众享有环境权益的权利，并承担相应的义务；另一方面，要通过经济政策、授予荣誉等来启发、鼓励公众积极、主动地维护当地生态环境，引导公众更好地参与环境保护活动。

话题越扯越深。吕县长意味深长地讲道："眼下在治霾中，很多地方都出台了一些新的公共政策。但有些政策的出台，明显带有'突袭式'。比如说机动车'限牌令'，带来的舆论涟漪效应，就明显失态。"

2013年，C市"限牌令"出台后，曾一石激起千层浪，车市"喜迎"不眠夜，市场沉浸在狂欢盛宴中。但当地媒体走访发现，不少4S店却把"令牌"当"王牌"：捆绑销售、坐地起价，"这次限牌，车商却早早打开了荷包大肆'吸金'"。有媒体描述道："车商赚得盆满钵满，百姓瘪了钱袋。"更有媒体为此发问："民生政策岂能成了车商的'暴利工具'？""限牌令"同样引发市民连夜持币抢购，"抢车如抢白菜"。面对"限牌令"，市民深陷手忙脚乱窘境，有关部门也备受批评，一个为治理城市病而努力的政策，落得"双输"结局。有人质问："为什么有关部门不能下好先手棋，预判政策突袭带来的社会影响，并采取措施予以化解？"

实际上，有关部门完全可以料到限牌令政策对车市的影响，这种情况下，管理部门应加强政策评估，"与其在事后不停地补漏，不如提前扎好篱笆"。

分析多地实施的"限牌令"，我们可以发现，对政策本身并没有过多的质疑，未雨绸缪进行控量、防堵、治霾而祭出"限牌令"，本身有一定的舆论基础，但突然出台的"限牌令"却让舆论深感"难以理解"。现在，治理现代化已成为改革方向，打造现代服务型政府、正需要多考虑百姓的承受力和适应性，把每一项决策变成通往善治的铺路石。打造阳光政府应杜绝"突袭式"政策。

"公共政策之所以需要严谨、有效把握，应在于其，将显著地引导着公众的个体行为选择，并对社会产生现实影响。"我的思绪与吕副县长的思绪，可能与很多很多的人是一脉相承的。

我的思绪与吕副县长的思绪，可能与很多很多的人是一脉相承的。

五十九

夜深了，和吕副县长话别后我才想起来，大侃还在院外等我。因为县政府机关有规定，出租车不能进县委大院。上车后，我问大侃，几个小时了，你一直停这儿等着？大侃说："我是想休息一会儿来着，刚才送了两位客人，听说话好像是做什么买卖的，俩人讲话悄声低气的，好像是要写信告谁黑状，像是与E县环保局有什么关系。"

辐射风波后，E县环保局在县政府的督办下，加强了对公众环境敏感问题的关注、预测与应对。就是在这当口上，二哈被告了。二哈被一大帮子人从网上告了一大堆子事。尽管告状原因是对着环保局的，但与二哈千丝万缕的联系表明，他确无推卸的余地。

E县的辐射风波表面看是过去很长时间了，但由此引发的公众对环保局的关注始终是在升温升级中"生事儿"。

上访者反映：我们的居民楼一楼，全是印刷厂，噪声、油墨味严重扰民，比霾还厉害，反映五年了，没有结果。二哈应当负监察责任。

调查结果：印刷厂的营业执照是工商局发的。

二哈说，噪声与墨味是该环保局管理，但我们多次向相关部门通报情况，要求联合执法，吊销执照，均无结果。此处印刷厂无一家向环保局递交环保报告书。二哈问："工商等相关部门是否应该在颁发工商营业执照前，先验证环评？"

网评分析结论：规划或产业政策制定过程中没有充分考虑环境影响，难以从源头上避免纠纷的产生。

尽管我国环境法律将环保部门作为统一管理部门，但在具体法律规范中并没有为环保部门设计统一监督管理权的方式和程序。只要其他部门不遵守环境法律的前置性规定，环保部门就摆脱不了代理受过的命运。"我们怎么可能去监督管理同级的政府部门呢？"二哈抱怨。

上访者反映：在他们居住的村庄，有一些小电镀久打不绝。我们知道这些人时常拒绝履行环保部门依法作出的停产整改处理决定、擅自恢复生产，有的企业甚至还拒绝或阻挠环保执法，但二哈是不是不够作为？

调查结果："土小企业"大多较为隐蔽，容易死灰复燃，检查也很有难度。同时，环境执法权限有限，环保局人手不够，有时是真的忙不过来。不过，在"两高"司法解释出台前，这样的情况很多，现在明显少了。

网评分析结论：地方环保部门对污染企业查处不力，人员不足是一个重要原因。由于监管面广、量大、点多，具有全方位、全天候、全时制的特点，环境执法人员长年处于被动应付状态。

除了人员不足外，环境执法的技术保障不足，环境监测机构数量和装备不足，也制约了环保部门的执法。

在一些地方，环保部门的行政费用来自排污费，决定了环保部门只能"睁一只眼闭一只眼"。环境执法人员对纠正超标排污行为缺乏动力，懈怠了环境监管职责。

环境执法人员在许多地方常常被调侃为"土八路"。由于环境执法人员没有统一的制服，执法时会遇到额外的阻力，有时还会遭受暴力抗法。

由于法律规定处罚数额较低，且环保部门没有强制执行权，往往导致一些违法行为不能得到快速、有效的制止。

当被执法者拒不履行环保部门的处罚决定时，环保部门必须申请法院强制执行，而法院因为工作量大，且不能及时作出处理，使得环境执法目的落空。

二哈"背负"的被告"罪"名，还有很多，网上还在热议、热评中，2013年年底前，还没听到结果。此时，二哈正在他父亲去世的丧期中。

据小道消息，上访群众群体告状频发，使得E县政府对环保能力建设高度重视，要求环保局连夜打报告增加编制，加强环保一线执法队伍建设。但是，后来没能落实，原因是：上级有令，五年内所有行政事业人员编制在现有编制内，只许减，不许增，违者……

二哈听说后，满脸都是阴云。

六十

稍倾片刻后，大侃接上前边的话茬对我说，二哈最近是接二连三地挨告，上周，二哈又被告了。这次是一家网络媒体带着百余名上访群众，直接告到了省环保厅，说二哈把屁股坐歪了，利用大媒体给上访群众施压，这里边肯定有毛病。

省厅经过调查发现，二哈确实是利用一家正规媒体为一家啤酒厂作了没有违法排污的证明，但证据是上级环保监测部门作出的，二哈只是仗义执言，为"窦娥"洗冤罢了。

"污霾这么重，污染这么厉害，企业负债如山，你是环保执法人员，说话办事不倾向公众，却把屁股坐到企业一边，怎么说也不对。"

"环保执法是公正的，谁也不能偏袒污染，但谁也不能冤枉好人。"

据说，二哈与媒体联合为蒙冤企业作证、维权的报道，在全省还是史无前例的第一例。

报道说的是，大花啤酒有限公司执行总经理，在企业遭受网络"黑媒"报道该公司有多项违法排污行为，感到特别"冤枉"后，及时向E县环保部门反映情况，要求相关部门为其澄清事实真相，维护企业正当权益。接到企业呼吁的情况后，E县环保局立即和某媒体启动调查程序，终究用铁的事实证明报道失实，维护了企业形象。

企业就该在"黑媒"的谣言恐吓下当"窦娥"、做冤死鬼吗？进入二十一世纪后，国家对环境保护工作开始了从未有过的高度重视。减总量、控污染，打击违法排污，政策手段、技术手段、调整手段一起上，促使很多企业大投入节能减排，杜绝违法排污。这期间，不仅环保部门严格执法、在线监控、严抓严防，社会公众和媒体也广泛参与了对企业的监督和举报。也正是在这种对违法排污人人喊打的声浪之中，一些不法人员、不法"黑媒"，乘机而入。与公众和正规媒体比较，所不同的是，"黑媒"不是以监督和推进整改为目标，当他们发现有企业违法排污和环保工作漏洞后，多是取证威胁，要钱要物，达不到目的，便寻"凶"曝光，让一些单位和企业"投降"。这次他们兴师动众，挑拨不明真相的群众一起搬弄是非，最终也只为一个字：钱。这在过去，有些守法企业，为了"多一事不如少一事"，早认吃哑巴亏了。

"企业有履行国家和地方环保法规，维护社会公平正义的责任与义务，应该自觉接受环保执法部门的监督管理和社会公众及媒体的监督。无论是因何种原由，只要企业有违法排污的事实存在，都应无条件接受执法部门的督导、教育和处罚，都应接受公众和媒体的批评意见，及时整改存在问题。环保部门应该认真履行国家公权，对企业监督整改，为公众维护环境权益。"二哈说，"相反，如大花啤酒有限公司遇到的情况，在'黑媒'无端指责，敲诈勒索，散布流言，误伤企业的情况下，环保部门也应及时依法举证，维护企业的合法权益，用事实为企业提供证明，向正规媒体提供真实情况，为企业正名、维权、撑腰，维护社会公平正义。只有这样，才能净化环保执法环境，赢得企业对环保执法工作的支持，在公众面前展示环保部门的良好形象。否则，事不关己，高高挂起，让企业单枪匹马与'黑媒'打官司，最后吃亏的肯定是企业。因为企业在缺少证人、证物的情况下，肯定会任由'黑媒'摆布，有理讲不清，欲加之罪，只能忍之。"

为"窦娥"洗冤，需要勇气，需要破除私心杂念，也需要一定的良知。二哈与正规媒体的"大义"，显示了环保人和正规媒体的天职良知。"立足在这样的环境中，哪家企业还有颜面故意去做违反环保法规的事呢？哪家'黑媒'还敢到这样的环境中去敲诈欺辱守法企业呢？"二哈补充道，"社会中的阴暗时时有、处处有，只要人心公正、社会公正、法律公正，'阴暗'必定在阳光下暴露、退却。社会需要公平，公平的社会才会有和谐与稳定。但创造和谐与维护公正，需要全社会各方面的共同努力与尽责。"

此事在E县、在C市成了热题新闻。

为让公众知道事情真相，引得公众明辨是非，吕副县长要求县政府和县环保局同时开通公众热线，让社会各界发表意见。网络立马形成声势：

"环保执法必须明确为国家、为人民、为公众服务。"

"企业也是人民，也是公众，也是国家法律保护的对象。"

"依法办事。"

"事实就是裁判。"

"环保为企业服务没错。"

"钻到钱眼里，欺诈无辜也应该是犯罪。"

"二哈做得对。"

"黑媒不铲，霾毒难灭。"

"让诬告见鬼去吧。"

……

据可靠消息，热议从癸巳年延续到了甲午年，上级的结论还没有出来，但公众的心中早已有了一杆秤。

被黑媒操纵的上访者，早就调转了攻击的目标……

六十一

回家路上，我和大侃东拉西扯一直说着话，大侃顺手递给我一篇铅印的文章，向我推荐，文章很是精彩，他问我能不能把它摘录写到小说中去。文章是大侃的一位远房亲戚写的，叫《廊坊赋》，作者叫杨庆彬。一提杨庆彬，我立马想起了杨唿哨和后备干部。大侃赶忙解释，两码事，连一个县的都不是。文章是大侃从那天去廊坊送一位客人在一个单位门房等车时，顺手带回来的一张《廊坊时报》上剪下来的。大侃说，民间有言，偷报偷猫不算偷。C市与廊坊市远在天边、近在眼前，无论是生态环境、发展环境和风土人情都差不多少，文化是一个地方的精气神、动力源，让C市的人们吸吮一下近邻文化的甘泉，对自己既是滋润，也是补给新鲜血液，对聚心合力战胜雾霾会产生正能量。

廊坊赋

京畿卫里，有城廊坊，卓尔不群，艳惊一方。物阜民丰，人杰地灵，规矩四至，无可比肩。

太行西屏，渤海东望，燕山之阳，山海锁钥。登高可见宫阙，附耳能闻沽唱。首善之区，文明化俗开民智。息壤万顷，五谷丰登兆赍兑。金袂龙河，玉带凤水。四方垂顾，八面通衢。俯平阳殷殷，仰长空朗朗。清平世界，锦绣天壤。

旷古幽燕，春秋五千，安墟史记，龙脉绵延。鸿蒙初辟，先民试燧，秦王龙子茔。魏晋风范，唐宋名流，张司空学富五车扶晋室，吕宰相论语半片治天下，诗人当政王之涣，大家主簿苏老泉。淤口益津雄关驿，古道藏兵烽火连。刘六刘

263

七揭竿起，重开明朝混沌天。义和神拳，传檄而战，廊坊大捷，青史流传。京韵妙曲，发祥淑阳，游子翰卿，皓首梓牵。燕南赵北，才俊辈出，慷慨悲歌，唯我谁堪？

兴文化以开城，崇科学以立市，重经济以聚力，仰民生以膏粱。高端科技主业，绿色生态揽商，智能城市定义，文明和谐考量。

八乡鱼跃，各逞龙鳞，绿色标注，农产品极，上京下卫，日进斗金。常笑都城无妙处，芙蓉国里可耕渔。绛灯高挂，肆筵常悬，粗茶淡饭，自命家宴，柴锅土坑，奖过帝眠，开畦泛土，广植蔬蔓。徕京城高客，召村野休闲，宾至如归，授以锄镰，两厢便宜，其乐喧阗。

齐工乃富，经济空前，海内关注，遐迩弥传，车水马龙，商事浩繁。西方巨擘着眼，东海金涛拍岸，四面财富入炉，经韬纬略熔炼。

民生苦乐，柴米油盐，风清气朗，公仆垂悁，安得广厦，平岚冉冉。名花铺路，紫燕鸣祺，清渊碧薇，活水明泉，琼浆玉液，名馐珍馔。芝兰之室平民乐，万卷诗书百姓吟。出行有乘，遣兴有园，老有所依，孤可周全，敬老爱亲，阊里襄援。铮铮然有太谷风，淡泊而致远，淳朴而达观。

文化斯城，书廊画坊，笔走龙蛇，冀调京腔，治学成城，学子四方。呼吸吐纳，爽气清凉。龙凤之城演绎龙凤文化，新声古韵赋和时代风光，龙姿凤仪且凤且靡，燕南儿女慨当以慷。叠叠不息，彪炳史章。大哉乾元，谦仁四象。秀外慧中，有弛有张。钟灵毓秀，龙凤呈祥。

六十二

自从那天我和吕副县长聊天后，我创作的思绪就打开了。我想，面对错综复杂的环境形势，环保部门唯一的出路是要向"现实"寻求"思想"，寻找出路。

人的正确思想是从哪里来的？毛泽东回答简明扼要，即人的正确思想来自于社会实践。这与马克思所说的"向现实本身去寻求思想"一脉相承。

耳听眼见他人议我有这样的感想，有些基层环保部门、环保工作者，在日常工作中，对于"思想"与"现实"的理解和处理，多有流连于表面化、片面化和主观随意性之弊，以致往往使"现实"与"思想"相脱节，使工作中很多能够解决问题的"思想"，与我们失之交臂，使一些新出现的环保难题长久地徘徊于"现实"的困扰之中。

当前，全球生态环境正处于持续恶化、"污染"与"保护"矛盾冲突持续加剧、世界各国正形成共识持续加大生态环境保护力度的关键时期。人民群众对环境质量、健康生存权利日益增加和追求的热度，在我国，已远远超过了公众亲身参与环境保护事业活动的热度。

面对持续增加的公众上访、媒体曝光、"黑媒"敲诈、组织问责和企业对不断增加的环保巨大投入的不满，基层环保部门一方面束手无策，被动应对；一方面"灭火"求和，牵扯巨大精力，以致无暇顾及冷静应"考"。面对"现实"，到底应该怎么办，很少从"思想"层面去寻求突破之道。甚至有言之"基层就是靠实干，出'思想'是上边的事儿。"其实，这是一种不会实干的漂浮认识。

基层环保部门直接面对公众，其实最应该了解公众的所思、所想、所盼。但为什么面对公众的"渴求"却又感到茫然不知所措呢？问题出在众多方面，而主要原因是没有真正了解和理解群众；没有正确看待和对待群众；没有认真分析应该怎样对待不同利益群体的公众。

公众由于思想文化层面的不同、道德水准的不一，往往对于生态环境的认识和言论也各不相同。有些群众由于不能正确认知生态环境建设的"现实"，把"现存"的一些污染问题，看作是整体的"现实"，继而对环保部门加大指责。而基层环保部门又没有做到认真梳理，加以引导，结果导致双方形成某些"对立"。其次，是没有换位思考。基层环保部门的每一名成员，都是老百姓的共同体，对良好生态生活环境的追求，对健康幸福生活的目标追求，都是一致的。这一点，当公众面对基层环保部门"要为人民群众维好环境权益"的承诺践行后，群众自然而然地就把很多、很高的期望寄于环保部门。而基层环保部门在践行承诺的过程中，是不是真的像保护自身的健康、幸福一样，对远离自己的污染问题做到严格执法、认真履职了呢？这恐怕是基层环保部门向"现实"去寻求"思想"最该思考、最该解决、最迫切需要持久"寻求"的永恒话题。

"现实"需要"思想"的升华才能得以澄明和解答，"思想"需要"现实"的滋养才能海阔天空。两者即相互作用、又相互倚靠。明白了这个理儿，我们就该去面对"现实"探寻积极的"思想"。而面对"现实"去寻求"思想"，最好的办法，无疑应该是交流。

渴望交流，是人性本能。交流的形式，在不同的时代有不同的特征。过去的交流是鱼腹鸿雁，书信传情；现代的交流是书信电话，话语真心；先进网络时代的交流，多数人，特别是年轻人，是面对电脑一遍一遍地刷屏，等待对方的回复。网络丰富了人们的交流形态，极大地满足了人们对交流和沟通的渴望。社交网络的出现，让网络的功能有了更大的扩展。许多人以自己为中心，建立一个庞大的社交群，在动辄以万计数的"粉丝"中，我们可以最大程度地对抗孤独、抱团取暖，也可以传播信息添享快活。

然而，看似熟络的社交网络、看似快捷的手机短信，却常让人感到美中不足。

现实中，因为一些基层环保部门过分偏重用网络和手机发布公共信息、公布环保动态、情况，交流环保工作思想意图，最终却导致效果不佳的事例不为少见。

E县为满足广大群众的诉求，率先在当地网络发布PM2.5监测数据，满足公众的知情权。结果因公众不知晓PM2.5是怎么回事，导致当地群众在网上误传新产生一种污染物体，造成恐慌。结果还是在电视上和公园广场上，请专家面对面向不同层面群众解释后才风平浪静。

E县一家垃圾发电厂要试运行，在网上公布了试运行期间可能会造成的短时噪声和气体污染。结果，那一时段因天气炎热，群众大都外出散步，没见到网上信息，由此导致当地群众上访，要求拆除电厂。

E县群众因对当地"十五小"违法排污企业久访不绝不满意，要求面见政府领导和环保局长。政府和环保部门确实给予了高度关注，但却没有满足群众"见面"的要求，只是在网上简单解释，功夫虽没少用，但群众却不买账，反而影响了政府和环保部门形象。

某家小报记者，把E县小电镀污染拍了片、写了稿，扬言不给钱就在网上发布。环保部门知情后一不给钱、二不见面。结果"黑媒"摇身成了"绿"色志愿者，环保局成了被告。其实，环保部门只要取得了其索贿的证据，实施反"曝光"，"黑媒"就会"傻"。结果反之。

网络连接不等于人际交往，我们更不能把现今基层环保工作诸多"现实"的问题没有解决好归罪于网络，但不能不怀疑，网络到底有没有让我们基层环保部门与公众的关系变得亲密，我们对网络的情感期待值该不该太高？

六十三

近一时期，我的思想已经沉入了对环境保护部门的思索，所以，经常有拔不出来的思绪在我心脑涟漪。我想，实际工作中，许多基层环保部门面对严峻的环境形势，已经开始注重了与公众和各种媒体的信息交流。如电视讲座、媒体访谈、印发宣传材料、组织大型维权活动、借助电话下访、借助网络交流，结果忽略了"面对面"交流这一关键环节。

殊不知，网络链接不等于人际交往，沟通便利不代表关系的亲密，技术发展不意味着思想进步。纸张比键盘更有热度，现实生活的面对面比虚拟社区更加阳光，真实的交流比数字电视的流动更温暖人心。技术发展的重要性不言而喻，也不容否认，但人与人之间真诚和真实的、面对面的交流会有更重要的意义和意想不到的收获。

向"现实"去寻求"思想"，其实说透了就是我们基层环保部门要向群众、向实践"寻求"解决让公众理解和支持环境保护事业的办法和道路。比起面对"现实"无动于衷者来说，靠媒体、靠手机、靠网络寻求"思想"的做法，已经是很有事业心、责任感了。如果我们在面对"现实"中，从自己的心灵上，再加上或是叫弘扬传统的"面对面""心贴心"的举措，问计于民、问策于民，在理解中寻求支持、寻求参与、寻求办法，解公众之不满，维公众之权益，效果一定会更好一些。

凡是合乎理性的东西，都是现实的；凡是现实的东西都是合乎理性的。当今，许多群众之所以企盼与环保部门面对面的交谈、交流环保问题，当然也不是偶然的。生态环境问题，也像我们面对令人担忧的产品质量和食品安全一样，在特定时期，使社会与人之间、单位与人之间、人与人之间，产生了诚信危机。事实上，一种健康合理的社会诚信伦理理解，应当是积极的、受整个社会鼓励和支持的。而建立在诚信基础上的思想认知，直接制约着人们对社会、对生态环境的客观认识，这个认识恰恰是公众能否认知环保工作、理解环保部门、积极参与环境保护的内在动因、动机与动力。这一点，作为基层环保部门必须在现实社会大背景下自己认知，并能客观的理解你"辖区"的公众。

向"现实"寻求"思想"解难破困，基层环保部门要力戒怕麻烦，不愿与群众面对面听取意见；要诚心拜群众为师，不要怕公众提出一些尖锐的问题；要提升做群众工作的素质，学会如何面对公众。要敢于积极面对现实，善于从容面对现实，学会用面对现实来寻求"思想"，解读、解答、解决"现实"，而不该消极、麻木和观望，更不该规避、回避和逃避。许多难题需要我们去破解，贵在真思真想，把事业装在心上，把问题装在脑子里，把办法拿到实际工作中。在以下"现实"情况下，基层环保部门的领导和执法人员、宣教工作者，应该主动与群众或媒体直接面对面地交流思想，并形成有的放矢的"思想"对策。一是遇有重大项目立项，公众由于不知内情而实施上访阻挠时；二是对广大群众都十分高度关注的环境敏感问题，如辐射、PM2.5、"十五小"和新"六小"污染害民问题；三是夜间施工扰民问题；四是对久拖未决导致群众上访的老大难问题；五是突发环境事件发生后；六是遇有"黑"媒体就某一污染问题敲诈钱物时；七是媒体和群众就某一生态环境个体事件、问题，要求与环保部门领导见面采访和澄清事实真相时；八是预测重要敏感期可能发生的某些群众上访问题时；九是违法排污企业与群众直接发生矛盾时；十是发生媒体片面曝光某项环境污染事实后和公众对环保部门执法满意度民主测评前，都应及时和公众面对面交流思想，保证公正、客观地交流必要的信息。

实践——认识——再实践——再认识，是实践证明了的科学世界观和方法论。也是我们基层环保部门，面对现实，向"现实"去寻求"思想"，并借以指导现实工作的必行之路。

面对众多环保现实难题、工作难题，向"现实"去寻求"思想"，作为基层环保单位、环保人，应重点抓住体现基层环保实际的"小"而"太难"的问题直接向群众、向实践寻求方法和解决办法。如：基层执法难，难在哪里？群众信访多，多在哪些方面？有些信访问题久拖未决，究竟拖在何处？群众对某地域的环境现状不满意，根源为何？基层环保工作者工作积极性在减弱，源于何因？对于乘"虚"而入，以现实环境污染问题为"把柄"敲诈钱物的"黑媒"该如何应对？等等，诸多困扰，不仅在社会公众层面需要面对面探究，即使在基层环保队伍内部，在正规媒体的海洋中，也应有人面对面寻访探出究竟。在向"现实"去寻求问题的根由的过程中，"思想"出路与办法。

向"现实"寻求"思想"，基层环保部门不仅要注重深入社会、深入公众之中寻找破解环保难题的锦囊妙计，还要注重发挥本单位一线环保工作者的智谋作用、形象代言人作用和具体工作落实者作用，让大家献计献策，出"思想"、出"高招"、抓落实，通过增强大家的事业心、责任感，提升办事效能、提升服务质量、提升执法力度，提升公众满意度。

对公众关注的环境敏感问题，基层环保部门不仅也要高度"敏感"和"关注"，而且要切实想出招法予以回应；对切实危害群众环境权益的行为，基层环保部门不仅要依法打击、制止，而且要为受害群众"举证"维权；对群众上访的每一件环境信访案件，基层环保部门不仅要热情接访、及时查证和处理，而且要在第一时间向信访群众反馈情况，向社会公布；对公众反映的"现实"环境问题，基层环保部门不仅要认真对待、疏导分类，"思想"对策，破解难题，而且要着眼长远，依靠政府，形成合力，疏堵结合，落实责任，防止同一类问题再次反弹。

不论是面对社会公众也好、面对基层环保队伍自身也好，还是面对正规媒体和"黑媒"也好，除去用正面的大道理和合理的社会诚信伦理实施教育、引导、应对之外，还必须贯彻以人为本的理念，用政治取信于民，用践诺取信于民，用法规政策取信于民，用让公众实际利益和环境权益真正得到保障来取信于民。

六十四

现在全国上上下下都动起来了。中央把考核地方GDP的制度都废了，生态文明的春天真的到来了。我正在床头思量着、思考着、思虑着采访到的素材，回忆着吕正天副县长的一句句醒语诤言，老康给我发来一揽子信息，和那天大侃给我发的信息相比，无论是在数量上，还是让我感受的忧喜上，都有过之而无不及。甚至，让我感到震惊：

> 盼姐的妹妹找到了，圆了她父母的遗愿。原来甄会梦3岁时被人贩子卖到了A市，后来又被买主送回到了E县。再后来，被我岳父大人收养，起名叫殷云。公安局的DNA已经证明。盼姐拉我妻去体检，其实是她设局偷血，偷了血去公安局做的DNA。我女婿在市医院调出了她偷血的录像全过程。盼姐是去看守所里认的妹妹，俩人都泪如雨下，喜忧参半……

> 写信诬告马二哈和吕副县长的人也抓住了。是郑前的弟弟。他是个网络二V。那天，他因在网上恶意转发杨唿哨造谣生事的紧急通告，被人转发超过五千条而被公安局拘捕。搜查时，刑警在他的电脑里意外发现了他打印的诬告马二哈等

人的原始证据。二哈升任E县环保局副局长了。还有，给吕正天发恶意短信的也是郑前的弟弟，他是在帮他哥哥泄私愤。

我家的大黄猫，送给了盼姐。盼姐因为中央清理吃空饷纠正了E县让公务员离岗早退的错误做法，她昨天又回岗上班了。盼姐又把猫送给了她的亲家母去代养。在新家，它一点也不认生，但它总是挑战，要上桌，要登山，有时，还去埋老猫的地方嚎叫，惹得四邻不安。

前几天，我妻从看守所出来后心态大变，她不听我劝阻，在网上炒比特币，第一天赚了十万，第二天赔了三十万，我是家底皆无了。

大侃认识的那位A市检察官，是杨嗯哨的亲妹夫。大侃雾霾中救助的那位老爷子，是杨嗯哨的亲爹，也是拐卖会梦的人贩子，经三方指认，公安局已经定案，正向检察院起诉。大侃在燕青饭店见到的那位服务员，叫杨晨，是杨嗯哨的亲妹妹。前几天，检察官在A市调查核实一宗企业违法排污案件时，被犯罪分子刺伤住院了。大侃昨天专程去A市看望，但返回时，由于雾霾很重，在高速上又遇一老兄飙车，不幸发生"接吻"。更让你意想不到的是，杨晨是B市派驻C市实地暗查C市大气污染治理联防联治诚信度的"卧底"。半年多来，她先后在C市十余家饭店当过服务员，实际上是在暗中观察饭店的油烟净化装置是否做到正常运行。她还先后在C市环保局、交通局、商务局、建设局、规划局、交警支队和市政府干过卫生保洁员工作，乘机用多种手段全面了解C市大气污染治理的真实内情。其实，她的真实身份是B市环保局的一名副主任科员。后事不详。

盼姐这两天正和吕副县长闹别扭。原因是盼姐想为女儿办一场像模像样的婚礼，吕副县长不同意，说组织上有要求，不允许大操大办。盼姐说他为官虽好但缺亲情味。我猜测，她这是更年期离岗待退反应综合征。

还有一件事让我很惭愧。那天取得六十五中成语英雄作文大PK独胜冠军的金不换，是油葫芦的儿子。此次活动，建议是我一个人提的，框架是我一个人谋划的，试题是我一个人出的，规则是我一个人定的，答案也是我一个人事先偷着给他的，中间没有人监督、把关。那天金不换答完题，立马想起了坐牢的爸爸，不由自主地失声痛哭起来。后来，我在一次饮酒后，把我偷题送金之事告诉了看大门的老郭头，但他太不仗义，他向和江校长有矛盾的贾副校长揭露了我偷题的内幕。金不换经不住父亲判刑、母亲改嫁、自己丢丑、同学上微博炒作、被戏弄的强大思想压力，在E县发生海带丝闹剧那天晚上，他在雾霾中，跳楼自杀了。我应该对这个悲剧承担一部分责任，我要去投案自首。我还要把我以前的恶行，统统向政府交代清楚，以求心灵的慰藉和良心的饶恕。特别是二哈他妈挨一闷棍而死那事，是刘老板雇凶伤害所致。凶手是谁我不知道，但我给刘老板算过一卦，告诉他雇凶伤人难以破案……

我简直不敢相信了。情急之下，已深深刻入我心脉上的六十五中那场历尽变幻的汉字听写讲大会的尾声，又浮现在了我的眼前。"各位考生请听题：'规秕''规瘪''规避'。规是法规制度、规章规则规矩

273

的规。秕是指不饱满的稻谷、子实。瘪是指放掉气的车胎瘪了的意思。避是规避、逃避某种责任的意思。一共是三个词组，要求考生把三个词组串联起来给予解答。"那天，当我听到这组考题时，脑海中立时浮现出这样一组镜头：雾霾之中，一老农怒焚假种秕收秸秆再生恶、大侃危情之下闯红灯瘪胎被迫弃车、老康戏亲惑众坑骗钱财，杨唿哨妖言惑众终食自果，盼姐弟与大侃妹，宁负未婚先孕之名，收养弃婴，逃避者是谁？

　　我不敢想象规和秕、规和瘪、规和避，这三个词组被同时拿到考场上让考生解释，大家会说出怎样的答案。大侃危急时刻遇到了好人，女婴危难时刻遇到了好人，老农在危机时刻虽然也遇了好人，但盼姐却爱莫能助……一个社会，一个城市，如果管理堕入秕谷、瘪胎和逃避的怪圈，将会是什么样子？我不敢去想，我也害怕考生去答。我担心，我胆怯，我承受打击的能力没有祥林嫂、阿Q那么大，在这个问题上，我真是连祥林嫂也不如。我起身离去，连招呼也没和海校长打。

　　海校长、老康，你们真让我又气又恨又爱。我急切地给老康回复短信："一切违反规则、制度的行为，都该予以纠正并得到处罚。你说说，制度乱象何时会止？"

　　"人的一生什么错都可反复犯，但公众们不能一起在雾霾中反复演习自杀。我也等着你说的那天哪……"老康回复短信的速度极快，这点真像大仙。

　　正当我浮想联翩的时刻，窗外传过一阵急促的警笛声。警笛声很快与盼姐的梦想、与大侃的论语，与老康的钟声，与吕副县长的呼吁，混为一体，往复着，在我耳边回荡……

　　但最终，还是二哈写的那篇《红歌联名唱环保，披荆斩棘战雾霾》压倒一切，变成最现实、最紧迫的强势弘音：

274

《在那桃花盛开的地方》，有一片《多情的土地》。在这片令人向往、让人《思念》的土地上，有一座《让世界充满爱》、改革开放《映山红》的新兴环保城市，她就是虽有雾霾但也曾战创环保模范城，仰首可望《我爱北京天安门》的华北C市。

《小城故事多》《红船向未来》，《在希望的田野上》升起《五星红旗》，C城环保人迎来了"十二五"生态文明的历史曙光。大家像《打靶归来》的战士一样，跳跃着欢快的《采茶舞》，簇拥在环保局的《南泥湾》大厅，为庆贺蓝天保卫战初战大捷而《绣红旗》《绣金匾》的喜庆时刻，在《希望的中国》、在《松花江上》、在《大海啊，故乡》，不约而同传来了一曲曲区域联防共治的《春天的故事》。C城环保人、《当兵的人》和天南地北的《中国人》，在《十五的月亮》下，仰《望星空》，激情呼唤：《祖国啊，亲爱的母亲》，《今天是你的生日》，今天是个晴天的《好日子》。环保人《情深谊长》地从《东方红》唱起，《唱支山歌给党听》，豪情满怀地把《歌声与微笑》献给光荣、伟大的共和国。

《说句心里话》，《祖国不会忘记》，C城的《父老乡亲》时常在美丽的《军港之夜》《草原之夜》，一面沉浸在《有一个美丽传说》中的家乡，用真情赞颂《社会主义好》，一面《弹起我心爱的土琵琶》，传讲起《红军不怕远征难》的动人故事。四十年前，在《中国大地上》，《共和国选择了你》——"六五"世界环境日。四十年，在《太行山上》，在《蝴蝶泉边》，在《保卫黄河》的治霾战役中，在《洪湖水浪打浪》的考验中，《我们走在大路上》，我们《十送红军》去抗污敌，老一辈环保工作者《红军不怕远征难》《过雪山草地》，众志成城，历经《地雷战》《地道战》《南征北战》和《大刀向鬼子们的头上砍去》

的艰苦斗争，继而在炎黄苍茫大地，建立起了文明环保并富有《希望的中国》。《我和我的祖国》突破《天路》、渡过《浏阳河》、跃上《青藏高原》，当家做了环保卫士。

在改革开放，建设中国特色社会主义的新征程中，我们C城环保人，不论是《军营男子汉》，还是巾帼《蓝花花》，大家《年轻的朋友来相会》《少年壮志不言愁》，在《和谐中国》，发扬《团结就是力量》的《长征》精神，树立以环保为家意识，在培育和实践社会主义核心价值观过程中，把行动融入生活和精神世界，努力为发展服好务，为环境把好关，为群众解好难。正因为环保人忠于党、忠于《祖国》，亲身感受《太阳最红毛主席最亲》，才激情倍增。环保人誓言：《让我们荡起双桨》，不断增强斗志，发扬铁人《我为祖国献石油》的精神，《敢叫山河换新装》，从而不断满足人民群众《只盼着深山出太阳》《万泉河水清又清》的夙愿，用壮丽青春谱写出了一曲曲动人心魂的《红梅赞》和《英雄赞歌》，向世人展示了《我们工人有力量》《工人阶级硬骨头》的《亚洲雄风》。

"十二五"正值攻关之年，《我们走进新时代》，我们要继续探索环保新道路。《祖国，亲爱的母亲》，《党啊，亲爱的妈妈》，我们C城环保人会时刻传唱《妈妈教我一支歌》：《没有共产党就没有新中国》。为了为党争光、创先争优，我们有决心、有信心，继续高唱《国际歌》《中华人民共和国国歌》《一二三四歌》和《青春之歌》，高举《五星红旗》、手捧《五月的鲜花》，心怀《共和国之恋》，在续写C城环保再创新辉煌的新《长征·七律》的每一天，我们都会一如既往《爱我中华》，保护国家环境。在《长江之歌》《游击队歌》《娘子军连歌》《解放军军歌》乐曲的激扬伴奏下，发扬中国环保精神，遵守《三大纪律八项注意》的要求，严格执法，廉洁自律，迎接挑战。

通过开展《我爱祖国的蓝天》、《泉水叮咚响》的大气污染治理专项行动，捍卫《金色盾牌》的法律尊严，用实践分类监管和开展深度防治的创新理念，给力民生、保卫家园，让《中国、中国、鲜红的太阳永不落》；让生态文明建设推进C市大地披满绿装；让《我们的生活充满阳光》，让《人说山西好风光》《让边疆处处赛江南》的诱人赞颂，变成《太湖美》的公众之愿；让《九九艳阳天》《山丹丹开花红艳艳》的《万水千山总是情》，在C城扎根、定居；让《幸福在哪里》的疑问在C城变成幸福《和谐家园》《边疆泉水清又纯》和《东方之珠》的美好愿望早一天实现。

《祖国，亲爱的母亲》，此时此刻，我们牢记使命，《超越梦想》，耳边仿佛又一次响起送战友踏征程的悦耳《驼铃》声。如果有人问《我为祖国站岗》，保护好环境，是《为了谁》？我会用《母亲》《父亲》教我们的《红星歌》告诉他，为了我们《大中国》的《江山》《万里长城永不倒》。因为《我是龙的传人》《我属于中国》《爱我中华》，战雾霾、保天蓝水净是《我的中国心》，永世不变。因为《我是一个兵》，我是环保战线一名光荣的《共产党员》，所以，我们《听话要听党的话》《毛主席的话儿记心上》《跟共产党走》《学习雷锋好榜样》，专拣重担挑在肩；我们要把保护《国家》环境安全作为生命线，把维护人民环境权益视为最重要的责，让《旗帜颂》《廉政歌》《红梅赞》唱响每一天；我们要《工农兵联合起来》，深入落实科学发展观，共同担当社会责任，共同为健康幸福的中国梦而担当奉献。我们环保人《都有一颗红亮的心》，我们要让《灿烂的阳光照红旗》，伟大的《中国永远收获着希望》；我们要让《北京的金山上》成为世人向往的《知音》；我们要保护好我们的生存环境，我们要让全国各民族《翻身农奴把歌唱》，四季相伴《映山红》，《我爱你，塞北的雪》《我爱你，中国》，环保人愿《好人一生平安》。

《祖国，亲爱的母亲》，《大海航行靠舵手》，职责所在，伟业无疆，事业至上，凝心聚力，C城环保，再创辉煌，时刻依靠您为我们指引正确航向。《难忘今宵》，C城环保人将豪情满怀围绕打赢雾霾防治攻坚战，实施城乡统筹、深度治理，保护环境、为民造福；我们将同全国人民一道，世世代代在这《快乐的节日》里，《祝你生日快乐》。

《嘀哩嘀哩》，雾霾治理的警报敲响了，新环保法出台了，《再见吧，妈妈》，向雾霾宣战的《光明行》任重道远，《中国朝前走》，梦想会成真，《红星照我去战斗》，环保卫士敢担当……

六十五

薄薄的日历，浓浓的雾霾。多多的梦想，甜甜的生活。急急地治理，慢慢地实现。

"万马奔腾，马到成功！"大侃发来的信息表明，现在已是甲午年春节了。

大宝传大辛，大辛传大侃，大侃传盼姐，盼姐传二哈，大侃这才想起又传给我。还有一条信息，我还没有向外传：

　　盘点2013网络热词：最"点赞"的词是"中国梦"；最"女汉子"的人是"大妈"；最"倒逼"的紧迫是"光盘"；最"逆袭"的危险是"日本"；最"土豪"的"鄙视"是"冷漠"；最"奇葩"的贬义是"雾霾"。

我想把信息传给老康，但我担心，老康的手机，现在应该是被看守所没收了才对。我又想传给吕副县长，但我又担心他在开什么会，没好意思去打扰他。

虽是大年除夕，院内、城内的鞭炮声却很寒酸，只是偶尔从远处传来几"滴"炮响，沉醉中，我自造几句春趣，群发众友，算是拜年回访：

春趣

不脱则嫌热，

脱后则嫌凉，

此乃春天；

不送则不安，

送后则不廉，

此乃春节；

不看则失落，

看后则失望，

此乃春晚；

不乘则难归，

乘后则难受，

此乃春运；

不做则无趣，

做后则无力，

此乃春梦；

不赏则神往，

赏后则撩人，

此乃春色；

不放则清凉，

放后则受害，

此乃春炮；

不避则吸毒，

避后则自闷，

此乃春霾。

月朦胧，鸟朦胧，空气雾霾浓。山朦胧，树朦胧，喉咙有点痛。霾来了，人类无论用怎样难听难堪难闻的词语去咒它骂它讽刺它，甚至用污霾、毒霾、食人霾、黑锅盖、寄生虫，这样的字眼去侮辱它，但现阶段，它仍会浓颜存在。

三十六计走为上。咱们走不了。

霾是公众的，制造与吸收，谁都得心平气和地认事；

霾是公众的，来前，它没有和任何地球人商量过；

防霾与治霾，法规与制度，也是公众的。面对行动与坚守，大家都在等待着各界地球人选出代表，聚到一起，把眼前和长远节能减排的举动，一块儿商量商量，因为只有节能减排，才是最好的治污减霾。我想，届时，猫，甚至也可以应邀参会。但由谁给无主的杂种猫发邀请函呢？

铁腕治污、铁腕治污，不能等风盼雨，更不能消极扯皮了！

霾来了。其实，是用法度哺育华夏生态环境的春天来了。这本是政府理性的反思与抉择。

"非种不锄，良种不滋；败群不除，善群不殖。"公众在等待，治腐与治污也在等待。现如今，狼来不了了，霾来了。在雾霾与心霾笼罩之下，看到敬老助人的人，我们都会非常感动，却忘了这本来应该是最基本的传统美德；看到为人民服务的官员，我们都会说他是好官，却忘了这本就是为官之本；看到某一天，天空是蓝的，我们都会感到很惊喜，却忘了这本应该是很常见的现象。霾来了，有人说，只要我们心中没有雾霾，天空中的霾总会消散的。我看未必。

时临午休，我忽然又想起了儿时邻居小伙伴的爷爷，用"狼来了"向孙子传授治家之道的往事。不知道为什么，此时，我心里竟滋生出一个怪怪的想法：狼啊，你快些来吧！

后记

　　写成《霾来了》，前前后后，我用了一百天的节假日和业余时间。但亲身体验绿色环保、生态文明，我的思想已运行了许多个一百天。

　　五年前，我从绿色军营转业走进环保。这期间，我始终被生态环境的现实纠结着，始终被身边的同事和环保同仁那种奉献、担当的精神感动着，始终对自己该如何做好环境宣教工作的责任思考着、冲动着。在这种现实氛围、思想火花、责任冲击的激流中工作与生活，如果只是把感受闷在心里，对此时的我来讲，已是无限的痛苦，只有把它写出来，传与公众，留与后人，我才会痛快，才会解脱，才会心怡。

　　迫切让公众知道霾、了解霾；迫切让公众知道环保人的奉献与不容易；迫切期待让公众参与霾的防治与行动，这才是我写作《霾来了》的初始动机。

　　《霾来了》是我在喜好新闻、新闻评论写作之后36年才走出的环保文学新路。我曾发表过短篇小说和中篇小说，对长篇的尝试，这还是首次。因此，日牵梦挂，我时常把现实的工作与生活、环保知识的传播与行动，集约沉醉于对小说的思考之中。

　　在《霾来了》定稿于甲午年春节后的那一天，我忽然在《人民日报》绿色家园专版上看到一篇文稿。文稿的标题是《听听"霾"怎么说》。

　　这篇文稿，原是新浪微博的一个话题。霾成为环境污染的代名词。博主以"霾"的口气，讲出的一系列"理"，提示人们在谴责雾霾的同时，要更理性地检点自己的行为，提示人们治理空气污染要从自身做起，全社会共同努力，打一场治霾攻坚战。文稿又一次让我陷入了对霾的更深刻的反思……其实，这与我创作《霾来了》的初衷，是由心完美的一脉相承。

写作《霾来了》，我不仅得到了廊坊市环保局张贵金局长和班子成员孟实、郭军、车凤祥、赵尔仓、孙万印、王洪焘、周永涛、巨振海及周围同事们的大力支持与鼓励，同时，也得到了《人民日报》主任记者武卫政先生、《中国环境报》社长杨明森先生、《廊坊日报》总编辑孟繁彪先生、《廊坊日报》文艺部主任孟德明先生和廊坊作家协会李铮先生等的大力支持与真心帮助。同时，还深受军旅作家李存葆老师许多文学观点和思想理念的心灵启迪与"诱"示；现已八十高龄、我高中的语文老师曹联豪先生，和军营老首长李贵、孙财有、肖泽洲、孙守方先生，战友常玉春、韩国友、姚利勇、谢永来先生，见我文稿后，分别打电话和面谈鼓励我；李永辉等一些读者，向我直言修改意见……在此，我一并诚心致谢。

李春元

二〇一四年春于廊坊望元书屋

附录

环保名词解说

一

1. **雾**：是指近地气层中，由大量微小水滴或冰晶组成的悬浮体。雾的出现使能见度降低，通常将能见度的水平距离小于1000米的天气现象称为"雾"。根据雾的轻重程度不同，有轻雾、大雾、重雾之分。当水平能见度在1000～10000米时称为轻雾，水平能见度低于1000米时称为大雾，水平能见度在500米以下时称为浓雾。

2. **霾**：是指大气呈混沌状态的一种天气现象。霾是由于大量极微细的气溶胶粒子（烟、尘、盐粒等）均匀浮游于空气中，对太阳光散射所造成的。大气浑浊不透明，好像有一层薄幕，水平能见度降至10000米以下。看远处暗色物体，微呈浅蓝色；当背景明亮时（天空），薄幕呈淡黄色、土黄或橘红色。

3. **雾和霾的区别**：雾是一种自然现象，是悬浮在贴近地面的大气中的大量微细水滴（或冰晶）的可见集合体。霾又称灰霾（烟霞），主要是人为因素造成的，是由空气中的灰尘、硫酸、硝酸、有机碳氢化合物等粒子使大气混浊，视野模糊并导致能见度恶化。雾与霾的区别主要包括：水分含量达到65％以上的叫雾，水分含量低于65％的叫霾。如果目标物的水平能见度降低到1000米以内，就是雾；水平能见度在1000米～10000米的，称为轻雾或霭；水平能见度小于10000米，且是灰尘颗粒造成的，就是霾或灰霾。雾的厚度只有几十米至200米，霾则有1000米～3000米；雾的颜色是乳白色、青白色，霾则是黄色、橙灰色；雾的边界很清晰，过了"雾区"可能就是晴空万里，霾则与周围环境边界不明显。

4. **雾霾天气的气象因素**：雾的形成原因：当空气容纳的水汽达到最大限度时，就达到了饱和。如果空气中所含的水汽多于一定温度条件下的饱和水汽量，多余的水汽就会凝结出来，当足够多的水分子与空气中微小的灰尘颗粒结合在一起，同时水分子本身也会相互粘结，就变成小水滴或冰晶。空气中的水汽超过饱和量，凝结成水滴，这主要是气温降低造成的。如果地面热量散失，温度下降，空气又相当潮湿，那么当它冷却到一定的程度时，空气中一部分的水汽就会凝结，变成很多小水滴，悬浮在近地面的空气层里，就形成了雾。霾的形成因素：一是水平方向静风现象的增多。静风现象增多，不利于大气污染物向城区外围扩展稀释，并容易在城区内积累高浓度污染。二是垂直方向的逆温现象。污染物在正常气候条件下，从气温高的低空向气温低的高空扩散，逐渐循环排放到大气中。但是逆温现象下，低空的气温反而更低，导致污染物的停留，不能及时排放出去。三是悬浮颗粒物的增加。霾的形成与污染物的排放密切相关，城市中机动车尾气以及其他烟尘排放源排出粒径在微米级的细小颗粒物，停留在大气中，当逆温、静风等不利于扩散的天气出现时，就形成霾。

5. **雾霾是健康的大敌**：雾霾天气中对健康有害的主要是气溶胶粒子，如矿物颗粒物、海盐、硫酸盐、硝酸盐、有机气溶胶粒子、燃料和汽车废气等，这些细微的颗粒能直接进入并粘附在人体呼吸道和肺叶中。尤其是亚微米粒子会分别沉积于上、下呼吸道和肺泡中，引起鼻炎、支气管炎等病症，长期处于这种环境还会诱发肺癌。

6. **雾霾是心脏杀手**：雾霾天气中的颗粒污染物不仅会引发心肌梗死，还会造成心肌缺血或损伤。雾霾笼罩时气压较低，空气中的含氧量有所下降，这时易感到胸闷。潮湿寒冷的雾和霾，还会造成冷刺激，导致血管痉挛、血压波动、心脏负荷加重等。雾霾中的一些病原体会导致头痛，甚至诱发高血压、脑溢血等疾病。有心血管疾病的人，尤其年老体弱者，不要在雾霾天出门，以免发生意外。

7. **可入肺颗粒物（PM2.5）**：是指大气中直径小于或等于2.5微米的颗粒物，也称为可入肺颗粒物。它的直径还不到人的头发丝粗细的二十分之一。它对空气质量和能见度等有重要的影响，与较粗的大气颗粒物相比，PM2.5粒径小，富含大量的有毒、有害物质且在大气中的停留时间长、输送距离远，因而对人体健康和大气环境质量的影响更大。

8. **可吸入颗粒物（PM10）**：是指悬浮在空气中，能进入人体的呼吸系统、空气动力学当量直径小于或等于10微米的颗粒物。10微米直径的颗粒物通常沉积在上呼吸道。

9. **大气污染**：指一些危害人体健康及周边环境的物质对大气层所造成的污染。这些物质可能是气体、固体或液体悬浮物等。空气污染主要可以分为化学污染和生物污染两部分。也有人把噪音、热量、辐射和光的污染归入空气污染的类别里。

10. **空气污染指数**：即AQI，是英文air quality index的缩写，用AQI可以直观地评价大气环境质量状况。其中：0～50为一级优，51～100为二级良，101～150为三级轻度污染，151～200为四级中度污染，201～300为五级重度污染，300以上为六级严重污染。

11. **空气质量级别**：新标准将空气质量分为优（一级）、良（二级）和轻度（三级）、中度（四级）、重度（五级）、严重污染（六级）6个级别，依次对应绿、黄、橙、红、紫、褐红色6种颜色。

12. **重污染天气预警**：根据空气污染指数的发展趋势和严重性，将预警划分为四个等级，由低到高顺序依次为蓝色预警、黄色预警、橙色预警和红色预警：蓝色预警：对连续2日200＜AQI≤300，或1日300＜AQI＜500的重污染天气预警；黄色预警：对连续3日及以上200＜AQI

＜500且未达到橙色和红色预警级别，或连续2日300＜AQI＜500的重污染天气预警；橙色预警：对连续3日及以上300＜AQI＜500的重污染天气预警；红色预警：对1日及以上AQI达到500的重污染天气预警。

13. **应急响应**：预警信息发布后，启动相应等级的应急响应。指挥部各相关成员单位、相关企事业单位接到预警通知后，根据各自职责，按照专项实施方案和操作方案采取应急措施，预警解除信息发布后，应急响应终止。

按照重污染天气的危害程度和影响范围，分为Ⅳ级响应、Ⅲ级响应、Ⅱ级响应、Ⅰ级响应。

二

14. **生态文明**：生态文明的含义可以从广义和狭义两个角度来理解。从广义角度来看，生态文明是人类社会继原始文明、农业文明、工业文明后的新型文明形态。它以人与自然协调发展作为行为准则，建立健康有序的生态机制，实现经济、社会、自然环境的可持续发展。这种文明形态表现在物质、精神、政治等各个领域，体现人类取得的物质、精神、制度成果的总和。从狭义角度来看，生态文明是与物质文明、政治文明和精神文明相并列的现实文明形式之一，着重强调人类在处理与自然关系时所达到的文明程度。

15. **美丽中国**：是让人民群众在享有丰富物质文化生活的同时，通过大力加强生态建设，为祖国大地披上美丽绿装，实现中华疆域山川秀美，让我们的家园山更绿、水更清、天更蓝、空气更清新。

16. **可持续发展**：最早出现在联合国环境规划署1987年4月发表的《我们共同的未来》一书，是一种特别从环境和自然资源角度提出的关于人类长期发展的战略或模式，它不是一般意义上所指的一个发展进程在时间上的连续性，而是特别指出环境和自然资源的长期承载力对发展的重要性，以及发展对改善生活质量的重要性。可持续发展包括资源可持续利用、环境保护、清洁生产、可持续消费、公众参与、科学技术进步、法制建设、国际合作等诸多领域。可持续发展战略是目前世界各国一致认可并积极实践的唯一的道路。

17. **环境**：通常是指围绕人群的空间和作用于人类这一对象的所有外界影响与力量的总和。环境的好坏也用来形容我们生活的品质，环境也是影响着健康的因素。按属性分为自然环境、人工环境和社会环境。自然环境，通俗地说，是指未经过人的加工改造而天然存在的环境；自然环境按环境要素，又可分为大气环境、水环境、土壤环境、地质环境和生物环境等，主要指地球的五大圈——大气圈、水圈、土圈、岩石圈和生物圈。人工环境，通俗地说，是指在自然环境的基础上经过人的加工改造所形成的环境，或人为创造的环境。人工环境与自然环境的区别，主要在于人工环境对自然物质的形态做了较大的改变，使其失去了原有的面貌。社会环境是指由人与人之间的各种社会关系所形成的环境，包括政治制度、经济体制、文化传统、社会治安、邻里关系等。

18. **环境保护**：简称环保，是指人类为解决现实的或潜在的环境问题，协调人类与环境的关系，保障经济社会的持续发展而采取的各种行动的总称。其方法和手段有工程技术的、行政管理的，也有法律的、经济的、宣传教育的等。

19. **环境保护与环境卫生**：环境保护的主要任务是保护和改善生活环境和生态环境，防治污染和其他公害，工作重点是防治水污染、大气污染、噪声污染、固体废弃物污染等。环境保护的管理机构是各级人民政府的环境保护行政管理机构。而环境卫生的主要任务是消除人类生活污染及其危害。如清扫街道、清除生活垃圾、废弃物、清除人类粪便以及消灭蚊蝇鼠害等。工作面虽然较广，但工作内容较为单一。

它的管理机构一般隶属于各级人民政府的城建部门。

20. **环境权**：环境权主要包括：（1）宁静权，指公民有不受噪声、振动污染的权利；（2）日照权，指公民有享受阳光照射不被阻挡的权利；（3）通风权，指公民享受周围环境有良好的通风条件的权利；（4）眺望权，指公民享有视线不被阻挡的权利；（5）清洁水权，指公民享有饮用清洁、卫生的水的权利；（6）清洁空气权，指公民有呼吸新鲜、清洁空气的权利；（7）优美环境享受权，指公民享有对风景名胜区等具有特殊文化价值的环境观赏游玩的权利等等。

21. **环境标准**：是为保护人群健康、社会财物和促进生态良性循环，对环境中的污染物（或有害因素）水平及其排放源规定的限量阈值或技术规范。

22. **环境标志**：环境标志图形，是由青山、绿水、太阳和十个环组成。它的中心结构表示人类赖以生存的环境；外围的十个环紧密结合，环环相扣，表示公众参与，共同保护环境；同时十个环的"环"字与环境的"环"同字，其寓意为"全民联合起来，共同保护人类赖以生存的环境"。

23. **环境污染**：是指人类直接或间接地向环境排放超过其自净能力的物质或能量，从而使环境的质量降低，对人类的生存与发展、生态系统和财产造成不利影响的现象。在法律上，环境污染则是指由于某种物质或能量的介入使某一特定区域的环境质量劣于适用该区域的环境质量标准的现象。按其污染物的性质可分为生物污染、化学污染、物理污染；按被污染的环境要素，可分为大气污染、水污染、土壤污染、海洋污染等；按污染产生的来源，可分为工业污染、农业污染、交通运输污染、生活污染等。

24. **水体污染**：水体因接受过多的杂质而导致的物理、化学及生物特性的改变和水质的恶化，从而影响水的有效利用，危害人体健康的现象。

25. **土壤污染**：指人类活动产生的污染物，通过不同的途径输入土壤环境中，其数量超过了土壤净化能力，从而使土壤的质量下降的现象。

26. **重金属污染**：指由重金属或其化合物造成的环境污染，主要由采矿、废气排放、污水灌溉和使用重金属制品等人为因素所致。重金属具有不易移动溶解的特性，进入生物体后不能被排出，会造成慢性中毒。如日本的水俣病和痛痛病分别由汞污染和镉污染所引起。其危害程度取决于重金属在环境、食品和生物体中存在的浓度和化学形态。重金属污染主要表现在水污染中，还有一部分是在大气和固体废物中。

27. **核辐射**：通常称之为放射性，存在于所有的物质之中，是正常现象。核辐射是原子核从一种结构或一种能量状态转变为另一种结构或另一种能量状态过程中所释放出来的微观粒子流。核辐射可以使物质引起电离或激发，故又称为电离辐射。电离辐射又分直接致电离辐射和间接致电离辐射。直接致电离辐射包括质子等带电粒子。间接致电离辐射包括光子、中子等不带电粒子。

28. **电磁辐射**：是一种复合的电磁波，以相互垂直的电场和磁场随时间的变化而传递能量。任何一个带有电荷的物体均能在其周围产生电场；而任何一个载流导体又能在其周围产生磁场。各种家用电器、电子设备、办公自动化设备、移动通讯设备等电器装置只要处于操作使用状态，其周围就会存在电磁辐射。电磁辐射作用于人体，在达到一定的剂量后，就会产生生物效应，损害身体健康。电磁辐射在空间传播时，若无损耗则可以无限远地传播开来。但因空气及空间物体的吸收作用和反射作用等影响，则只能传播到有限范围之内。

29. **电磁污染**：电磁辐射强度超过人体所能承受的或仪器设备所能容许的限度时就构成电磁污染。

30. **电磁辐射防护**：电磁屏蔽是电磁污染防护常用的有效技术。屏蔽分两类，一是将污染源屏蔽起来，叫做主动场屏蔽。另一种为被动场屏蔽，是将空间范围、设备或人员屏蔽起来，使其不受电磁辐射的干扰。除了从技术上来防护电磁辐射外，还可采取行政措施，实行分区，使污染源远离人们的工作区和生活区；在近场区采用电磁辐射吸收材料或装置；实行遥控和遥测，提高自动化程度，以减少工作人员接触高强度电磁辐射的机会。

31. **环境与健康**：影响健康的环境因素多种多样，不仅包括物理、化学和生物等自然环境因素，还包括经济、教育、文化等社会环境因素。以环境化学因素为例，既含有人类生存和维持健康所必需的各种有机和无机物质，也包括在人类生活和生产活动中所排出的大量有毒有害化学物质。受经济发展水平影响，环境与健康问题有传统与现代之分。传统环境与健康问题与贫困和发展不足、基本生活资源短缺有关，现代环境与健康问题与忽视可持续发展、不注重环境保护有关。在我国，环境污染已成为不容忽视的健康危险因素。无论在城市还是农村，与环境污染相关的呼吸系统疾病、恶性肿瘤和出生缺陷等问题日益凸显。

32. **环境质量标准**：我们不可能将环境中的污染物或有害因素完全消除，只能尽量将风险控制在相对安全的范围内，使之对健康的影响处于可接受水平。环境质量标准是为了保障人体健康而制定的，这些标准对污染物或有害因素容许含量等的限制性规定，可保障人体健康的相对安全。

33. **生态环境**：是指由生物群落及非生物自然因素组成的各种生态系统所构成的整体，主要或完全由自然因素形成，并间接地、潜在地、长远地对人类的生存和发展产生影响。生态环境的破坏，最终会导致人类生活环境的恶化。各种天然因素的总体都可以说是自然环境，但只有具有一定生态关系构成的系统整体才能称为生态环境。

34. **生态红线**：是指最基本的生态环境保护要求，是维护一定生态环境质量所必须坚持的防护底线，一般有三种形式：一是特定地理区域红线，如主体功能区规划、环境功能区规划等。被列为限制开发区和禁止开发区的地区主要发挥生态屏障和生态效益的功能。二是自然资源使用上限，如煤炭使用量现在以每年两亿吨的速度增长，煤炭不能这样无限制地增长下去，必须控制使用总量；另外，有些大城市的机动车增长也必须进行总量控制。三是污染物排放总量上限，现在四种主要污染物排放总量都在下降，但一些其他污染物排放总量还在增加，温室气体也在增加，对此必须限定一个上限。这三条线综合起来就构成一个完整的生态红线。"生态红线"主要分为重要生态功能区、陆地和海洋生态环境敏感区、脆弱区三大区域。

35. 生态平衡：生态系统中的能量流和物质循环在通常情况下（没有受到外力的剧烈干扰）总是平稳地进行着，与此同时生态系统的结构也保持相对的稳定状态。

36. 生态补偿：让生态影响的责任者承担破坏环境的经济损失；对生态环境保护、建设者和生态环境质量降低的受害者进行补偿的一种生态经济机制。生态补偿有广义和狭义之分。广义的生态补偿既包括对生态系统和自然资源保护所获得效益的奖励或对破坏生态系统和自然资源所造成损失的赔偿，也包括对造成环境污染者的收费。狭义的生态补偿则主要是指前者。

37. 温室效应：地球大气层中的二氧化碳、甲烷等气体，不吸收、阻挡来自太阳的短波辐射，短波辐射可以到达地表，使地表温度升高，地表面吸收太阳辐射升温，以长波辐射的形式向外界传递热量，而温室气体（二氧化碳、甲烷等）可以吸收长波辐射，从而使地表的近地大气的温度升高，称为温室效应。温室效应的存在使地球表面维持了相对温暖、稳定的温度，为生物的生存提供了良好条件。但是近年来，由于人类大量消耗化石燃料，使大气中的温室气体的含量不断增加，以致引起地球温度不断升高。因此，一般所指的温室效应实际是因为人类活动引起的温室效应的加剧。

38. **自然保护区**：为保护自然资源，特别是珍稀动植物资源，代表不同自然地带的自然环境和生态系统，而划出一定的区域加以保护，这样的地区就称自然保护区。是指对有代表性的自然生态系统、珍稀濒危野生动植物物种的天然集中分布区、有特殊意义的自然遗迹等保护对象所在的陆地、陆地水体或者海域，依法划出一定面积予以特殊保护和管理的区域。

39. **"十五小"企业**：包括小造纸，小制革，小染料，土炼焦，土炼硫，土炼砷，土炼汞，土炼铅锌，土炼油，土选金，小农药，小电镀，土法生产石棉制品，土法生产放射性制品，小漂染企业等。

40. **"新六小"企业**：包括小水泥，小玻璃，小炼焦，小火电，小炼铁，小煤矿等。

41. **清洁生产**：是采用清洁的能源、原材料、生产工艺和技术，制造清洁的产品。

42. **碳排放**：碳排放分为可再生碳排放和不可再生碳排放。可再生碳排放是在地球表面的各种动植物正常的碳循环，包括使用各种可再生能源的碳排放。不可再生碳排放指开发和消耗化石能源产生的碳排放。减少碳排放量对缓解温室效应引起的全球变暖能起到重要作用。

43. **新能源**：新能源是指传统能源之外的各种能源形式，如太阳能、地热能、风能、海洋能、生物质能和核聚变能等。相对于传统能源，新能源普遍具有污染少、储量大的特点，对于解决当今世界严重的环境污染问题和资源枯竭问题具有重要意义。

44. **清洁能源**：是不排放污染物的能源，它包括核能和"可再生能源"。可再生能源是指原材料可以再生的能源，如水力发电、风力发电、太阳能、生物能（沼气）、海潮能这些能源。可再生能源不存在能源耗竭的可能，因此日益受到许多国家的重视，尤其是能源短缺的国家。

45. **"三同时"制度**：是指新建、改建、扩建项目和技术改造项目以及区域性开发建设项目的污染治理设施必须与主体工程同时设计、同时施工、同时投产的制度。

46. **环境影响评价**：是指对规划和建设项目实施后可能造成的环境影响进行分析、预测和评估，提出预防或者减轻不良环境影响的对策和措施，进行跟踪监测的方法与制度。国家根据建设项目对环境的影响程度，对建设项目的环境影响评价实行分类管理：可能造成重大环境影响的，应当编制环境影响报告书，对产生的环境影响进行全面评价；可能造成轻度环境影响的，应当编制环境影响报告表，对产生的环境影响进行分析或者专项评价；对环境影响很小、不需要进行环境影响评价的，应当填报环境影响登记表。

47. **污染减排**：污染减排就是减少污染物的排放，主要污染物是指化学需氧量、氨氮、二氧化硫和氮氧化物。是调整经济结构、转变发展方式、改善民生的重要抓手，是改善环境质量、解决区域性环境问题的重要手段。

48. **排放标准**：是国家对人为污染源排入环境的污染物的浓度或总量所作的限量规定。其目的是通过控制污染源排污量的途径来实现环境质量标准或环境目标，污染物排放标准按污染物形态分为气态、液态、固态以及物理性污染物（如噪声）排放标准。按适用范围分为综合排放标准和行业排放标准。综合排放标准规定一定范围（全国或某个区域）内普遍存在的或危险较大的污染物的容许排放量或浓度，适用于各个行业。行业排放标准规定某一行业所排放的各种污染物的容许排放量或浓度，只对该行业有约束力。

49. **生态功能保护区**：是指在保持流域、区域生态平衡，防止和减轻自然灾害，确保国家和地区生态安全方面具有重要作用的江河源头区、重要水源涵养区、水土保持的重点预防保护区和重点监督区、江河洪水调蓄区、防风固沙区、重要渔业水域以及其他具有重要生态功能的区域，依照规定程序划定一定面积予以重点保护、建设和管理的区域。

50. **生态城市**：生态城市是根据生态学原理，应用生态、社会、系统等工程技术建设的社会、经济、自然可持续发展和物质、能量、信息高效利用的人类聚居地。生态城市应满足以下标准：（1）广泛应用生态学原理规划建设城市，城市结构合理、功能协调；（2）保护并高效利用一切自然资源与能源，产业结构合理，实现清洁生产；（3）采用可持续的消费发展模式，物质、能量循环利用率高；（4）有完善的社会设施和基础设施，生活质量高；（5）人工环境与自然环境有机结合，环境质量高；（6）保护和继承文化遗产，尊重居民的各种文化和生活特性；（7）居民的身心健康，有自觉的生态意识和环境道德观念；（8）建立完善的、动态的生态调控管理与决策系统。

51. 绿色学校：是指学校在实现其基本教育功能的基础上，以可持续发展思想为指导，在学校全面的日常管理工作中，纳入有益于环境的管理措施，并持续不断地改进。有效地促进学校整体参与环境保护与可持续发展的实际行动，培养具有较高环境素养，能适应二十一世纪发展的高素质人才，为社会的可持续发展做出贡献。

52. 绿色食品：是指经专门机构认定，许可使用绿色食品标志的无污染的安全、优质、营养食品。由于与环境保护有关的事物，国际上通常都冠之以"绿色"，为了更加突出这类食品出自最佳生态环境，因此定名为绿色食品，此类食品并非都是绿颜色的。绿色食品共分为两级，A级和AA级。

53. 排污许可证制度：排污许可证制度是指凡是需要向环境排放各种污染物的单位或个人，都必须事先向环境保护部门办理申领排污许可证手续，经环境保护部门批准获得排污许可证后方能向环境排放污染物的制度。凡在中华人民共和国行政区域内直接或间接向环境排放污染物的企业事业单位、个体工商户，均应按照规定申请领取排污许可证，并按照许可证核定的污染物种类、控制指标和规定的方式排放污染物。

54. 排污收费：是指向环境排放污染物或超过规定的标准排放污染

物的排污者，依照国家法律和有关规定按标准交纳费用的制度。征收排污费的目的，是为了促使排污者加强经营管理，节约和综合利用资源，治理污染，改善环境。排污收费制度是"污染者付费"原则的体现，可以使污染防治责任与排污者的经济利益直接挂钩，促进经济效益、社会效益和环境效益的统一。排污费由环保部门按照排污者污染物排放的种类和数量进行核收，主要用于重点污染源防治、区域性污染防治等。

55. 排污权交易：是指在某一地区的污染物排放总量不超过允许排放量的前提下，内部各排污单位之间通过买卖的方式相互调剂排污量，从而达到减少排污量、保护环境的目的。其实质是：卖出方由于超量减排而使排污权剩余，通过出售剩余排污权获得经济回报，买方由于新增排污权而不得不付出代价，其支出的费用实际上是环境污染的代价。

56. 环境监测：是对环境中的污染物质及其变化规律、环境影响进行分析、监视，明确其数值、范围、污染程度，通过综合分析描述环境质量状况和发展趋势。

57. 环境监察：是在环境现场进行的执法活动，环境监察不是"环境管理"而是"日常、现场、监督、处理"。环境监察是一种具体的、直接的、"微观"的环境保护执法行为，是环境保护行政部门实施统一监督、强化执法的主要途径之一，是我国社会主义市场经济条件下实施环境监督管理的重要举措。

58. 环境稽查：是环境管理工作的重要步骤和环节，是环保部门代表国家依法对环境监察机构、人员以及排污单位落实制度情况进行检查监督的一种形式。环保稽查的依据是具有各种法律效力的各种环保法律、法规及各种政策规定。具体包括日常稽查、专项稽查和专案稽查。

59. 环保产业：是指国民经济结构中为环境污染防治、生态保护与恢复，有效利用资源、满足人民的环境需求，为社会经济可持续发展提供产品和服务支持的产业。环保产业生产经营的是环保产品（绿色产品），并且整个生产过程没有对外界产生废物，造成外部性负经济影响的产业。

60. 新《环境保护法》：2014年4月24日，十二届全国人大常委会第八次会议表决通过了《环保法修订案》，新法于2015年1月1日起施行。至此，这部中国环境领域的"基本法"，完成了25年来的首次修订。这也让环保法律跟上了时代，开始服务于公众对依法建设"美丽中国"的期待。因为环保法牵涉面甚广、争议较多，这次修法破例进行了四次审议才得以通过。由此，我们可以说，这是一部凝结了中国环保治理智慧，吸取了之前经验教训、能对症下药的成熟立法。新《环境保护法》是一部"长牙齿"的法律，是一部能对民怨极大的污染现象打出硬拳头的法律。

61. 环境污染罪：主要包括走私废物罪（刑法第152条）；重大环境污染事故罪（刑法第338条）；非法处置进口的固体废物罪（刑法第339条第一款）；擅自进口固体废物罪（刑法第339条第二款）；滥用职权罪（刑法第397条）；玩忽职守罪（刑法第397条）；环境监管失职罪（刑法第408条）；其他涉及环境的犯罪。

62. 保护优先：是指在社会管理活动中，应当把生态保护放在优先的位置加以考虑，在生态利益和其他利益发生冲突的情况下，应当优先考虑生态利益，满足生态安全的需要，做出有利于生态保护的管理决定。

63. 预防为主：是根据环境问题产生的原因及特点，预先采取防范措施，防止环境问题及环境损害的发生。预先防范是防治环境污染和破坏的主要措施。通常情况下，环境受到污染和破坏以后，恢复起来是很困难的，有些生态环境破坏后甚至不可恢复。预防为主是环境保护的重要原则。

64. 公众参与："环境保护公众参与"是环境法中的一项基本原则，是公众的一项基本权利，保证公众广泛参与环境保护的整个过程，可以使公众利益得到充分保证。环境污染是由人造成的，每个人对保护环境都有一定的责任，因此在环境问题日益严重的今天，公众参与是实施环境保护的必要选择。

65. 损害担责：指对环境造成任何不利影响的行为人，应承担恢复环境、修复生态或支付上述费用的法定义务或法律责任。其中"担责"是指要承担责任，承担恢复环境、修复生态或支付上述费用的责任；而"损害"描述的是对环境造成任何不利影响的行为，包括利用环境致使环境自身恢复能力退化的行为。

66. 风险评估：是针对建设项目在建设和运行期间发生的可预测突发性事件或事故（一般不包括人为破坏及自然灾害）引起有毒有害、易燃易爆等物质泄漏，或突发事件产生的新的有毒有害物质，所造成的对人身安全与环境的影响和损害，进行评估，提出防范、应急与减缓措施。环境风险评价（ERA），国外始于上世纪七十年代初，国内萌动于上世纪八十年代中期。

67. 生态补偿：是以保护生态环境、促进人与自然和谐为目的，根据生态系统服务价值、生态保护成本、发展机会成本，综合运用行政和市场手段，调整生态环境保护和建设相关各方之间利益关系的环境经济政策。主要针对区域性生态保护和环境污染防治领域，是一项具有经济激励作用、与"污染者付费"原则并存、基于"受益者付费和破坏者付费"原则的环境经济政策。

68. 按日计罚：是指排污企业无法按期实现环境监管部门限期整改的要求，逾期1天将被处以1万元以上、10万元以下的处罚，上不封顶的处罚管理手段。

69. 环境损害：包括对人的损害和对环境的损害。对人的损害包括财产损害、人身损害、精神损害；对环境的损害包括环境污染、生态破坏，这两种环境损害往往是同一行为的不同后果，并且相互联系。

70. 环境公益诉讼：环境公益诉讼是指社会成员，包括公民、企事业单位、社会团体依据法律的特别规定，在环境受到或可能受到污染和破坏的情形下，为维护环境公共利益不受损害，针对有关民事主体或行政机关向法院提起诉讼的制度。环境公益诉讼并不是独立于民事、行政、刑事诉讼之外的一种独立的诉讼类型，它只是一种与诉讼目的及原告资格有关的诉讼方式。实践证明，这项制度对于保护公共环境和公民环境权益起到了非常重要的作用。

三

71. 世界环境日：1972年6月5日，联合国在瑞典首都斯德哥尔摩举行环境会议，并决定将大会开幕日定为"世界环境日"。世界环境日的意义在于提醒全世界注意地球状况和人类活动对环境的危害。要求联合国系统和各国政府在这一天开展各种活动来强调保护和改善人类环境的重要性。联合国环境规划署在每年的年初公布当年的世界环境日主题，并在每年的世界环境日发表环境状况的年度报告书。中国国家环保总局在这期间发布中国环境状况公报。中国从1985年6月5日开始以"青年人口，环境"为主题，举办纪念世界环境日的活动。自此每年的6月5日全国各地都要举办纪念活动。1993年北京被选为举办庆祝活动的城市，其主题是"打破贫穷与环境的怪圈"。

72. 世界地球日：世界地球日活动起源于美国。1990年4月22日，世界各地组织大型环保活动，共有一百四十多个国家的两亿多人同时在各地举行了多种多样的纪念活动，活动的重点是全球整体环境的改善。它使人们更加清醒地认识到，地球环境质量的急剧下降成为直接威胁人类生存的世界性问题。这项活动得到了联合国的首肯。其后，每年的4月22日被定为"世界地球日"。中国从二十世纪九十年代起，每年4月22日都举办世界地球日活动。

73. 国际保护臭氧层日：1987年9月16日，46个国家在加拿大蒙特利尔签署了《关于消耗臭氧层物质的蒙特利尔议定书》，并把每年的9月16日定为国际保护臭氧层日。联合国设立这一纪念日旨在唤起人们保护臭氧层的意识，并采取协调一致的行动以保护地球环境和人类的健康。

74．世界无烟日：是世界卫生组织于1987年11月建议设立的节日。自二十世纪五十年代以来，全球范围内已有大量流行病学研究证实，吸烟是导致肺癌的首要危险因素。为了引起国际社会对烟草危害人类健康的重视，将每年的4月7日定为"世界无烟日"，并于1988年开始执行。自1989年起，世界无烟日改为每年的5月31日。以提醒人们重视香烟对人类健康的危害。

75．世界森林日：森林可以抵御风沙，保护人类。近年来，由于消费国大量消耗木材及林产品，导致全球森林面积明显减少，全球每年消失的森林近千万公顷，这不仅仅是某一个国家的内部问题，它已成为一个国际问题。1971年第七届世界森林大会决定将每年的3月21日定为"世界森林日"，以引起各国对人类的绿色保护神——森林资源的重视，通过协调人类与森林的关系，实现森林资源的可持续利用。

76．国际生物多样性日：1994年12月，联合国大会通过决议，将每年的12月29日定为"国际生物多样性日"，以提高人们对保护生物多样性重要性的认识。2001年5月17日，根据第55届联合国大会第201号决议，国际生物多样性日改为每年5月22日。

77．世界湿地日：湿地与森林、海洋并称全球三大生态系统，被誉为"地球之肾""天然水库"和"天然物种库"。为加强对湿地的保护和利用，1971年2月2日，来自18个国家的代表在伊朗南部海滨小城拉姆萨尔签署了《关于特别是作为水禽栖息地的国际重要湿地公约》。为了纪念这一创举，并提高公众的湿地保护意识，1996年"湿地公约"常务委员会第19次会议决定，从1997年起，将每年的2月2日定为"世界湿地日"。

78．世界防治荒漠化和干旱日：1994年12月19日第49届联合国大会根据联大第二委员会（经济和财政）的建议，通过了49/115号决议，从1995年起把每年的6月17日定为"世界防治荒漠化和干旱日"，旨在进一步提高世界各国人民对防治荒漠化重要性的认识，唤起人们防治荒漠化的责任心和紧迫感。

79. 世界粮食纪念日：1979年11月举行的第20届联合国粮食及农业组织（简称"联合国粮农组织"）大会决定：1981年10月16日为首次"世界粮食纪念日"。此后每年的这个日子都要为世界粮食日开展各种纪念活动。其宗旨在于唤起全世界对发展粮食和农业生产的高度重视。

80. 世界人口日：1987年7月11日，地球人口达到五十亿。为纪念这个特殊的日子，1990年联合国根据其开发计划署理事会第36届会议的建议，决定将每年7月11日定为"世界人口日"，以唤起人们对人口问题的关注。

四

81. 大气污染主要是人为因素造成的：大气污染的成因除自然因素外，主要是人为的。专家认为，大气污染除受地理环境和气象因素影响外，各类扬尘，燃煤，机动车尾气和烧烤、炊事、鞭炮等烟气及工业废气是大气污染最主要元凶。

82. 燃煤污染，危害环境和健康：煤中的碳、氢、氧、氮、硫等元素，在燃烧过程中会生成二氧化硫、氮氧化物、二氧化碳，并产生大量粉尘，这些污染物尤其是二氧化硫污染，给自然环境和人体健康带来了很大的危害。

83. 烟气，是居民区污染的主因：烟气，是气体和烟尘的混合物，是污染居民区大气的主要原因。烟气中包括二氧化硫、一氧化碳、二氧化碳、碳氢化合物以及氮氧化物等，烟尘包括燃料的灰分、煤粒、油滴以及高温裂解产物等。烟尘对人体的危害性与颗粒的大小有关，对人体产生危害的多是直径小于10微米的飘尘，尤其以1～2.5微米的飘尘危害性最大。

84. 扬尘污染，造成空气混浊：扬尘污染，是指泥地裸露，以及在房屋建设施工、道路与管线施工、房屋拆除、物料运输、物料堆放、道路保洁、植物栽种和养护等人为活动中产生粉尘颗粒物，对大气造成的污染。易产生扬尘污染的物料，是指煤炭、砂石、灰土、灰浆、灰膏、建筑垃圾、工程渣土等易产生粉尘颗粒物的物料。扬尘污染，会使空气污浊，影响环境。

85. 焚烧秸秆、垃圾，污染环境、危及安全：有数据表明，焚烧秸秆、垃圾等杂物时，大气中二氧化硫、二氧化氮、可吸入颗粒物三项污染指数达到高峰值，其中二氧化硫的浓度比平时高出一倍，二氧化氮、可吸入颗粒物的浓度比平时高出三倍，相当于日均浓度的五级水平。当可吸入颗粒物浓度达到一定程度时，对人的眼睛、鼻子和咽喉含有黏膜的部分刺激较大，轻则造成咳嗽、胸闷、流泪，严重时可能导致支气管炎发生。同时，还可能引发火灾、引发交通事故，破坏土壤结构，威胁群众的生命财产安全。

86. 燃放鞭炮，使空气质量迅速恶化：大量的鞭炮燃放对城市短期环境空气质量有较大程度的影响，导致城市环境空气质量在短期内迅速恶化，使环境空气中可吸入颗粒物、细颗粒物、二氧化硫浓度急剧升高，大气污染加重。烟花爆竹燃放后产生的烟雾刺激性较强，含有硝、二氧化硫、细小颗粒物等。同时，燃放烟花爆竹还会产生固体废弃物污染和噪声污染。

87. 黄标车，是尾气排放大户：黄标车是指排放量大、浓度高、排放稳定性差的车辆，大多是于1995年以前领取牌证的老车。这些车辆由于尾气排放控制技术落后，尾气排放达不到欧I标准，排放量相当于新车的5～10倍。因此环保部门只发给黄色环保标志。

88. **掌握技能正确应对**：学会识别常见的危险标识及警告图形标志；当发生环境与健康事件时，能按政府部门的指导应对。

89. **汽车尾气危害大，少开私车为健康**：多坐公交等公共交通工具；多骑自行车和电动车，节能又方便；路程不远的就步行，健康又环保；拼车上下班，环保又省钱；积极响应每月少开一天车的环保公益活动。

90. **逢节逢喜放鞭炮，喜乐之时酿悲伤**：大量的鞭炮燃放会导致城市环境空气质量在短期内迅速恶化，还会产生固体废弃物污染和噪声污染。同时，还会引起火灾和对人体的伤害，应该予以节制。

91. **垃圾秸秆莫乱烧，烟尘害己又害人**：严禁在市城区和城郊焚烧各种垃圾、秸秆等废物，所有可燃性垃圾废物必须清运到指定地点集中处置，农作物秸秆采取集中粉碎、积肥还田措施，消除环境污染。

92. **使用环保产品，享受绿色生活**：选用绿色食品或有机食品；购买家电要选用节能环保的；装修居室要选用环保涂料和环保家具；购买汽车要选用低排放省油的；采用无纸化办公，多用电子邮件或网络通讯工具；积极参加义务植树活动，爱护身边的一草一木；支持和参加绿色创建活动。

93. **减少环境污染，需从细节做起**：据测算，每个月少乘一次电梯，一年就减碳平均48千克；每月少开一天车，每车每年相应减排二氧化碳98千克；每人每年少买一件衣服可减排二氧化碳6.4千克；每月用手洗代替一次机洗，每台洗衣机每年可减排二氧化碳3.6千克；每天少抽1支烟，每人每年减排二氧化碳0.37千克；用1封电子邮件代替1封纸质信函，可相应减排二氧化碳52.6克；使用打印机后将其断电，每台每年可相应减排二氧化碳9.6千克；每天少开半小时电视，每台电视机每年可减排二氧化碳19.2千克。

94. **及时了解环境信息，减少不利影响**：由政府机关、环保部门、权威媒体等披露的信息是可靠的。公民应借助这些信息，指导自己及家人的生活和生产活动，以消除或减少环境污染对健康的不利影响。遇到问题不要惊慌失措，不要盲目相信小报、网络等传播的与环境质量相关的恐慌性信息，更不要传播谣言、围观现场，应通过多种途径搜集环境质量信息，辨别传言真伪。

95. 推进新环保法落实，各级政府要勇挑重担：新环保法对于环境失职行为问责将更为严厉，特别是地方政府党政领导干部，将面临更多环境决策的大考。各级政府要全面实施新环保法，把保护地方环境、促进环境质量改善，真正落到实处。要严格执行新环保法规定，在推动地方经济发展时，不缺位、不越位、不错位、不失位，不触碰生态红线，守住一方净土、一片蓝天。

96. 推进新环保法落实，环保等相关部门责无旁贷：新环保法赋予环境执法更多权力，对企业实施查封、扣押，按日计罚、上不封顶等，将产生强大震慑作用。有了利刃，还要有十八般武艺。这就要求环境监管执法不能蜻蜓点水、浮于表面、流于形式，而要出重拳、用重典，动真格、见真章。特别是《关于加强环境监管执法的通知》明确提出了环保检查、监管、执法、稽查依据，基层环境执法人员必须学以致用，严格执法，体现新环保法的严肃性，才能真正发挥新环保法的利剑作用。

97. 推进新环保法落实，企业责任不可推卸：新环保法严惩环境违法行为，严格规范企业环境行为。特别建立了黑名单制度，在金融、信贷、证券等方面提高了环境违法成本。企业要实现良性发展，必须掌握新环保法确定的法律底线，依法生产，依法经营。在严厉的环保法面前，企业必须严格约束自身环境行为，不越底线、不踩红线、不碰高压线，自觉履行社会责任。

98. 推进新环保法落实，还需要社会公众积极参与：每个人既是环境的享受者，同时也是环境的加害者。环境污染与每个人都有关系。所以，保护环境是每个公民应尽的义务，公民要积极做到低碳生活、绿色消费、减少日常生活对环境的影响。要主动学法、尊法、护法、守法；要争做环保理念的传播者，低碳生活的践行者，绿色时尚的引领者，生态环境的呵护者。

99. **运用合法方法，维护环境权益**：公民应当积极参与环境保护，监督环境管理，举报违法排污行为，为保护自身健康而努力。公民还应选择合理方式与合法的途径，维护自身的环境权益和社会公共环境权益。例如，可与污染责任者协商解决问题，也可申请行政部门来调解处理纠纷，还可通过提起民事诉讼来维权。

100. **拨打环保热线，投诉污染行为**：当身边发生环境污染事件或对自己健康产生危害的环境污染行为时，应拨打"12369"环保热线投诉。拨打热线投诉时应注意：一是快，发现事件后，快速拨打电话，使事件在发生之初即得到有效控制和处理；二是准，对所报告事件应客观描述，不要夸大其辞，以免影响有关部门对问题的性质判断，不利处理；三是要讲清楚事发的具体地点、时间、举报人姓名及联系方法等，这样既有利于工作人员到现场进行检查，也便于有关部门及时回复举报人处理结果。